ВЫСОКИ

ИРИНА МУРАВЬЁВА

ДЕНЬ АНГЕЛА

ЭКСМО

МОСКВА

УДК 82-3
ББК 84(2Рос-Рус)6-4
М 91

Художественное оформление серии *Виталия Еклериса*

М 91   Муравьева И.
          День ангела : роман / Ирина Муравьева. — М. :
        Эксмо, 2013. — 352 с. — (Высокий стиль. Проза
        И. Муравьевой).

        ISBN 978-5-699-61105-8

Семья русских эмигрантов. Три поколения. Разные характеры и
судьбы — и одинаковое мужество идти навстречу своей любви,
даже если это любовь-грех, любовь-голод, любовь-наркотик. Любовь, которая перемежается с реальным голодом, настоящими
наркотиками, ужасом войн. Герои романа готовы отвечать за соб-
ственный выбор. Они напряженно размышляют о том, оставляет
ли Бог человека, оказавшегося на самом краю, и что делать с жаж-
дой по своему запретному и беспредельному «я». Они способны
видеть ангела, который тоже смотрит на них — и на границе между жизнью и смертью, и из-под купола храма, и глазами близких
людей.

УДК 82-3
ББК 84(2Рос-Рус)6-4

ISBN 978-5-699-61105-8

О. А.

Ночью двадцать третьего января весь дом был разбужен грозою. На сонные бульвары обрушился ливень, и небо, которое знало, за что это послано людям, деревьям, зверью по лесам, сизым рыбам в озерах, пошло раскрываться все глубже и глубже, выворачивать внутренности, ослепляя внезапной мертвой белизной и содрогаясь. Судороги молнии распарывали его, и вдруг становилось светло, словно днем.

В эту ночь не стало деда, который накануне неожиданно почувствовал себя лучше и много шутил с доктором Пера, забежавшим, как всегда, ненадолго, после целого дня в тесном кабинете, где он принимал больных и где, прислоненная к настольной лампе, стояла фотография его детей — мальчика и девочки — на фоне большого, залитого светом, сиявшего каждой соломкою стога. Дети были близнецами и погибли в автомобильной катастрофе восемь лет назад вместе с матерью. На фотографии видно, что они отбрасывают всего лишь одну, очень узкую тень на стену сарая, как будто еще одной тени и быть не должно, раз дети все сделали вместе: сперва родились, а потом и погибли.

Деду стало намного лучше, и после ухода доктора Пера он попросил поесть и съел две ложки супа. Потом он заснул. Бабушка долго стояла на коленях у кровати и, взяв его руку в свои, тремя этими руками гладила саму себя по лицу. Потом поднялась и легла в соседней маленькой комнате на узком диване. А ночью дед умер. Гроза разбудила его, и, приподнявшись на подушках — весь белый, с растрепанными волосами, — он начал звать бабушку. Она вскочила и побежала к нему. Дед задыхался, в груди его, осыпанной мелкими каплями пота, клокотало, скрипело, как будто и там шла гроза. Бабушка прыгающими руками налила в стакан воды, попыталась напоить его, но дед неожиданно внятно сказал:

— «...проходит образ мира сего...»

Восторженный ужас остановился в его глазах, но тут по всей улице погас свет, и дед — в темноте, в ливне, в грохоте — умер.

Отпевали его на рю Дарю. От света свечей мертвое лицо деда то казалось румяным, то вдруг начинало неярко сиять, как костяное, большие седые усы, разросшиеся за болезнь, сквозили. А бабушка была красивой даже тогда, когда, сгорбившись, стояла у гроба и пристально, с удивленной тоской, всматривалась в умершего, как будто ждала, что он скажет ей что-то. С той же удивленной тоской она трижды поцеловала его, и бережно поправила волосы на его лбу, и что-то шепнула, но тихо, совсем еле слышно. Потом состоялись поминки. Бабушка просила всех выпить, поесть, помянуть, но вскоре затихла, отошла к окну, отвернулась, и плечи ее под длинной черной шалью высоко приподнялись, словно она набирала силы для того, чтобы зарыдать или засмеяться, но не зарыдала, не засмеялась, а так и стояла с поднятыми черными плечами, смотрела на улицу. Может быть, она и увидела тогда, как через неделю — похудевшая, потемневшая и рассеянная — будет переходить эту улицу с болонкой по имени Мушка, и тут ее собьет машина, а Мушка приведет полицейских обратно домой и там заскулит и завоет у двери?

На бабушкиных похоронах все шепотом повторяли одно и то же, все говорили, что она не могла жить после смерти мужа и сына, ей жить стало незачем, и она, как слепая, переходила эту тихую безобидную улицу, на которой никто никогда не попадал ни под какие машины, а она попала, произошло кровоизлияние в мозг, и бабушка скончалась на месте. Слава богу, что Мушка привела полицейских домой, ведь в сумочке у погибшей не оказалось никаких документов. На мать и на Митю смотрели с тревогой, как будто боялись, что вскоре придется прощаться и с ними, потому что за последние три года эта семья — такая, казалось, хорошая, добрая — потеряла сразу троих. Все помнили, как страшно закричал дед, когда гроб с телом его единственного сына, Митиного отца, начал медленно опускаться:

— Ли-и-иза! Что мы с тобой делаем!

А бабушка, не отрывая глаз от нарядного, светлого ящика, который приостановился и немного повисел на своих ремнях, перед тем как окончательно налечь на красновато-лиловую землю, — бабушка только гневно затрясла головой, как будто бы дед своим криком мешал ей.

Мать долго не могла заставить себя притронуться к бабушкиным вещам, но потом быстро собрала в несколько коробок все ее шляпы и платья и тогда же, между шляпами, нашла эти самые «papers», эти тетради, в которые бабушка по непонятной причине записывала свою жизнь. Вместе с «papers» обнаружились и письма бабушкиной младшей сестры Насти, Анастасии Беккет, которая так и не приехала на похороны.

ДНЕВНИК
Елизаветы Александровны Ушаковой

Париж, 1955 г.

Скоро месяц, как мы узнали, что le bébé est en route[1]. Это сразу перевернуло нашу жизнь с Георгием. Мы стали спокойнее, мягче друг с другом. Трудно даже объяснить эту перемену. Ленечка, судя по всему, немного стесняется того, что скоро станет отцом, и они с Верой, сколько можно, скрывали от нас эту новость. В моем сыне много детского, и Вера ему подыгрывает, притворяется наивнее и беспомощнее, чем она есть на самом деле. Я съездила к маме и папе в Тулузу. Слава богу, что они наконец перебрались, а то мама уже с ума сходила в нашей деревне. Она сильно согнулась, но взгляд все такой же голубой и яркий, даже ослепляет немного.

Я ей сказала:

— Подумай! А ты ведь почти что прабабка!

Она ответила:

— Прабабка — и ладно. А ты-то, бедняжка? Какая ж ты бабка?

Быстро прошла моя жизнь! Верин живот растет не по дням, а по часам, все лицо усыпано темно-желтыми

---

[1] Будет ребенок (*франц.*).

8

пятнами. Иногда я чувствую, что я ей неприятна. Может ли быть, что она догадывается? Однажды она спросила меня, как это вышло, что Георгий старше меня на целое поколение? Пришлось рассказать, что он тоже жил в Тарбе и первое время помогал моему отцу объезжать лошадей. Он попал туда в двадцать пятом году, когда мне было двадцать три, а ему сорок пять. Вера не может этого понять. Разве мало было парней? Я ей попробовала объяснить, что парней было много, но все больше французы, а родители хотели, чтобы я вышла только за русского, за своего, и я была с ними согласна. Она так и не поверила мне. Я не испытываю к Вере никаких недобрых чувств, боже сохрани! Если моему сыну хорошо, то мне ничего и не нужно. Она очень привлекательна. Сложена, как негритянка: тонкая талия и derrière[1] выпуклый, как это бывает у негритянок. Глаза почти лиловые. Мой сын, наверное, очень любит ее тело. Я это чувствую. Не знаю только, отвечает ли она взаимностью, счастлива ли она с ним.

Завтра под предлогом, что мне нужно навестить Диди, уезжаю с Н. на три дня. Господи! А я ведь почти уже бабка, grand-mami!

**Анастасия Беккет —
Елизавете Александровне Ушаковой**

Москва, 1933 г.

Лиза, мы наконец добрались до Москвы. Устали, намучились. Приехали в субботу под самый вечер. На

---

[1] Зад *(франц.)*.

вокзал за нами прислали «Кадиллак» с шофером, который удивил меня тем, что за всю дорогу не произнес ни слова. Первые два месяца мы будем жить в гостинице «Ново-Московская» с видом на Кремль и на Москву-реку. Обстановка в этой гостинице роскошная, везде зеркала, много красного бархата, ярко горят лампы, но ванну так и не удалось наполнить водой, потому что нечем заткнуть сток. Патрик вызвал дежурного. Тот сильно разволновался, что не угодил иностранцам, потом сказал, что завтра они все починят, а пока он предлагает либо сесть на эту дырку, либо заткнуть ее пяткой. После ухода дежурного мы с Патриком хохотали и мерились пятками: какой пяткой лучше заткнуть. Ночью у меня началась мигрень, а все лекарства мы забыли в Лондоне. Патрик дал мне немного коньяка.

В девять встали и пошли завтракать. По всему коридору проложена красная ковровая дорожка, много пальм в кадках, на горничных белые фартуки и до того жестко накрахмаленные наколки, что кажутся мраморными. В большой, жарко натопленной столовой сначала, кроме нас, никого не было. Нам предложили жареные пирожки с очень вкусной начинкой, черную икру, масло, джем и компот из ананасов. Меня эта роскошь неприятно удивила: ведь мы приехали в пролетарское государство, где народ живет, разумеется, совсем иначе, — зачем же пускать пыль в глаза? Сразу же следом за нами вошли не то немцы, не то шведы — очень хорошо одетые, выглаженные, вымытые до блеска, с презрительными усмешками на лицах, как будто они уверены, что вся эта великолепная жизнь устроена именно для них, и потому принимают ее как должное, разрешают кормить себя черной икрой и компотами из ананасов. Мы с Патриком быстро поели и вернулись в номер.

За окнами открывается вся огромная Москва с железным мостом через реку и сияющими сине-зелеными куполами храма Василия Блаженного. Вдруг прямо под окнами раздались звуки духового оркестра, и медленно прополз грузовик с открытым гробом, вокруг которого на скамьях сидели родственники, одетые в черное. Сверху мне было отчетливо видно застывшее лицо покойника, до подбородка укрытого красным покрывалом и осыпанного мелкими белыми астрами. За грузовиком вышагивал оркестр, дуя в свои ослепительные трубы. Мне не понравилось, что первое наше утро в Москве началось этими похоронами, кольнуло тяжелое предчувствие, но Патрик, который всегда угадывает, что со мной, начал объяснять, что мы приехали в один из самых экзотических городов на свете, где столько всего строится, все меняется прямо на глазах, и нам будет все интересно. Наверное, правда.

В центре Москва перерыта-перекопана, как будто вспорота наизнанку. На каждом шагу — желтые горы подмерзшей земли, половина дорог утопает в месиве темно-красной глины. Ни пройти, ни проехать. Везде грохочущие экскаваторы, озабоченные фигуры мужчин в засаленных кепках и женщин в ватниках и красных косынках. Женщины здесь работают наравне с мужчинами — все вместе строят метро, которое должно, как говорят, открыться к годовщине революции. Мы с Патриком вышли прогуляться по городу, и меня поразило, как выглядят люди вблизи. На их усталых и серых лицах нет ничего общего с изображениями на тех радостных плакатах, которыми пестрит город. Одеты все бедно и скудно, толчея на улицах немыслимая, трамваи набиты битком. Все натыкаются друг на друга, огрызаются, самых нерасторопных и слабых прибивает к стенам домов, и они стоят там до тех пор, пока не удастся опять ввинтиться в безжалостный людской поток. Но знаешь, что меня сразу поразило? В людях заметна какая-то напряженная дисциплинированность, словно они все время чувствуют, что за ними присматривают и могут наказать. Мы с Патриком решили вернуться обратно в гостиницу на трамвае. На остановке, когда мы подошли, было всего пять человек, но и они тут же выстроились друг другу в затылок. То же самое у газетных и табачных киосков. Никто не стоит просто так, сам по себе, все стремятся занять какую-нибудь очередь, словно без очереди жизнь сразу же распадется. Много нищих, очень много! Особенно тяжелое впечатление производят беспризорные дети. Нас предупреждали в посольстве, что это очень ловкие воришки и нужно как можно крепче прижимать к себе сумочки, но сейчас, увидев этих детей, истощенных, бледных, чумазых, до которых никому нет дела, я почувствовала такой стыд, словно это по моей вине они бегают по улице и просят на хлеб.

В среду мы были приглашены в американское посольство на обед. Я еще в Лондоне слышала, что Буллит и его жена задают в Москве какие-то неслыханные пиры и праздники. Утром я пересмотрела и перемерила все, что у меня есть. Остановилась на сером длинном платье из шелка, которое мне сшили в Риге. Сразу после завтрака пошел дождь и сильно запахло гниющей листвой, которой засыпаны улицы. В шесть за нами приехала машина, и я накинула поверх платья драповое пальто с белым песцом, которое мне тоже сшили в

Риге. Машина наша остановилась у великолепно освещенного особняка, похожего на настоящий дворец.

То, что я увидела, оказалось намного богаче и пышнее, чем мы с Патриком представляли себе раньше. Женщины одеты роскошно. Многие сильно обнажены, в драгоценностях и мехах. Причем жемчуг и бусы теперь носят не так, как раньше, а перекидывают их на открытые спины, чтобы привлечь внимание к своему голому телу. А из мехов больше всего песцов и чернобурок. Было, правда, и несколько ярко-рыжих, очень пушистых лис. Красятся теперь тоже не так, как раньше, — ни темных теней на веках, ни бордовой помады. Брови очень тонкие, ниточкой, а губы ярко-алые с золотистым или вишневым отливом. Почти все дамы были на очень высоких каблуках. Но угощение, Лиза! Столы буквально ломились от еды. Горы черной икры, ананасы, виноград, бананы. Я в своем сером платье, с одним только маминым медальончиком на шее, чувствовала себя просто Золушкой. Рядом со мной все крутилась какая-то дама с мышиной мордочкой и так сверкала своими бриллиантами, что больно было глазам. Оказалось, что это жена какого-то крупного военного начальника.

В большом беломраморном зале с колоннами танцевало несколько очень элегантных пар. Лиза, j'ai hallucine![1] Представь себе окно в форме гигантского веера, высоченный сводчатый потолок и в самом центре его неправдоподобно огромную, полыхающую огнями хрустальную люстру! Патрик сказал, что оркестр выписали из Стокгольма. Дирижер во фраке до пят, с жестким огненным бобриком, как будто весь в иглах, был похож на какого-то фантастического ежа.

---

[1] Я была поражена (*франц.*).

Потом мы попали в столовую. Столовая — очень пестрая, яркая, украшена в стиле рюсс, по углам — клетки с новорожденными ягнятами, козлятами, был даже один медвежонок. В стеклянной галерее чудесный зимний сад, роскошные цветы, зреют лимоны и апельсины. Просто как в сказке! На каждом столе стояли большие бело-розовые букеты: розы, лилии и нарциссы. Маки, привезенные из Голландии, разложили так: по одному цветку к каждому прибору. Ложки, ножи и вилки — массивные, серебряные, с золотыми вензелями. Голова у меня закружилась от этого блеска, от звуков и запахов. В три часа утра заиграли гармоники и запели петухи, которые висели под самым потолком столовой в ажурных позолоченных клетках. Все гости засмеялись, захлопали в ладоши, а Буллит, багровый и потный от выпитого, приподнялся и поклонился.

Теперь, Лиза, главное: я познакомилась со знаменитым Дюранти! Мы сидели за одним столом с ним и с этой идиоткой Анной Стронг, у которой губы были так неряшливо накрашены оранжевым, словно она клоун в цирке. У Дюранти очень насмешливое лицо, глаза серые, прозрачные. В его лице часто появляется какая-то особая твердость, вернее сказать, неподвижность, почти парализованность, с помощью которой, мне кажется, он отводит от себя постороннее любопытство. Дюранти сильно хромает, но это нисколько не мешает, напротив, даже придает мужества. Я уже знала от Патрика, что Дюранти недавно получил Pulitzer Price[1] за свои репортажи о положении дел на Украине. Он уже несколько лет живет в Москве и много ездил по стране,

---

[1] Пулитцеровская премия — одна из наиболее престижных наград США в области литературы, журналистики, музыки и театра.

так что к его мнению всерьез прислушиваются и в Европе, и в Америке. После ужина Патрик куда-то отошел, Стронг тоже умчалась со своими морковными губами, и мы с Дюранти остались одни за нашим столом. Я смутилась и неловко поздравила его с этой престижной премией. Он вдруг очень близко наклонился к моему лицу, словно хотел понюхать мои глаза и волосы, и засмеялся странным деревянным смехом:

— Да что репортажи! Они все равно все подохнут от голода. Ça me dit rien![1].

Я так резко отшатнулась от него, что задела локтем бутылку с недопитым шампанским, она упала, и шампанское пролилось мне на ноги. Он увидел это, и у него как-то бешено заблестели глаза:

— Хотите, я допью остатки вина с вашего колена?

— Что?! — Я по-настоящему испугалась: вдруг показалось, что он готов наброситься на меня.

— Хочу быть галантным французом, — засмеялся он одними губами, а глаза так и остались бешеными. — Вы говорите, что Франция — ваша родина, ведь так? Но и мои золотые годы прошли в Latin Quartier[2]. Мы с вами почти земляки!

Я совсем растерялась, но все же попробовала сменить тему:

— Неужели русские крестьяне действительно голодают? Нам говорили об этом еще в Англии. Почему же вы тогда не пишете все, как есть на самом деле?

Он сморщился и взял меня за руку, словно я была ребенком, которого нужно успокоить:

— Во-первых, немного пишу. Учитесь читать меж-

---

[1] Меня это не вдохновляет *(франц.)*.

[2] Латинский квартал *(франц.)*.

ду строчек... А во-вторых, какая разница? Европа — давно царство смерти. У людей всегда была развита потребность в жестокости и страсть к убийству. Ça booster le moral![1] А русским не нужно мешать. Пусть они сами разбираются в своей каше. C'est le jour de la sainte touche![2]

Я только глотала ртом воздух, но ничего не говорила, не могла сообразить, как ответить ему, и тогда он опять засмеялся и опять близко-близко наклонился ко мне, так близко, что я почувствовала, какое у него горячее и напряженное тело.

— Хотите, я вас покатаю по городу? У меня здесь машина с шофером, я к вашим услугам.

Мне казалось, что на нас все смотрят, все видят, как он держит меня за руку и так близко наклоняется ко мне, словно вот-вот обнимет и начнет целовать!

— Нет, нет, не хочу!

— Вы в самом деле русская? — прошептал он. — Мне говорили, что Беккет женился на русской. В каком же году вы сбежали?

— В двадцатом.

— И где теперь ваши родители?

— На юге, во Франции. А сестра с семьей в Париже. Она замужем, у нее маленький сын.

— Ну, видите, как все устроилось. Зачем вы приехали в это болото?

Я не успела ответить. Вернулся Патрик и повел меня к московским интеллигентам, которые держались особняком. Мне кажется, что они очень растерялись, когда услышали, что я русская по происхождению. Я не

---

[1] Это поднимает настроение *(франц.)*.
[2] Это запутанное дело *(франц.)*.

знала ни одного из названных имен, кроме режиссера Мейерхольда и его жены актрисы Зинаиды Райх. Эта пара произвела на меня отталкивающее впечатление. У него волосы стоят дыбом, а лицо лихорадочное, жалкое, но злое, которое часто становится надменным, а глаза почти закрываются, словно он сейчас упадет в обморок. И речь тоже странная: то быстрая громкая скороговорка, а то он начинает бормотать себе под нос и через секунду останавливается, глубоко задумывается. Его жена Зинаида Райх — большая, грузная, с выразительными и немного истеричными глазами. Ее можно было бы назвать красивой, если бы не эта тяжелая нижняя челюсть и слишком яркий грим, сквозь который и лица-то не разглядишь. Еще был Бухарин с женой. Они оба выглядят старомодно, и жена некрасиво, по-старушечьи одета. Я разговаривала с Мейерхольдами и вдруг всей спиной почувствовала, что на меня смотрят. Обернулась: Дюранти! Опять эти наглые блестящие глаза, от которых я вся покрываюсь мурашками. Зачем он так смотрит? И все ведь, наверное, заметили это!

В гостиницу мы вернулись, когда уже светало. Патрик сказал мне, что Дюранти, без сомнения, очень талантливый журналист, но про него ходят дурные слухи. Известно, например, что после войны он долго жил в Париже и там предавался самому низкому разврату, курил опиум, участвовал в каких-то немыслимых оргиях, на которых приносили жертвы дьяволу. Здесь он один, без семьи, жена его, говорят, осталась в Париже.

Когда мы ложились в постель и Москва за окнами уже вся порозовела, наполнилась звуками, гудками, голосами, Патрик вдруг несколько раз и очень настойчиво повторил мне, чтобы я держалась подальше от Дюранти.

Вермонт, наше время

Вермонт — это рай. По утрам в нем голосят петухи, и грустные с самого младенчества лошади пасутся в лугах, в медом пахнущих травах. Замечено было, что все уроженцы Вермонта особенно часто, с несмелою радостью, смотрят на небо. Под небом Вермонта, таким безмятежным, особенно трудно убить и замучить. Не только человека, с его сильно бьющимся сердцем, но и зверя, который застывает среди ветвей легкого, сквозящего сине-зелеными листьями дерева и скромно стоит, пока не почувствует смерти, и рыбу с ее очень шелковым ртом, который крючок рыболова прорвет за секунду, и кровь нежной рыбы повиснет на нитке, а глаза закатятся, как будто бы рыба теряет сознание.

Русским людям долгие годы не приходило в голову, что есть вот Вермонт, и Вермонт — это рай. Им приходило в голову только то, что в этом далеком и туманном Вермонте живет Солженицын, великий писатель. Русским людям вообще очень часто приходило в голову одно запрещенное, они устремлялись к нему непрерывно. И так — в вечном хрипе и споре, кашле от сигарет, запахе спиртных напитков, жареного картофеля, бутылочного кефира и той кислоты, которая выделяется человечьим желудком (зовется «желудочной» для упрощения!) — шла русская жизнь очень долгие годы. Одни собирались угнать самолет, другие писали правительству письма. Любили друг друга. Терзали друг друга: и те, и другие. Ночами на кухнях лепили доносы.

Ожоги лечили мочой, редко брились. Играли в пинг-понг, часто слушали Баха. Дрались, презирали. Хотели жить вечно. Мужчины бесстрашно учились ивриту, а женщины жадно, легко отдавались, рожали детей, близоруких и умных. Детей отдавали, как правило, мамам, курящим, начитанным и раздраженным, а сами бросались обратно к мужчинам, чтоб дальше бороться и спать с ними вместе. Никто не вставал по утрам слишком рано. Ложились за полночь и ламп не гасили.

В тот день, когда великий писатель Александр Солженицын почувствовал, что нежно-зеленый, со своим тающим, высоким небом Вермонт только отвлекает его от настоящих дел, и, быстро сложившись, поехал в Россию, — в тот день, когда он, уже в куртке и небольшом шарфе по случаю недавней простуды, посмотрел в зеркало на свое скорбное лицо с опущенными уголками глаз и громко сказал: «Пора мне! Пора!» — как раз в этот день и родился теленок.

Он был светло-черным, со сливочным пятном на лбу. Почувствовав свободу и болезненную легкость в своем развороченном первыми родами нутре, корова неустанно, с отчаяньем острой любви и испуга, вылизывала его своим пылающим языком. Теленок был сыном, и плотью, и кровью.

А еще через пятнадцать лет после того дня, когда заспешил по неотложным своим русским народным делам Александр Солженицын, а на соседней с его вермонтским домом ферме родился теленок, и сердце коровы все сжалось от страха, красивый, почти бесшумный самолет, на котором Дмитрий Ушаков совершал перелет через Атлантику, был задержан в небе из-за того, что на Нью-Йорк надвинулся ураган «Теодор», младший брат только что отгремевшего урагана «Джозефа». Нью-Йорк не разрешал посадку, пассажиры компании «Air France» изображали, что ничуть не волнуются, и оживленно переговаривались, хотя сидевшая рядом с Ушаковым пожилая монахиня с очень полным и добрым ртом, которым она все время делала одно и то же движение, как будто жевала спрятанный лакомый кусочек, вдруг закрыла глаза и стала быстро-быстро перебирать свои гранатовые четки.

Вермонтский дом оказался молчаливо и равнодушно приветливым. В комнатах, заставленных старинной мебелью, стояла золотистая тишина, и все предметы спокойно и размеренно жили своею жизнью, не обращая на нового хозяина никакого внимания. Ступени, ведущие в сад, были слегка замшелыми, а сад — очень темным, большим и запущенным, но, когда Ушаков, войдя в этот дом и свалив свои вещи в гостиной, спустился по скользким ступеням в таинственно приглушенную темноту этого сада и полною грудью вдохнул в себя летний воздух, с ним произошло то же самое, что часто бывает в горах, когда прежде не замечаемый человеком процесс дыхания становится вдруг источником острого наслаждения. Поражаясь этому новому ощущению, он долго стоял над беспечным ручьем, к которому, судя по залысинам в траве, сходились напиться вермонтские звери, а вода акварельно отражала синеву неба, не теряя при этом ни одного, самого слабого облачка, — стоял и дышал, желая, чтобы та простодушная успокоенность, которая была разлита во всем, что окружало его, отныне украсила всю его жизнь.

* * *

На первом году биомедицинского факультета Сорбонны девятнадцатилетний Митя Ушаков неожиданно сделал предложение дочери печально известного Габриеля Дюфи (по-русски — Григория Дежнева). С Машей Дюфи (в семье ее звали Манон) Митя был знаком еще по церкви Трех Святителей, которую мать всегда предпочитала собору на рю Дарю, где собиралось много новых и непроверенных русских людей. Первый раз Митя увидел Манон на Пасху. Ей было четырнадцать, Мите — пятнадцать.

Они с матерью долго и тщательно готовились к службе. Митя знал, что вечером, перед тем как отправиться в церковь, мать осторожно спрячет под его подушку первое пасхальное яичко, раскрашенное красным, как напоминание о крови Христовой, и завтра, вернувшись из церкви, он должен будет первым делом вынуть его из-под подушки и съесть, потому что мать верила, что пасхальное яйцо обладает чудесным свойством приносить ребенку здоровье и благополучие в течение целого года, и однажды рассказала, как такое яйцо, брошенное в только что загоревшееся здание, потушило пожар. В этот год она особенно долго возилась с творожной пасхой, которую всегда относила в церковь, и каждый год именно ее пасха становилась лучшей на праздничной трапезе у отца Владимира. Разложив на столе все, что нужно, мать радостно прочитала молитву, словно собиралась не просто протереть творог через мелкое сито и тонко нарезать цукаты, но с помощью этих цукатов, этого белого как снег творога соединиться с тем, что вот-вот должно случиться и озарить тусклую и неряшливую жизнь своим сиянием, спасти всех на свете — людей и животных, —

и потому даже такое простое дело, как украшение пасхальной пирамиды взбитыми яичными белками, казалось ей вкладом в идущее чудо. И Митя, наблюдая из своей комнаты, как мама с сизым румянцем на высоких скулах осторожно подливает в серебряную соусную ложку со сметаной только что вскипевшие сливки, тоже чувствовал, что нет ничего и не может быть в мире прекраснее этой торжественной ночи. А потом, когда творог был уже готов и выложен на плоское белое блюдо, по краю которого потускневшим золотом была выведена наклонная строчка «За веру, царя и Отечество», мама, как всегда, достала из высокого кухонного шкафчика — подтянулась на носках, показывая чуть потемневшие от пота подмышки, — маленькие синие пакетики с ванилью и цедрой, с мускатным цветом...

К тому времени, когда они на такси, боясь сломать новорожденное существо, слегка затвердевшее на весеннем холоде, просвечивающее сквозь марлю синеватым изюмом, добрались до церкви, внутри и снаружи стояла толпа и служба должна была вот-вот начаться. Крестясь на Иверскую Богоматерь, Митя не стыдился того, что слезы наворачиваются ему на глаза, а, напротив, жаждал только еще полнее, еще безогляднее отдаться тому ликованию, которое всегда наступало для него в такие минуты. Он обернулся, чтобы убедиться, что мама рядом и испытывает то же самое, как вдруг наткнулся на блестящие в полутьме, странно большие глаза. Девочка, стоящая слева от его матери, была тонкой и хрупкой — казалась почти ребенком, — и ее лицо, озаряемое быстро колеблющимся огнем свечи, поразило Митю своим страстным и требовательным выражением. Она и молилась не так, как другие, — не кротко, с надеждой и самозабвением, — а остро, настойчиво, и эти глаза ее, такие большие, что все остальное лицо пропадало, затопленное ими, — эти глаза на секунду остановились на Мите, потом быстро сморгнули несколько раз, как будто бы Митя мешал им, и снова уставились вверх. Когда начался крестный ход и холодная весна с повисшими каплями недавнего дождя на едва опушившихся ветках поднялась во глубину черно-голубого неба с восторженным пением «Воскресение Твое, Христе Спасе, Ангелы поют на небеси, и нас на земли сподоби чистым сердцем Тебе славити», Митя опять увидел ее в медленно идущей толпе и вдруг так обрадовался, что даже не заметил, как, резко рванувшись налево от ветра, погас огонек, и какая-то статная женщина со спящим младенцем на одной руке приостановилась и ловко зажгла Митину свечку от своей.

Через четыре года, уже первокурсником Сорбонны, Митя, выпрыгнув из автобуса и торопясь на лекцию, почти налетел на Манон, которая в окружении незнакомых девушек стояла, прислонившись к кружевной железной ограде, и быстро, с судорожной жадностью, затягивалась сигаретой. Шла мода на хиппи, и все они были одеты подчеркнуто небрежно, с холщовыми сумками на плечах, с бисерными браслетами. Но и на этот раз она поразила Митю не меньше, чем тогда, в церкви. Она осталась такой же худой и невысокой, а может быть, стала даже еще худее, еще прозрачнее, но лицо ее с зелеными глазами, затемненными почти закрывавшей верхние веки ярко-черной челкой, было лицом взрослой женщины, знакомой со всем, о чем Митя не имел ни малейшего понятия. Он очень неловко кивнул ей, и опять — как тогда в церкви — блеснули на него эти яркие зрачки и заморгали пушистые ресницы, как будто торопясь высвободиться из Митиного лица и опять оборотиться в успокаивающую их пустоту.

С этого дня вся его жизнь превратилась в одну очень странную, сладкую муку. Во сне он видел ее бледное, равнодушное к нему лицо, казавшееся еще бледнее, еще отдаленнее от сигаретного дыма, прищуренные зеленые глаза, ярко-черную челку, колено, оголившееся внутри многослойной, откинутой ветром цыганской юбки, и чувствовал, что больше терпеть невозможно, нужно раздобыть где-нибудь ее телефон, подкараулить ее, когда она будет возвращаться с лекции, схватить за плечо, за прозрачную руку...

Через пару недель прихожане Сергиева подворья были шокированы неприятной новостью: Габриель Дюфи (он же Григорий Андреевич Дежнев), главный редактор престижной газеты «Le Monde», опубликовал свой интимный дневник, после чего ему пришлось оставить редакторский пост и начать процесс развода. Мать Мити вернулась из церкви сама не своя.

— Ты только подумай! — возбужденно заговорила она, сдергивая с кудрявых волос свой берет и бросая на подзеркальник старую лакированную сумку. — И он еще считает себя православным верующим человеком! Опубликовал этот жуткий дневник, где не только во всех подробностях описал, как он любит faire une partie des jambes en l'air[1], не только сообщил, какие тяжелые лиловые груди были у его любовницы-негритянки — тьфу, господи! — но он еще пишет, какая прелесть эти маленькие худенькие девочки, а пуще того — худенькие мальчики! А ведь у самого дочка! В конце дописался до того, что церковь — сугубо для грешников! И вера для грешников! А праведным и без Христа хорошо, они и так праведные!

---

[1] Проводить время в постели с кем-то *(франц.)*.

— Ну, это не он придумал, — возразил Митя, — это у Достоевского есть.

— У Достоевского? — холодно переспросила мать, словно ей было неприятно примешивать литературу к таким важным вещам. — Уж если на то пошло, так это в Писании есть. Христос говорит: «Пойдите научитесь», что значит «Милости хочу, а не жертвы», ибо «Я пришел призвать не праведников, а грешников к покаянию». Не помнишь разве? «Милости хочу»! Но это совсем другое. А что там у Достоевского? Как это там у него?

— Сейчас я прочту, — сказал Митя, опустив глаза и быстро уткнувшись в книгу. — «И когда уже кончит над всеми, тогда возглаголет и нам: «Выходите, скажет, и вы! Выходите, пьяненькие, выходите, слабенькие, выходите, соромники!» И мы выйдем все, не стыдясь, и станем. И скажет: «Свиньи вы! образа звериного и печати его; но приидите и вы!» И возглаголят премудрые, возглаголят разумные: «Господи! почто сих приемлеши?» И скажет: «Потому их приемлю, премудрые, потому приемлю, разумные, что ни единый из сих сам не считал себя достойным сего...» И прострет к нам руце свои, и мы припадем... и заплачем... и все поймем! Тогда всё поймем!..»

Утром он подкараулил Манон в студенческом кафе. Опять она курила, рассеянно прихлебывая кофе, обгрызая кусочек сахара — на этот раз одна, без подруг, — смотрела в одну точку из-под полуопущенных продолговатых век своими блестящими мокрыми глазами, которые, казалось, готовы были в любую минуту пролиться, как две огромных слезы. Когда Митя, осторожно кашлянув, опустился на соседний стул, она напряженно выгнула шею, как женщины на картинах старых религиозных мастеров, и застыла в этой позе, не спуская с него взгляда, как будто притянутая к его лицу упрямой физической силой.

Чувствуя, как все сильнее и сильнее, до ослепительной боли, взрывается под ложечкой, Митя предложил ей еще кофе.

— А я тебя помню, — сказала она по-русски. — Ну, что ты хотел мне сказать?

— Сказать? — густо покраснел он. — Нет, я ничего не хотел.

— Вы все это там обсуждаете, в церкви, — усмехнулась она, — я знаю. Как будто вы все помешались: «Ça c'est la meilleure! C'est la cata! Quel enfoire!»[1] Какое вам дело?

— Ты что, про отца?

— Да, я про отца, — с вызовом сказала она. — У меня отец развратник и педофил. Его, безусловно, посадят в тюрьму. А вам очень жалко меня, хотя я совсем ни при чем!

— Не надо об этом, — мучаясь за нее, пробормотал Митя. — Пойдем куда-нибудь отсюда. Пойдем в «Étoile»?

И она вдруг покорно встала, погасила сигарету, вскинула на левое плечо свою растрепанную, бисером и стекляшками вышитую сумку.

— А хочешь ко мне? — вдруг хрипло, подавившись проглоченной последней затяжкой, спросила она.

От университета до улицы Пасси, где была квартира Манон, они шли быстро, почти не разговаривая и не глядя друг на друга. В соседнем доме был гастроном, и, пока Манон в поисках завалившегося ключа вытря-

_____

[1] Какая новость! Катастрофа! Вот сволочь! *(франц.)*

хивала из сумки все ее содержимое прямо на тротуар, на сырые его плиты, Митя бессознательно смотрел на витрину, за стеклом которой тускло золотились жареные пирожки и обезглавленная утка была так щедро уложена запеченными яблоками, как будто она заплыла в очень темную тину.

Наконец Манон нашла ключи, они вошли в тесный лифт, который плавно доплыл вместе с ними до шестого этажа, лампочка осветила прихожую, раскрыли двери в столовую — Митя чувствовал только бешеный стук сердца и кровь, тяжелыми быстрыми волнами приливающую к голове, — потом оказались в совсем уже темной спальне, где мягко серела неубранная постель, на которую как кошка прыгнула Манон и резко швырнула в угол свою расшитую сумку.

— Их нет! — хрипло сказала она. Митя догадался, что речь идет о родителях. — Папа съехал к любовнику, а мама в Италии.

Тогда он опустился на пол, на вытертый, темно-лиловый с желтыми лилиями коврик, обхватил обеими руками ее ноги в выгоревших джинсах и очень уродливых черных башмаках на деревянных подошвах, прижался лицом к этим башмакам, к этим вздрагивающим и таким хрупким, таким горячим и твердым коленям.

— Я тебе помогу, — шепнула она, — ложись, раздевайся быстрее.

Он догадался, что она закрыла свои ослепительные глаза, потому что в комнате стало еще темнее, и тоже зажмурился, ощупью, боясь и не зная, что делать с этим адом, которым все сильнее и сильнее наливался низ его тела, лег рядом с ней, вцепившись обеими дрожащими руками в ее откинутую голову, глотая ее неровное, прокуренное и одновременно такое детское дыхание, и вдруг почувствовал, что кричит, теряет сознание, а она обеими руками зажимает его рот:

— Tout baigne! Tout baigne![1]

Он лежал навзничь, продолжая громко стонать и вздрагивать всем телом, а она стояла над ним на слегка раздвинутых коленях, обеими худыми, слабо белеющими в темноте руками держа его голову и всматриваясь в него своими огромными зрачками.

— У тебя не было женщины, — медленно и слегка удивленно сказала она. — Да. Я так и думала. Тогда подожди.

И соскочила на пол, быстро и громко протопала куда-то босыми ногами, потом зашумела вода, что-то упало, зазвонил телефон. Митя перевел глаза на окно, где тихо шумели разнообразно темные от падающего на них неровного освещения молодые листья с яркой ночной синевой между ними. Манон вернулась в летнем пальто, наброшенном на голое тело, босиком, с мокрыми распущенными волосами, подошла к постели и осторожно присела на краешек.

— Почему у тебя никого не было? — спросила она. — Ты что, ненормальный?

Он промолчал.

— Да, ты ненормальный, — повторила она с радостью. — Но мне такие нравятся. Я ведь сама ненормальная.

Манон неожиданно всхлипнула и, бросив пальто на пол, легла рядом с ним и прижалась к нему.

— Ты знаешь, не хочется жить, — пробормотала она. — Мне кажется, что я уже когда-то жила, и, может быть, даже не один раз, а больше, и все давно знаю, и

---

[1] Все отлично! (франц.)

нечего мне здесь делать, не хотела я сюда возвращаться, а меня обманули, опять затащили, и сил нет все это терпеть... J'ai la trouille...[1]

От ее мокрых волос резко пахло цитрусовым шампунем, а лоб, вжавшийся в Митину шею, был горячим и прожигал, как горчичник. Потом он почувствовал мокрые ресницы на своей щеке, быстрое прикосновение которых напомнило прикосновение бабочки, и страх его прошел.

— Я хочу, чтобы ты стала моей женой, — сказал он.

Она приподнялась на локте.

— Tu te fous de moi?[2]

И стала отодвигаться на край постели, отталкивать его обеими руками, как будто он оскорбил ее.

— Манон! — забормотал он, пытаясь поймать и остановить ее пальцы, царапающие его своими длинными ногтями. — Я люблю тебя! Манон!

— Ты хочешь жениться? — хрипло спросила она. — На мне? Вот так, сразу?

— Да, сразу. Венчаться. И все, что захочешь.

В день их венчания шел теплый, душистый дождь. В городе уже сияла весна, парки наполнялись цветущей зеленью, в пригородах млечным снегом кудрявились яблони, и небо с каждым днем становилось все ярче и все загадочнее в своей далекой радости, как будто бы там, в этом небе, шел праздник особенный, людям невнятный.

Отец ее так и не появился, и ходили неприятные

---

[1] Я боюсь *(франц.).*

[2] Издеваешься? *(франц.)*

слухи, что он вернулся или вот-вот собирается вернуться в Россию. Мать Манон, очень худая и высокая, с выпирающими из-под платья ключицами и нарядной головой, похожей на голову птицы — в пышно взбитые и стянутые на затылок волосы были вставлены изогнутые черные и белые гребни, — притворялась взволнованной и любящей, гладила Митю по плечу и просила заботиться о Манон, но Митя отлично чувствовал, что все это ложь, до дочери ей нет никакого дела, и рада она тому, что, как только закончится венчание, можно будет сесть на поезд и улизнуть обратно в Италию.

Кажется, этот день, когда до самых сумерек, не переставая, струилась вода в синеве и белизне весны, был последним беззаботным днем в Митиной жизни. В церкви на рю Дарю собралось не больше двадцати человек, и Мите, держащему холодную равнодушную руку Манон, на секунду показалось, что все это — молодой рыжеволосый священник, который смущенно отводил глаза всякий раз, когда ему смотрели прямо в лицо, горящие свечи, голос массивного дьякона, но больше всего сама Манон с опущенными ресницами, в странном подвенечном платье, похожем на театральный костюм с несколькими рядами атласных пуговиц на спине, со множеством рюшек на высоком стоячем воротнике, украшенном эмалевым четырехлистником, такая Манон, которой он никогда прежде не видел, — все это могло быть только сном. Их первая близость, запах ее волос, фиолетовое небо за окном, слезы, обильно залившие Митину шею, в которую Манон со всей силой уткнулась тогда своим пылающим лбом, наполнили его диким восторгом, но все, что происходило потом, все три недели до венчания, оказалось трудным, болезненным и, главное, непонятным временем, которое полностью выбило его из колеи.

Оставив тогда спящую Манон в квартире на рю де Пасси, Митя примчался домой, где мать, и без того перепуганная недавними студенческими событиями, не спала в ожидании его, и, выпалив прямо с порога: «Ура! Я женюсь!», увидев испуганно вспыхнувшее материнское лицо, начал, захлебываясь, рассказывать о том, как он невозможно, немыслимо счастлив.

— Зачем вам жениться? — голосом, звякнувшим, как чайная ложечка, и слишком тонким, спросила мать. — Ведь ты же ее и не знаешь.

— Но, мама, как ты можешь говорить такое? Как ты можешь, когда я вот смотрю на нее и думаю, что с ней я хочу в жизни — всего! Любых испытаний, несчастий, и с ней мне не страшно!

— Да, нам бесполезно сейчас разговаривать, — прошептала мать, поднявшись с дивана и закрыв одной ладонью половину лица, как будто у нее вдруг сильно разболелся зуб. — Дай бог, чтобы ты не ошибся.

Он с трудом дождался утра, не заснул ни на секунду, ворочался на своем диване, сто раз вскакивал и подходил к окну — к шести начало сереть, мягко обрисовалась роспись на стекле: куст роз и раскрывшийся веер — и больно колотилось сердце, звенело в ушах, казалось, что в нем не один человек, а много людей сразу, которые и бегут по улице, и громко смеются, и плачут, и просто стоят у окна, расписанного этими розами.

Утром он искал Манон по всему университету, потом отправился к ней домой. Ему не открыли, за дверью была тишина. С этой тишины, особенно внезапной в разгаре его радостного нетерпения, началась

Митина мука. На город наплывал вечер, весенний и зябкий немного — дождь то начинал сыпать, то вдруг прекращался, — и радостно, по-весеннему пахло все вокруг: вода в реке с разостлавшимися в ней отражениями, похожими на выцветший гобелен своими тускло-зелеными и розовыми красками, медленно темнеющие от сумерек первые цветы на газоне, длинные, укутанные в бумагу теплые батоны, которые на руках у прохожих, как новорожденные младенцы, выплывали из булочных. Он позвонил в квартиру еще раз, предполагая услышать звук той же самой тишины, которую он уже очеловечил за время своего ожидания, но вместо этого услышал вдруг голос Манон, жеманный, негромкий, лукаво-приветливый:

— Сейчас! Открываю!

Она распахнула дверь, и он увидел перед собой не ту девушку, которая вчера лежала с ним голая на смятой кровати, до крови закусив губу, и хрипло кричала: «Tu es vraiment fort!»[1], а девочку-ребенка в коротеньком голубоватом платьице с оборками, с прозрачным ненакрашенным лицом, смущенно порозовевшим при его появлении над маленьким медальоном, который на своей бархатной ленточке глубоко опускался в нежную впадину между ее невинными, почти что ребячьими грудками. Черные волосы Манон стали золотистыми, но не это делало ее неузнаваемой, а выражение больших влажных глаз, которые теперь смотрели на него кротко, сонно и старательно, словно ожидая похвалы за свою кротость.

У Мити отнялся язык, а Манон, сияя смущенной улыбкой, ввела его в квартиру, и он заметил, что воло-

---

[1] Ну, ты силен! (франц.)

сы у нее все еще мокрые, и золотая краска не прокрасила их до конца, так что на затылке чернеют три тонкие, явно забытые пряди. Он хотел было обнять ее, но с той же смущенной улыбкой она отступила в сторону — от растерянности он неловко засмеялся, — а на детском лице Манон сверкнул настоящий страх, как если бы Митя вдруг сделал что-то нехорошее.

И он ничего ведь не понял! Ни тогда, когда просидел целый вечер за чайным столом, не посмев дотронуться до нее, дивясь на поразительную перемену и разговаривая о самых ничтожных предметах, как будто все это происходит в другом веке и он, Митя, играет роль какого-то долженствующего быть невероятно галантным старинного кавалера, ни на следующий день, когда Манон, с порога затащив его в постель, опять каталась по смятой простыне — теперь ярко-рыжая, дикая, липкая от пота, раздирала его спину своими острыми ногтями, смеясь, задыхаясь, и хрипло кричала:

— C'est cool![1]

В тот же вечер она и потребовала, чтобы венчаться непременно тринадцатого, и не нужно никакой свадьбы, даже самой скромной. Скорее венчаться и жить. Пока что в квартире на рю де Пасси, а там будет видно.

И жизнь наступила больная, нелепая. Митя подчинился, потому что другого выхода не было. Если ты заперт в одной клетке со зверем, то лучше рычать так, как он, и пить из той же железной посудины, из которой пьет он, и с жадностью грызть те же самые кости. Поначалу он еще пытался понять, что же все-таки происходит, еще искал логику в ее бесконечных перевоплощениях, переодеваниях, изменениях голоса, цвета

_____
[1] Здорово! *(франц.)*

33

волос, манеры поведения. Ему и в голову не приходило, что она больна, и он объяснял странности Манон объективными причинами: скандальной историей с отцом, его исчезновением, холодным и неуютным детством, отвратительным равнодушием матери.

Став его женой, Манон сразу же бросила университет и сообщила, что теперь она займется их маленьким гнездышком, где в скором времени должны будут появиться птенцы. Митя возвращался после занятий и заставал всегда одну и ту же картину: Манон лежала на кровати с сигаретой — то в черном разодранном балахоне, то в старом — том самом голубоватом, с оборками — платье, то в своем подвенечном наряде с эмалевым четырехлистником на воротнике, то еще в чем-то немыслимом, экстравагантном — в зависимости от того, в кого она преображалась в этот день, — и молча смотрела в потолок равнодушными глазами, на дне которых, подобно водорослям в холодной воде, плавали чужие замерзшие мысли. Ее безразличие к нему было настолько сильным, что иногда, войдя к себе домой после солнечного тепла улицы, Митя физически ощущал порыв холодного ветра, который, оторвавшись от ее лица, с порога набрасывался на вошедшего.

Всего пару раз — с тринадцатого мая и до того дня, когда все это закончилось, а именно до двадцать первого сентября — Манон ненадолго приходила в себя. Тогда она встречала его при выходе из метро, красиво, небрежно и ярко одетая, со своей неизменной шаловливой сигаретой, которую то зажимала между мизинцем и большим пальцем, то забывала в углу рта, то, сделав несколько затяжек, гасила и закладывала за ухо, как продавцы в мебельных магазинах иногда закладывают за ухо свои остро наточенные карандаши. Она поджидала его у метро, целовала в губы вкусными, детскими, оттопыренными губами, брала под руку, расспрашивала о том, как прошел день, тащила в кафе, в парк, к подругам... И ночью бывала тогда — в эти редкие просветы — особенно нежна, особенно откровенна и доводила Митю до изнеможения, до полного восторга... Но когда наутро, блаженно усталый и все-таки бодрый, с гудящим, как дерево, заспанным телом, до краев переполненный ею, ее сияющими глазами, спутанными волосами, смехом, стоном, — он открывал глаза, прислушиваясь к пышному птичьему щебету, надеясь увидеть Манон такой же, какой она была с ним недавно — всего только час, два назад, — но видел ее равнодушное, мертвое, заледеневшее в своем безразличии лицо, та страшная правда, от которой ночь далеко уводила его, возвращалась обратно, и он с униженьем и ужасом чувствовал, как жизнь рассыпается прямо в руках, подобно безнадежно испорченному изделию, которое не сможет восстановить ни один умелец.

Двадцатого сентября, в день рождения его матери, когда они сидели за столом, над кремовой скатертью висела большая прозрачная лампа, и мать, взволнованно вцепившись в Манон узкими татарскими глазами, начала что-то рассказывать, Манон вдруг хрипло перебила ее:

— А я только что прочитала книжонку... отец ее очень любил, всегда оставлял то в сортире, то в кухне... Да вы ее знаете!

— Какую? — спросила мать.

— Какую? Да как ее, господи! «Кроткую»! Вы ведь читали?

— Конечно, читала, — сухо и удивленно отозвалась мать.

— Такое вранье! — расхохоталась Манон. — C'est une histoire à dormir debout![1]

— Что именно «histoire»?[2]

— Как что? Вот вы посмотрите: ему сколько лет, ее мужу? Не меньше чем сорок, ведь правда? А ей? Fillette![3] Все началось с того, что он захотел с ней спать. С самого первого разу, когда она пришла к нему с какой-то дрянью, чтобы получить у него денег, он хотел только одного: с ней спать. Ей даже шестнадцати не было. Но он не мог просто так взять и начать с ней спать. Во-первых, потому что он был отвратительным уродом и ни одной женщине не хотелось с ним спать — это ясно, — и еще потому, что она все-таки жила в приличной семье, и там, в России, это было не принято. Поэтому он женился. И прямо написано, я запомнила: «Привел ее в свой дом». А тут уже все было можно. Совсем уже все. Вы согласны?

— Qu'est-ce que tu racontes![4] — вспыхнула мать. — И вещь-то совсем не об этом!

— Как так: не об этом? О чем же?

Митя чувствовал, что сгорает от стыда, и больше всего ему хотелось бы провалиться сквозь землю, выбежать из этой комнаты, но он не мог этого сделать, потому что мать и жена говорили не только друг с другом, но явно обращаясь и к нему тоже, а главное, мешали красные цветы на обоях, которые парализовывали

---

[1] Бред сивой кобылы! *(франц.)*

[2] Бред *(франц.)*.

[3] Девочка *(франц.)*.

[4] Что ты несешь! *(франц.)*

его волю своею нелепою яркостью, как будто он только сейчас их заметил.

— Он был таким же, как мой отец! — сквозь черные волны крови, которые били в голову, слышал он. — А все остальное — histoire! Потом он перестал с ней спать и купил ширмы. Знаете вы, почему?

— Какие ширмы? — пробормотала мать.

— Откуда я знаю какие? Лиловые в белый горошек! Он купил ширмы, потому что она отказалась с ним делать все эти гадости, которые он заставлял! Со стариком! С вонючим и мерзким!

Митя видел лицо матери, недовольное, разгневанное и одновременно беспомощное, чувствовалось, как она подыскивает слова, чтобы осадить Манон, но слов не находится, и мать только тяжело дышит, в то время как Манон, словно вращающийся диск будильника, который уже невозможно остановить, продолжает говорить, поминутно переходя с русского на французский:

— Он там признается: «Я муж, и мне нужно любви»! Ему нужен секс, и самый что ни на есть bas de gamme...[1] А она знает, что если он увезет ее за границу, то, значит, она согласилась на такой секс, и не un chouia[2], а по-настоящему, на всю свою жизнь!

Руки матери задрожали, и она быстро убрала их под стол.

— Non, mais tu te prends pour qui?[3]

— Что я позволяю? — нахмурилась было Манон, но тут же звонко рассмеялась. — Я просто делюсь тем, что знаю. J'en ai à tire-larigot![4] А когда девушка выпрыгивает

---

[1] Низкопробный *(франц.)*.

[2] Чуть-чуть *(франц.)*.

[3] Что ты себе позволяешь? *(франц.)*

[4] У меня этого добра сколько угодно! *(франц.)*

из окна с иконой в руках, она в лепешку разбивается! C'est gros comme un camion![1] А у вашего любимого Достоевского она лежит «тоненькая»! Там так и написано: «тоненькая, ресницы стрелками»! И ничего не повредила, ничего не сломала, еще и иконку в руках держит!

— Ну, это не обязательно, чтобы как в жизни... Ну, в жизни ведь все по-другому... — пробормотала мать теперь уже даже с испугом.

— Да, в жизни ведь все по-другому! — резко подхватила Манон и вдруг по-кошачьи потянулась, прищурилась ласково, кротко, пушисто. — В ней все и всегда по-другому...

Что он заметил, возвращаясь пешком на рю де Пасси с материнского дня рождения? Заметил ее красно-розовый румянец, ее сердито блестящие глаза, необыкновенную, озорную разговорчивость, с которой она то крепко прижимала к своему бедру его руку, то отталкивала ее, а то просто забывала об этой руке, хотя и продолжала держать ее в своей маленькой горячей ладони. О чем она говорила тогда, он не запомнил. Да и что толку было запоминать, мучиться? Он уже достаточно знал Манон, чтобы понять, что разговаривать с ней в такие моменты было так же бесполезно, как разговаривать с рыбой, которая услышит в обращенной к ней речи всего только шум светло-серой воды.

Вечером на следующий день, поднявшись из метро на улицу, Митя издали увидел толпу. Его затошнило, руки стали мокрыми, а ноги словно бы повисли в пустоте. Он медленно, как загипнотизированный, приближался к дому, хотя ему казалось, что он идет быст-

---

[1] Это очевидно! (франц.)

ро, что он торопится, как будто от того, что он успеет или не успеет преодолеть это расстояние за несколько рекордных секунд, зависит все то, что сейчас он увидит.

Протиснувшись сквозь толпу, он увидел бугорок, накрытый синей клеенкой. Бугорок был скорченным и странно коротким.

«Это не она!» — облегченно содрогнулся он и тут же услышал, как кто-то сказал:

— Сейчас заберут, уже вызвали. Разрешили только прикрыть, трогать нельзя. Голова раскололась, сама отлетела.

Так вот отчего бугорок был коротким! Через несколько минут три машины — полиция, пожарная и «Скорая помощь», — заливая огнями улицу и раздирая ее своими сиренами, примчались одна за другой. Полицейский с красным лицом брейгелевского крестьянина, лицом от природы жизнерадостным, а сейчас перепуганным, мрачным, серым, вылез из своей еще пламенеющей огнями машины, наклонился над клеенкой и приподнял ее. Митя увидел месиво из чего-то бурого и красного, в обломках костей, похожее на то отвратительное, что виделось в детстве во снах, когда он болел, задыхался от жара и запахи кухни вдруг начинали преследовать его вместе с картинами приготовляемого обеда, в центре которого неизменно появлялось рагу из красного мяса с застрявшими обломками костей.

На следующий день из полиции сообщили подробности: Манон выбросилась из окна ровно в пять часов вечера. На ней была белая ночная рубашка — совершенно новая, еще с ценой. В руках у Манон была икона, копия со знаменитой Владимирской Богоматери, которая при соприкосновении с землей разлетелась на мелкие куски.

ДНЕВНИК
Елизаветы Александровны Ушаковой

Париж, 1955 г.

Вчера вечером зашла в кондитерскую, выпила чашку шоколаду, потом долго сидела одна в скверике. Погода уже почти весенняя, скоро все распустится. Думала о своем муже. Бог соединил меня с самым правдивым на свете человеком, которому я всю жизнь бессовестно лгу. Что бы там ни говорили, как бы ни называли любовь родством душ и ни уповали на то, что браки совершаются на небесах, но я, столько лет промучившаяся в смертном грехе неверности, могу сказать только одно: любовь — это не родство душ, это телесное блаженство, то самое, которое знали Адам и Ева, пока Господь не изгнал их из рая. Разве это мой был выбор: предавать Георгия и понимать, что предаю, и все же продолжать грешить? Да, это был мой выбор, потому что, однажды испытав блаженство с другим человеком, не с мужем, я уже не смогла отказаться от него. За что и плачу вечным страхом, что Господь накажет за меня моих детей, как это обещано в Писании.

Помню нашу с Н. первую ночь в гостинице, когда я сказала Георгию, что нужно поехать в Галлиполи и помочь маме, которая сломала руку, и Георгий поверил — он слишком далек был от того, чтобы заподозрить меня в таком неслыханном обмане. Остался с двухлетним

Ленечкой, а мы с Н. сели в поезд, в разные вагоны, и через пару минут я испугалась того, что делаю, решила соскочить на ходу, бежать обратно домой, но в дверях уже стоял кондуктор со старым и темным лицом, цветом напоминающим пашни, мимо которых несся наш поезд, и я, как овца, вернулась на свое место. Все помню, все до последней мелочи! Мы остановились в маленьком кукольном домике, где на первом этаже была одна большая комната вместе с очень старой кухней, а на втором — спальня с широкой, но страшно короткой, как будто для гигантского младенца приготовленной кроватью под балдахином. Хозяева были русскими, из деникинцев, два брата с женами, кукольный домик вместе с фермой достался им случайно, они переделали его в гостиницу, а сами жили в пристройке. Когда мы с Н. пешком пришли со станции, они собирались в церковь. Из осторожности мы не стали говорить, что и сами тоже русские, заплатили за две ночи и, сопровождаемые настороженными взглядами обеих жен и одного из хозяев — все были рослыми, черноглазыми, высокими, — начали подниматься наверх, в спальню, по птичьей лесенке, только что выкрашенной в белую краску и еще немного липнущей к подметкам. К дому подкатил грузовик с открытым кузовом, который со всей округи собирал русских для поездки в церковь. Наши хозяева в праздничных пиджаках, с мокрыми припомаженными волосами вышли вместе со своими женами, тоже нарядными, в белых шелковых платках и скрипучих ботинках, за руку поздоровались с шофером, выпрыгнувшим покурить, и помогли своим женам залезть в открытый кузов, где было уже полным-полно такого же праздничного, нарядного народу и, возвышаясь надо всеми своей сливочно-желтой, выгоревшей головой, сидел, упрямо наклонив красную широкую шею к раскрытому баяну, огромный плечистый казак в белой рубахе, легонько перебирал пуговицы своего инструмента, а как только грузовик сорвался с места, он тут же пронзительно-жарко запел: «Помню, я еще моло-одушко-ой бы-ла-а!»

А какое было солнце в тот день — кажется, никогда, за всю жизнь я так сильно не чувствовала этот всю меня насквозь, до последней кровинки пронизывающий свет. В нашей высокой «скворечне» не было занавесок, и свет свободно лился на кровать, на пестрые ситцевые простыни, на нашу одежду, кое-как сброшенную на пол. Еще я запомнила птиц. Они запели на рассвете, разбудили меня своими свежими, удивленными голосами, и так стыдно мне стало от того счастья, которое я чувствовала во всем своем теле, так стыдно, будто я украла его, как курицу на рынке!

Вермонт, наше время

Ушаков ничего не взял с собой из Парижа. Материнская квартира осталась стоять закрытой на два поворота ключа. Он опустил жалюзи, расставил диванные подушки так, как это было при матери: две темнозеленые, бархатные, по бокам, и белая, шелковая, посредине.

Наследство, состоящее из дома в Вермонте, принадлежащей этому дому земли и ценной коллекции живописи, обрушилось на него внезапно — мать никогда не говорила о своем отце. Теперь только выяснилось, что этот отец, бросивший ее ребенком и сбежавший в Америку, не завел себе другой семьи, хотя ни разу не поинтересовался, как там, во Франции, живет его дочка, которая выросла, вышла замуж, родила Митю, похоронила мужа, потом отца мужа, потом, через две недели, мать мужа, осталась одна с ребенком, ходила в русскую церковь, работала хирургической медсестрой и, несмотря на свою длиннобровую черноволосую красоту, ни с кем не жила, не спала, не гуляла, а только служила своему мальчику, воспитывала его, сама занималась с ним математикой, читала ему жития святых, отправляла на лето в православный разведческий лагерь для детей эмиграции, а потом, когда он вырос и окончил школу, настояла на том, чтобы мальчик поступил именно в Сорбонну, на отделение философской антропологии.

Она заболела раком легких, когда Мите исполнилось сорок четыре года, и болела долго, мучительно, мужественно, с каким-то даже хладнокровием, словно наблюдая сама за собой и просчитывая, на сколько лет, месяцев, дней осталось ей сил и желания жизни. За полтора года до смерти мать получила письмо от человека, чьи стертые временем карточки лежали в семейном альбоме. В письме этот человек не обращался к ней по имени, а называл ее «вишенкой», как когда-то называли ее в детстве. Но, кроме того что он называл «вишенкой» старую, истощенную болезнью женщину, которая каждый раз, перед тем как подняться с постели, долго нашаривала босыми и словно бы вылепленными из алебастра узкими ступнями серые пушистые тапочки, а потом медленно, шаркая ими, брела в уборную, придерживаясь за стену своей очень узкой, дрожащей и тоже словно бы алебастровой рукой, — кроме того что он обращался к ней «вишенка», этот человек еще сообщал, что никогда не терял ее из виду и теперь, находясь в здравом рассудке и твердой памяти, завещает своему единственному внуку Дмитрию Ушакову коллекцию живописи, оцененную в полтора миллиона долларов, а также дом в штате Вермонт с изрядным количеством земли общей стоимостью восемьсот восемьдесят четыре тысячи.

Митя запомнил каждую минуту того вечера, когда мать, дочитавшая наконец это письмо, в котором первое слово «вишенка» было написано от руки, а дальше все набрано на компьютере, закрыла глаза и долго лежала неподвижно, облизывая пересохшие губы, откинувшись на подушку своей растрепанной, полысевшей от лекарств головой, а потом солнце вдруг хлынуло на ее измученное лицо, оно заколыхалось, задвигалось, помолодело, и устыдившийся собственной силы восторг заставил ее изо всей силы взмахнуть руками, словно только так и можно было выразить все, что она почувствовала.

* * *

У подножия горы, на которой осенью так краснеют пышные деревья, что издалека она кажется усыпанной розами, стояла просторная русская школа. Вечерами с горы опускался туман, стыдливо закутывал русскую школу, и она принимала облик корабля, убеленного морскою солью, с давно затонувшей и канувшей мачтой. Туман прятал тайны, и тайн было множество.

До появления школы Вермонт себе спал и печали не ведал. Текли его реки, леса зеленели. Знаменитый писатель Солженицын вел себя до странности тихо, сидел за столом, покусывая типичную для настоящего русского писателя бороду, и жадно готовил последнее слово. К себе не пускал и к другим не стремился.

Но школу открыли. Как сердце, которое бьется, даже если его отделяют от тела, так все хороводы, венки из ромашек, душистых и белых, из желтых купавок, из синей гвоздики, из клевера, красного, сладкого, с медом, венки на девичьих склоненных головках, к тому же ночные купанья и пляски, к тому же романсы, к романсам — гитары, к тому же гаданья, к гаданьям — страданья, к страданиям — слезы, к слезам... Ах, да что говорить! Народное русское сердце, на которое многие очень писатели — не только один Солженицын, не только — возлагали такие надежды, русское сердце, расставшееся со своей подмосковной, калужской, рязанской, владимирской плотью, забилось с нездешнею силой в Вермонте. Да как вдруг забилось! Если наезжал чужой человек, то он видел вот что: рязанско-калужские крепкие люди в простых сарафанах, в очках и панамках учат чужих детей своему великому языку. Ночами купаются голыми в реках. По праздникам все отправляются в церковь, в столовых всегда недовольны обедом, друг друга целуют помногу, потеют.

Дав клятву не произнести за время своего пребывания в школе ни одного английского слова, студенты все лето давились молчанием. Оно нарывало в их горлах. Сталкиваясь свежим утром на усыпанной росою тропинке, ведущей в столовую, заспанные, со спутанными волосами, страдальцы открывали девственные уста свои накрепко заученным диалогом знакомства из первой учебной главы «Вы в России»:

— Ти здравстуй!

— И ти!

— Как ти?

— Ошень! А ти?

— Тожа ошень!

— Ти рад?

— Так! Шастливо!

— И ти. Будь здоровым!

Когда в небольшом поселке Белая Речка, где Ушаков должен был пересесть с нью-йоркского автобуса на местный, ему сказали, что здесь, совсем неподалеку от его нового дома, находится русская школа, он вспомнил, что слышал об этой школе еще в Париже, так как именно в ней-то и проводила лето семья нового православного священника из церкви на рю Дарю, который занял место недавно умершего отца Кирилла.

* * *

Покачиваясь в вылинявшем полосатом гамаке между двумя вермонтскими яблонями, с которых уже сошел их бело-розовый цвет, так что теперь вся трава под ногами была щедро усыпана лепестками, Ушаков восстанавливал перед глазами те куски прошлого, которые особенно мучили его, пытаясь сейчас, в этом безмятежном краю, освободиться ото всего, ощутить, что прошлое уже не имеет над ним власти, но оно не уходило, не тускнело: ни бугорок, накрытый темно-синей клеенкой, ни слабая рука матери, которой она перекрестила его перед смертью, ни лицо Медальникова, жалкое и доброе лицо, на котором судорогой бессильного стыда, как в зеркале, отразилось Митино предательство.

Были и другие поступки, были слова, были мысли, за которые всегда становилось стыдно и возвращаясь к которым Ушаков чувствовал себя, как чувствует человек, который только что спокойно шел по улице, и вдруг нога его провалилась в глубокую яму, дыру на асфальте, и он настолько потерял равновесие, что чуть не упал, не разбил себе голову. Иногда казалось, что он тащит на себе собственную память, как тащат людей из тяжелых сражений: от ран их идет густой и отталкивающий запах свежей крови, но сбросить нельзя, а сбежать просто некуда.

* * *

Племянник профессора Медальникова, Сергея Ивановича, умершего в 1947 году в Тулоне в клинике для душевнобольных, Антон Медальников, возглавивший в пятидесятые годы фармакологическую лабораторию имени своего знаменитого дяди в Институте Пастера, пророчил Мите Ушакову большую известность в области философской антропологии. После смерти Митиного отца, с которым Антон Медальников вместе работал, он избегал встреч с его семьей по причинам, которые стали известны Мите только впоследствии, и всякий раз, сталкиваясь с Митиной матерью в церкви, торопливо раскланивался и отводил глаза. Ни фармакологией, ни биологией он уже не занимался и перешел в лабораторию по изучению обезьян.

В мае шестьдесят девятого года, через пару месяцев после гибели Манон, стоя на одном из воскресных богослужений, Митя увидел Медальникова рядом и вдруг обрадовался этому.

В те месяцы он жил, как животное, на которое пал выбор, и оно знает, что обречено. Он продолжал ходить в университет, но переехал обратно к матери (квартира на рю де Пасси стояла закрытой), читал хаотично, жаднее, чем прежде, и временами начинал вести себя так, словно живая Манон, не спуская глаз, следила за ним с поднебесья. Ему постоянно хотелось снова увидеть ее, будто эта смерть была чьей-то издевкой или, может быть, розыгрышем самой Манон, а темный клеенчатый бугорок — не что иное, как одно из ее бесконечных переодеваний, ее неожиданных масок, в то время как сама Манон продолжает где-то существовать и по-прежнему валяется на диване с потухшей сигаретой. Он знал, что то, что происходит с ним, граничит, наверное, с безумием, и, мысленно возвращаясь к Манон, не отпуская ее, не позволяя ей умереть до конца, он только усиливает свои муки, но он также знал, что только благодаря этим мукам он, как гвоздями, вколачивает в себя ту Манон, которой ему не хватало для жизни. Временами он физически ощущал, как теперь уже внутри его самого, его тела, вспыхивают ее блестящие глаза, как они начинают переливаться и вздрагивать, и, вжавшаяся в диван, издали похожая на большую куклу, она вдруг приподнимается на локте, далеко отведя хрупкую руку с сигаретой, — худая, прелестная, измученная чем-то, чего она так и не открыла ему, — и радостно шепчет:

— T'as pigé?[1]

А потом опять эти провалы в пустоту, в черноту — несмотря на голубоватый, распаренный весенний дождь, на запах цветов, на дыхание неба, — он вспоминал, что ее нет, и все проваливалось туда, откуда несло обжигающим холодом, а сама Манон опять уходила под эту клеенку, опять становилась ему недоступной.

---

[1] Ты понял? *(франц.)*

48

Сильно постаревший и похудевший Антон Медальников показался Мите похожим на ангела с лютней, одного из тех, что украшают итальянские соборы на фоне пенящегося ярко-синего порфира, только вместо лютни он прижимал к своему боку какой-то вытянутый полотняный сверток, по которому пробегали огненно-яркие полоски воскресного света. Стоя рядом с Митей и бегло, дружелюбно поглядывая на него, он старательно крестился все время службы и тихо шевелил губами. Нежные его волосы с золотисто-зеленоватым отливом, напоминающие очень молодой лишайник на тонком березовом стволе в прозрачный, холодный и солнечный день, когда каждый завиток и каждая прожилка особенно тонки и ярко-отчетливы, плотно устилали небольшую подвижную голову, а нос с горбинкой и узкими ноздрями, просвечивающими, как папиросная бумага, от пламени мягко пылавшей свечи, был влажен, как будто Медальников плакал.

По окончании службы Медальников приподнял очень худую руку с полусогнутыми пальцами и, распластав ее перед собой, отчего рука его сразу стала похожа на рыбий плавник, начал здороваться со всеми без разбора, бормоча что-то очень приветливое, и так же поздоровался с Митей, который наблюдал за ним с удивлением и любопытством. Они вместе вышли из церкви и, пока шли до метро, разговаривали вяло — казалось, сейчас и расстанутся, — но Медальников пригласил зайти в кафе, посидеть и выпить по чашечке кофе («Другого не пью!» — сказал он со вздохом), и Митя пошел, выпил кофе, потом заказал коньяку и вдруг разговорился по-настоящему, потерял счет времени.

— Однако скажите, зачем вам гиббоны? После того, что вы столько времени занимались почти медициной? — радостно спрашивал он Медальникова. — А я вот верю в Бога и могу работать только над тем, что ведет меня прямо к Нему!

— Ça c'est la meilleure![1] — с доброй и нежной иронией перебивал его Медальников. — И кто вам мешает? При чем здесь ребятки?

«Ребятками» он называл гиббонов, о которых пять лет назад защитил свою диссертацию.

— Какая все чушь! — морщась, Медальников положил на Митин рукав белую, слегка словно припудренную, но в темных пятнышках возраста худую руку. — Эти зоологи, эти сумасшедшие атеисты, к числу которых и принадлежал мой покойный дядька! Je me suis fait avoir![2] Он изучал феномен старения, слышали об этом? Да, дядька мой, дядька! Решил, что все болезни связаны с психической неустойчивостью. Но, боже ты мой! Кто об этом не знает? А он пошел дальше и опытным путем доказал, что старость — это совсем не то, что было задумано природой, а вызвано только внешними неблагоприятными причинами, на которые можно воздействовать! И все это кончилось знаете как? Влюбился в девочку, маленькую, семнадцатилетнюю, пушистую девочку, только что со школьной скамьи, она потеряла родителей во время войны, осталась одна, — и женился! Не знаю, о чем она думала! Скорее всего, ни о чем, а просто была голодна и забита. Ребенок! А дядька женился. Ну, вы посудите: ложиться в постель с перепуганной крошкой! — Медальников опять

---

[1] Вот это новость! *(франц.)*
[2] Я умираю от скуки *(франц.)*.

весь сморщился и замахал руками, как будто отгонял невидимых пчел. — От страха ведь он потерял свой рассудок, других причин не было, только от страха!

Митя опустил голову. Медальников быстро взглянул на него. При всей своей мягкости и некоторой даже женственной ласковости он, как очень скоро заметил Митя, обладал особой цепкостью и резкостью взгляда, которая почти обжигала внезапностью.

— Так вот, о гиббонах, — насмешливо продолжал Медальников, — о милых ребятках. Заниматься зоологией тоже можно по-разному. Одни, например, недавно обнаружили, что гиббоны поют песни. Конечно, сенсация! — Он помолчал, и лицо его стало ярко-розовым, словно от стыда. — «Гиббоны и есть наши предки! Ах! Ах!» Но потом, — Медальников понизил голос, — потом оказалось, что у сусликов еще лучше песни! Там просто симфонии! C'est la cata![1] Нельзя же признать, что мы с вами — от сусликов!

Митя уже не вслушивался в то, что говорил Медальников, а просто смотрел на него. И чем больше он смотрел, тем светлее становилось у него на душе, как будто бы легкое, слегка словно пыльное сияние, исходящее от этой подвижной, вертлявой фигурки с узкими ноздрями и яркой голубизной зрачков, проникало так глубоко внутрь, так грело, ласкало, что еще немного — и Митя заснул бы в кафе на диване. Удивило одно: за весь вечер Медальников ни словом не упомянул о его отце.

---

[1] Это катастрофа! (франц.)

* * *

Полосатый вылинявший гамак тихонько скрипел, но лучи солнца сменились внезапно редкими лучами дождя, и на яблоневый цвет под ногами упала серая сеть. Ушаков вскочил и прямо по мокрой, налившейся острым запахом траве зашагал к дому. Краски гор, леса, неба, только что неистово пламенеющие, как будто смутились и стали слегка остывать под дождем, хотя природа ни на секунду не остановила и не замедлила повсюду звенящей, шуршащей, щебечущей жизни. В запахах и звуках этой природы было столько любви всего ко всему, такая неразборчивая была щедрость именно телесной любви, то есть откровенного стремления друг к другу, и жажда телесного счастья, что Ушаков впервые за долгое время почувствовал себя так, словно он единственный, кто пытается жить рядом с собственным телом, делая вид, что радости этого тела ему давно безразличны.

Дождь прекратился так же внезапно, как начался, и светлая, шумящая зелень вновь вспыхнула разом за окнами дома. Назавтра в Вермонте готовился праздник — 4 июля, День независимости. Его отец, Леонид Георгиевич Ушаков, умер именно в этот день, и Митя, в конце концов узнавший настоящую причину его смерти, навсегда запомнил страстную тоску, которая как-то особенно наполняла их с матерью дом четвертого июля. Завтракать в этот день полагалось всем вместе: ему, маме, деду и бабушке. Дед и бабушка тоже дорывались до своего горя, как будто во все остальные дни, кроме этого, им приходилось притворяться, а в этот день можно было забыть о приличиях. После завтрака, во время которого говорили только об отце и все, кроме Мити, плакали, дед и бабушка медленно шли в церковь, и солнце лилось на их плечи, и солнечные пятна горели на черной бабушкиной шляпке, и слишком прямо держался дед, как будто он дал себе слово ни на что не обращать внимания, ни на кого не оглядываться, словно боясь, что случайное впечатление помешает его страданию.

Ушаков видел их перед собою так же ясно, как будто время повернуло назад и они продолжают идти по своей улице, спускаться в метро и стоять над могилой, изредка выщипывая из свежеполитой земли какие-то еле заметные сорняки, словно пытаясь отомстить этим жалким травинкам за то, что те живы, в то время как сын их единственный мертв.

Теперь, проснувшись в Вермонте утром четвертого июля, выйдя на крыльцо своего дома и взглянув на горы, Ушаков привычно вздрогнул от наплыва тоски, которая явно вылупилась из прошлого и была так остро знакома ему. Тоска эта тут же обрела голос, совпала со звуком деревьев в саду, невнятным, но требовательным, похожим на тот, какой наступает в яйце перед появлением птенца. Вскоре к этому голосу присоединилось все остальное: и запах бледно-розового клевера с луга, и крылья заброшенной мельницы, неподвижные на голубизне неба, похожие на крылья гигантской стрекозы, и даже совсем посторонний, случайный, но отчего-то показавшийся ему очень раздражающим и неприятным басовитый гул пролетевшего самолета.

Анастасия Беккет —
Елизавете Александровне Ушаковой

Москва, 1933 г.

Мы переехали из гостиницы и живем теперь на Серпуховке в большой квартире с прислугой. Кроме этой прислуги, приходит еще женщина и готовит обед. Сначала мне показалось, что жить в этом городе, где столько всего происходит, очень интересно, я радовалась, что Патрик выбрал именно Москву, а не Китай, куда он чуть было не согласился поехать. Дело не в том, что в Москве ему больше платят, а в том, что здесь я готова была почувствовать себя опять русской и посмотреть на эту новую жизнь другими глазами. Лиза! Все оказалось совсем иначе, совсем и не так, как мы думали с Патриком.

У него за это время были две поездки по Подмосковью, и обе, как я понимаю, не санкционированные властями. Оба раза он возвращался домой измученным. Я ждала, что он будет со мной делиться, показывать снимки, а он даже не раскрывает в моем присутствии своего рабочего портфеля. Я спросила его почему. Какие между нами секреты? Вчера только все разъяснилось. В британском посольстве показывали фильм «Веселые ребята». Пришли почти все наши, включая Дюранти. Фильм очень веселый, музыкальный, но я взглянула на своего мужа, и все мое веселье как рукой сняло: увидела, что Патрик сидит с опущенной головой и прикрывает глаза ладонью. После фильма пригласили нас ужинать в залу, где устраиваются приемы на двести человек, и тут, за столом, разразился спор между мужем и Дюранти, который сидел рядом со мной. Дюранти поднял тост за процветание советской деревни, а Патрик вдруг так побелел, как это бывает с ним только перед приступами астмы. Он отставил свой бокал и очень тихо спросил у Дюранти, когда тот последний раз присутствовал при процветании: до или после того, как ему дали Пулитцеровскую премию. Дюранти цинично засмеялся и ответил, что не понимает, какая связь между его премией и русской деревней.

— And you, — спросил его Патрик, — you knew you are lying?[1]

— My boy, — ответил Дюранти, — do you really believe that we stay here, in this hell, to tell the truth?[2]

У Патрика затряслись губы, он схватил кусок хлеба и через мою голову поднес его к самому лицу Дюранти:

— Ты видел там хлеб?

Дюранти начал медленно подниматься со стула, и я вдруг вспомнила, как Патрик недавно сказал мне, что у него нет одной ноги — поезд, на котором Дюранти ехал в Ригу несколько лет назад, потерпел крушение, нога была вся раздроблена до колена, и ее пришлось ампутировать. Он начал медленно приподниматься со стула, весь побагровев, и я сообразила, что он дико пьян, ничего не соображает и сейчас ударит Патрика, поэтому я вскочила и схватила его за руку. Он быстро обернулся ко мне и громко засмеялся:

— O, you! May I kiss you?[3]

Я отшатнулась. Патрик немедленно увел меня отту-

---

[1] А ты, ты же знал, что врешь? *(англ.)*

[2] Мой мальчик, а ты веришь, что мы живем в этом аду для того, чтобы писать правду? *(англ.)*

[3] А, это вы! Можно, я вас поцелую? *(англ.)*

да, ни разу даже не взглянув в сторону Дюранти. Мы шли пешком, на улице было холодно, плыл очень редкий, белыми, большими звездами снег. И тут Патрика как будто прорвало, я его таким никогда не видела. Он остановился посреди бульвара и закричал. Слава богу, Лиза, что он закричал по-английски, так что, если бы кто-то оказался рядом, нас бы не поняли:

— Там дети грызут сорняки из-под снега!

Потом он перешел на шепот. То, что он рассказал, так страшно, что в это трудно поверить. Трудно поверить, что одни люди могут приносить другим столько горя! У меня вдруг открылись глаза. Теперь я поняла, почему наша мама до сих пор не засыпает без пистолета под подушкой! Ее напугали в России, Лиза, навсегда напугали, насмерть. Помнишь, как мы смеялись над маминым пистолетом, и папа однажды на нас закричал:

— Благодарите Бога, что вы не знаете, что такое Россия!

У крестьян все давно отобрали, есть им нечего, но коммунисты из городов, которым приказано доставить в город зерно, бесчинствуют, и не существует никаких законов, которые могли бы их остановить. Русских крестьян выбрасывают из домов, убивают, а оставшихся в живых обрекают на голодную смерть. Патрик сказал, что сейчас на юге вымирают целые губернии. Людей голыми выгоняют на мороз и часами не позволяют вернуться в избу, женщин насилуют, поджигают им подолы юбок, чтобы они признались, где прячут хлеб, грудных младенцев выкидывают на улицу и не дают матерям подобрать их, часто инсценируют расстрелы, то есть собирают людей, выгоняют их за деревню, выстраивают и открывают огонь поверх голов. Многие не выдерживают этого, теряют сознание, старики сразу умирают. Лиза! И это то, что происходит каждый день, каждый час! В одном колхозе в комнату, где допрашивали людей, принесли разлагающийся труп, свалили его на пол, и там продержали крестьян больше суток. Зачем? С какой целью? Просто для того, чтобы мучить!

Я больше слушать не могла. Меня вдруг начал колотить дикий кашель, я кашляла до рвоты. Потом мы долго стояли обнявшись на этом чужом бульваре, и крупный белый снег — как в нашем с тобой детстве — засыпал все вокруг. Я боялась открыть глаза — до того мне стало вдруг жутко здесь. Спросила у Патрика, что он собирается делать. Он сказал, что собирается поехать на Кубань, написать обо всем и потом напечатать, но только под псевдонимом, потому что иначе не пропустят. Он сказал, что Дюранти мерзавец, продался большевикам и, чтобы жить так, как он живет, и получать все, что он получает, фабрикует циничные статейки, где утверждает, что русские «просто хотят есть, но не голодают». Ему же, кстати, принадлежит и совсем уже дьявольская фраза, что русские умирают не от голода, «а от недостатка продовольствия».

— Как же ему не совестно? — спросила я и представила себе лицо Дюранти с этими его неподвижными прозрачными глазами.

— Он лгун. Информация, которую он дает Западу, приводит к тому, что до русских крестьян на Западе никому нет дела. Зато официальные отношения с Россией налаживаются, и Европа уже готова проглотить все, что здесь происходит, поскольку ей выгодно!

— Они ему платят за это?

— Еще бы не платят! Ты знаешь, как он здесь живет? Он даже был принят у Сталина! Но на Западе я его разоблачу. Я поеду в Киев, поеду на Кубань, и даю тебе слово: я напишу только правду!

Мне страшно, Лиза. Патрик любит рисковать, он всегда любил. Для него жизнь только тогда имеет смысл, когда он делает что-то, что в любой момент угрожает ему самому прямой опасностью.

Больше мы уже ни о чем не говорили, а быстро дошли до своего дома. В передней горел свет. Прислуга, которую мы должны почему-то называть «товарищ Варвара», уходит в шесть часов вечера, но, если нас нет дома, всегда оставляет свет в прихожей. И я вдруг увидела нашу жизнь совсем другими глазами. Все эти зеркала, настольные лампы, скатерть с бахромой, дубовая мебель, натертый паркет, тяжелые красные шторы — ведь нас покупают, нас этим задаривают! Нужно, чтобы Патрик писал только то, что разрешается, и за это нас будут кормить икрой, развлекать, катать на автомобилях. Но Патрик совсем не такой, он не будет.

ДНЕВНИК
Елизаветы Александровны Ушаковой

Париж, 1955 г., июнь, 21

Мальчик! Вчера у Веры родился мальчик! Сколько мы пережили за эти сутки! Утром у нее внезапно открылось кровотечение, Ленечка вызвал ambulance[1], и ее немедленно отвезли в госпиталь. В ambulance Вера потеряла сознание, и ей сделали укол прямо в машине. Леня не хотел звонить нам так рано, и когда Веру увез-

---

[1] Машина «Скорой помощи» (*франц.*)

ли в палату, он остался там, в госпитале, а мы с Георгием спокойно спали и ни о чем не подозревали. Потом к Ленечке вышел доктор и сказал, что положение серьезное, у Веры тяжелая патология, placenta praevia[1], и мать, и ребенок могут погибнуть. Вера потеряла очень много крови, а у ребенка из-за неправильного положения внутри матки развилась асфиксия, и нужно немедленно делать кесарево, потому что главное — это спасти мать. Тогда Леня позвонил нам и попросил приехать. Мы с отцом поймали такси и через пятнадцать минут уже были в Clinique de la Muette. На Ленечке не было лица, его всего колотило. Прошел час, но к нам никто не спустился, и я уже не знала, что думать. Наконец появился тот же доктор, который уже говорил с Леней, и сообщил, что родился мальчик, очень маленький, весит всего 2 килограмма 200 граммов, очень слабенький, но, судя по всем предварительным оценкам, жизнеспособный. Я сразу заплакала. Доктор сказал, чтобы мы шли отдыхать, потому что Вера сейчас спит после наркоза и потери крови, спать будет долго, а ребенка уже переместили в инкубатор. Я не могла справиться со слезами и все спрашивала:

— Скажите, какой он? Какой?

— Маленький, — ответил доктор. — Маленький,

_____

[1] Placenta praevia — предлежание плаценты (*лат.*) — неправильное прикрепление плаценты в матке, из-за чего перед родами или во время родов у женщины может начаться кровотечение. Причина предлежания плаценты неизвестна. При полном предлежании плаценты роды должны осуществляться с помощью кесарева сечения. Во всех остальных случаях женщина может родить ребенка естественным путем, однако при этом должны быть предприняты определенные меры, гарантирующие безопасное течение родов.

слабенький. Тяжелые роды, серьезная патология. Придется вам повозиться.

Господи! Только дай ему выжить! Не наказывай всех нас за меня, за мои грехи. Спросила у Ленечки, как они собираются назвать мальчика. Леня сказал, что Вера хотела бы Дмитрием. Мне очень нравится. Митя, Митенька. Дмитрий Ушаков.

Вермонт, наше время

В полдень Дмитрию Ушакову позвонила Ангелина Баренблат, которая на правах самой уважаемой и близкой к кругу Солженицына защитницы русского языка в летней школе взялась опекать неопытного и одинокого парижанина.

— Да где вы, дружочек? — ласковым, простым и слегка только настойчивым голосом спросила Ангелина. — Обед уже скоро. Все ждут не дождутся.

— А кто меня ждет? — принимая ее слова всерьез, спросил он.

— Да все до единого! Сами увидите!

Ушаков надел белую рубашку, просторные серые брюки, хорошие летние туфли. Отчасти он был ведь французом, он вырос в Париже, и эта слегка возбужденная элегантными привычками жизнь продолжала циркулировать в нем вместе с кровью. Он никогда не позволил бы себе прийти в ресторан без пиджака, набросить пальто без непременного, пускай и ненужного шарфа, гулять по холоду без перчаток. Придерживаться этих правил было проще всего остального, и он их придерживался.

У Ангелины Баренблат в том же самом Париже, который шумит старомодной листвой и тускло краснеет воспетыми крышами, жила третий год дочь Надежда, женщина молодая, с глазами как черные вишни, весьма расторопная в мыслях. Расставшись с американским мужем, от которого у нее завелось двое мальчиков, красивых и смуглых, весьма тоже бойких, Надежда влюбилась в Роже Леруа, который служил священником в церкви на рю Дарю. Немедленно став мадам Леруа, она прихватила детишек, когда-то рожденных в Нью-Йорке, в Париж и там разрешилась младенчиком Настей. А летом все жили в Вермонте под теплым, тяжелым крылом Ангелины, Надеждиной матери, женщины властной.

Теперь, чувствуя что-то вроде личной ответственности за этого русского француза, свалившегося на их голову, богатого, если верить тому, что говорят, к тому же философа и антрополога, к тому же нисколько — увы! — не женатого, Надежда была вся сама не своя.

— Нету у него никакой женщины! — энергично раздирая щеткой черные, мокрые после утреннего купанья в реке волосы, выкрикивала она и косила глазами. — Как перст. Милый, славный! Семья — то, что надо. Сплошные дворяне.

— Хватит нам дворян, — опуская редкие ресницы, заметила Ангелина. — Еще раз хвостом крутанешь... Сама знаешь!

— О господи, мама! — с сердцем воскликнула Надежда и выдрала пук черной блестящей шерсти, повисший на щетке, как мох. — Да мне-то с чего? Мне чего не хватает? Ему бы вот Саскию. Вот это пара!

— Армянка, — отрезала Ангелина. — Провинция. Лезет без мыла. Не думаю я, что он клюнет.

— Другие клевали.

— Не все. И напрасно. К тому же ведь он православный, он русский, а эти армяне... Армяне — католики.

— Армяне — католики? С каких это пор вдруг армяне — католики?

— А кто же? Конечно, католики.

Но тут забили молотком по большому тазу на крыльце столовой, приглашая к обеду, и, блестя загорелыми ногами, потянулись на серебряный звон молчаливые студенты, и, громко разговаривая, заспешили преподаватели: сперва, разумеется, женщины — плавные, с ямочками на локтях, с распущенными волосами москвички и одесситки, суховатые, смуглые, с мелкими косточками ключиц и лопаток славистки из штата Айова, две-три уроженки (из русских!) Квебека и несколько молодцеватых старушек, былых диссиденток, в кроссовках и в гольфах. На пригорке женщин догнали мужчины в простых серых майках, в застиранных шортах, слегка взъерошенные после предобеденного сна, с приставшими к волосам травинками, с глазами твердыми, блестящими здоровым охотничьим нетерпением, которое здесь, на цветущей природе, не знало преград, о себе заявляя.

Среди пестрых сарафанов и небрежных маек бросались в глаза и известные люди: отгоняя бабочек от острого лица своего, почти не отличимая на недалеком расстоянии от Марины Цветаевой, прошла поэтесса по имени Мориц, поэты Коржавин и Найман, художник Комар, эссеист Кривошеин, потом начинающий Брицман, Андрюша, потом пианист — очень славный — Рахминов, потом даже дочь скрипача Нина Коган, потом все их жены, мужья, внуки, дети...

Сегодня готовился праздник с концертом, и ночь под гитару, и песни, и пляски. Как дети, которые, наконец-то оставшись одни, предвкушают, что до рассвета можно будет не ложиться спать, и пальцами вытаскивать из сливового варенья самые большие сливы, и наряжаться в мамины платья, и краситься ее помадой, и пробовать вина из синих бутылок, и целоваться в уборной, и выяснить, кто как устроен под брюками с платьем, — вот так эти умные, взрослые люди, дорвавшись до жаркого солнца Вермонта, пускались на все, лишь бы только всосаться в тягучую сладость отпущенной жизни, подобно настойчивым пчелам и осам.

Анастасия Беккет — Елизавете Александровне Ушаковой

Москва, 1933 г.

Помнишь, Лиза, как мама когда-то (нам с тобой было лет тринадцать-четырнадцать) злилась на папу, когда он говорил, что, может быть, большевики не все такие плохие, что «нарыв» вот-вот «рассосется» и когда-нибудь нам можно будет даже вернуться в Россию? Мама тогда кричала, что в Россию после *этого* могут возвращаться только предатели или идиоты. Конечно, она была права, как всегда и во всем. После того, что я узнала от Патрика, мне страшно здесь жить. Теперь я стала замечать то, на что раньше не обращала внимания. Лиза, голодные есть и в Москве! Они просачиваются из деревень, доползают сюда, в столицу, надеясь прокормиться подаянием, но их гоняет милиция, их избивают и выбрасывают обратно. Но главное, Лиза, что сталось с людьми? Куда делась доброта, страх пройти мимо чужого горя, христианское милосердие?

Насаждается одно: жалеть — это стыдно, просить — унизительно, и главное — сила. А что делать слабым, куда им деваться? Каждый вечер устраиваются облавы, и еле держащихся на ногах голодных людей заталкивают в товарные вагоны для скота, отъезжают подальше и сваливают в поле на верную смерть!

Патрик готовит большой материал о голоде для «London Post», называться это будет вполне нейтрально: «An Observe's Notes»[1]. У него куча снимков, и я теперь не просто хожу по улицам, как раньше, а всматриваюсь в лица, обращаю внимание на бледность, одутловатость, застывший в чертах страх и на ту робкую, монашескую походку, которая сейчас отличает очень многих в московской толпе. Лиза, ты эти фотографии, которые мне показал Патрик, никогда не увидишь, но ты мне поверь: ничего страшнее, чем голодные муки, нет на свете.

В Москве полным-полно беспризорников, и на них, по-моему, никто не обращает внимания. Бездомные дети собираются стаями, как птицы, жгут вечерами костры во дворах, что-то жарят себе на этих кострах, курят. Есть даже совсем маленькие, не старше шести-семи лет. Говорят, что многие из них уже побывали в детских домах и сбежали оттуда. Я как-то не выдержала и спросила у товарища Варвары, почему же никто об этих детях не заботится и откуда они берутся. Она отвела глаза в сторону и сказала, что это, наверное, кулацкое «семя», отпрыски врагов, и таких детей государство будет кормить в последнюю очередь. Если бы наши с тобой родители, Лиза, слышали эти слова!

Мне теперь тягостно находиться дома, когда сюда

---

[1] «Записки наблюдателя» (англ.).

приходит эта Варвара, мне кажется, что она за мной присматривает, подслушивает мои разговоры по телефону, и я каждый день, если только не очень холодно, ухожу гулять и долго брожу одна по московским улицам.

ДНЕВНИК
Елизаветы Александровны Ушаковой

Париж, 1957 г.

Моему внуку Мите исполнилось вчера два с половиной года, поэтому я испекла торт и пошла к ним. Лучше мне было не делать этого! В нашей семье таких жестоких людей, как Вера, не было. Я давно замечала в ней неприветливость, скрытность и даже говорила об этом Ленечке, но Ленечка тут же начинает напирать на ее детство, на то, как их бросил отец, когда Вере и трех лет не было, и мать зарабатывала на жизнь тапершей в русском ресторанчике. От всей этой жизни у Веры невеселый характер, она обижена на отца не только за себя, но и за мать, и часто срывает свою обиду на окружающих, хотя сердце у нее очень доброе. Я эти разговоры про тяжелое детство не признаю. Все заложено в душе с самого рождения, иначе очень легко было бы разделить человечество по простому принципу: хорошее детство — значит, будешь хорошим и добрым, а плохое — так и вырастешь негодяем, и ничего тебе не поможет! Кстати сказать, так ли уж это важно, что именно произошло с Вериным отцом двадцать два года назад? Какая разница, бросил он их или просто умер? Важно только то, что они не жили вместе, а обиды на человека, которого не помнишь и не знаешь, быть не должно. Но Лене объяснять такие вещи бесполезно, он ничего, кроме ее лиловых глаз и негритянского derrière[1], не замечает.

Вчера, когда я, радостная, пришла к Вере пораньше, чтобы помочь ей с обедом, она меня встретила с поджатыми губами, и у меня тотчас же оборвалось сердце. Митенька спал, слава богу. Вера подождала, пока я сниму пальто, молча, с поджатыми губами (кому нужна такая злая красота?), потом, наслаждаясь моей растерянностью, сообщила, что ей нужно со мной поговорить, и это очень срочно. Я сначала испугалась, не случилось ли чего-то с Ленечкой или с Митей, но вдруг по этим злым и мстительным глазам сама догадалась, о чем будет разговор.

— Если вы хотите и впредь видеть Митю, то я прошу вас не таскать ребенка на свои интимные свидания.

Во мне остановилась вся кровь.

— О чем вы? — спросила я.

— Оставьте вы этот театр! — закричала она. — Вы прекрасно знаете, о чем я! Я давно догадывалась, что у вас есть любовник, и мне было стыдно за вас перед Леней!

— Fait gaff![2], — сказала я. — Не говорите лишнего! Какое вам дело до моей жизни?

— Какое мне дело? Какое мне дело, если вы берете ребенка на прогулку и тут же в кафе встречаетесь со своим любовником! А если вы в следующий раз потащите Митю к нему на квартиру?

Мне захотелось ударить ее. Она причиняла мне такую боль, так дико было то, что она со мной делала!

---

[1] Зада *(франц.)*.

[2] Осторожно *(франц.)*.

Больше всего меня испугало, что она уже рассказала обо всем Лене.

— Ненавижу вас! — прошептала я. — И не собираюсь оправдываться в том, что в один прекрасный день зашла в кафе выпить чашку кофе и встретила там своего знакомого.

Вера могла видеть меня в «Le Deux Magots» не один раз, а сколько угодно, потому что «Le Deux Magots» в двух шагах от ее работы! Как же это никогда не приходило мне в голову? Мы с Н. встречаемся в этом кафе много лет, но в прошлую среду я действительно взяла с собой Митю, мне хотелось, чтобы Н. на него посмотрел.

— Да вы же все лжете! Вы лжете всю жизнь! Мне дела нет до ваших отношений с Георгием Андреевичем! Je laisse passer![1] Но Митю я вам не позволю уродовать! Хватит того, что вы изуродовали своего сына! Не удивляйтесь тогда тому, что с ним происходит!

Не знаю, на что она намекала, но я вдруг поняла, как нужно себя вести.

— Звоните! — сказала я. — Звоните обоим. И Лене, и Георгию Андреевичу! И пусть сегодня же все и решится. Я сама им скажу.

И схватилась за телефон. Она прыгнула на меня, как пантера, и вырвала из моих рук трубку.

— Хотите, чтобы Георгия Андреевича увезли с сердечным приступом, и Леня обвинил меня, что это я во всем виновата? Что я довела семью до катастрофы? Хотите вы этого, да? Я вам не доставлю такого удовольствия! Ne tremblez pas trop vite![2] Я давно знала, что в вашей жизни есть какая-то ужасная ложь! Почему вы не

---

[1] Я не вмешиваюсь (*франц.*).

[2] Не обольщайтесь (*франц.*).

ушли от Георгия Андреевича, если вы его не любите? Зачем нужно было так лгать?

— Я люблю Георгия Андреевича, — сказала я и вдруг почувствовала, что плачу. — Не смейте этого говорить!

— Мой сын никогда не будет дышать ложью! — начала было она, но тут Митя заплакал в соседней комнате, и, с раздувшимися ноздрями, вся белая от победы надо мной и торжествующая, Вера побежала к нему.

Я наконец нашла в себе силы подняться и уйти. С трудом надела плащ, взяла свою сумку, вызвала лифт. Все было больно, даже прикосновение пальца к кнопке лифта, который тошнотворными толчками пошел вниз, и казалось, что он вот-вот сорвется в преисподнюю. На улице я ощутила на своем лице много воды, но не сразу даже и поняла, что это идет дождь. Стыд скрючил всю меня изнутри: смотрела и ничего не понимала, все разваливалось. Я взяла такси, вернулась домой, пробормотала мужу, что у меня мигрень, и закрыла дверь в свою комнату. Мне хотелось одного: провалиться, ничего не чувствовать, но я чувствовала каждую свою косточку, каждую жилку, каждый волосок, потому что все, из чего я состою, причиняло мне боль. Туго-натуго завернулась в простыню, навалила на лицо подушки, но боль не проходила. Потом все-таки умудрилась заснуть. Приснилась какая-то липкая гадость, членистоногие существа — то ли насекомые, то ли животные.

В пять меня разбудил Георгий. Я сказала, что у меня очень болит голова, и я не пойду на рожденье к Митеньке. Он принес мне чаю с таблеткой и велел, чтобы я не вставала, потому что это может быть началом гриппа. Потом ушел.

Господи! Я проклинаю себя. Мне пятьдесят один год. Терпеть такой стыд!

Вермонт, наше время

Ушаков сразу же почувствовал себя неловко в замшевых ботинках и серых брюках, в то время как все были в кроссовках и шортах, он почувствовал, что и приезд его сюда — всего лишь ненужная попытка завязать никому не нужные знакомства, и с этими громкоголосыми людьми его связывает еще меньше, чем с теми русскими, которых он оставил в Париже. Поймав обращенные на себя взгляды, он с трудом удержался от того, чтобы сразу же и уйти, поскольку тут был свой налаженный мир, свои разговоры и страсти, и сплетни, и все это густо и вкусно варилось в пронизанной солнцем огромной столовой. Американские студенты держались особняком, они сидели за отдельными столами и изредка только взглядывали на своих преподавателей, которые — с перегруженными подносами — рассаживались кто с кем захочет, не прерывая начатых по дороге разговоров.

Сейчас, когда все были увлечены пестрыми от горячей еды тарелками, где темно-лиловая кровь запеченной бараньей ноги мешалась с разваренной, желтой картошкой, которую ели еще с Гайаваты, и дочь Ангелины Надежда, знавшая Ушакова по Парижу, была занята своими детьми, у которых текло по губам и по шеям розово-синее мороженое, — сейчас он, наверное, мог бы уйти. Но он замешкался, и тут же они обе заметили его: и мать, Ангелина, и дочка, Надежда. Радостно растопырив руки, они бросились к нему так, как будто он только что погибал внутри свирепого пожара или на льдине, которую оторвало от берега, и она блуждала в открытом море, скрежеща о другие льдины, но его спасли: седые и красные пожарники (если представить, что он погибал в огне!) и столь же седые, заинде-

69

вевшие, в тяжелых и мокрых плащах, мореходы (если говорить о льдине!), и вот он теперь, утомленный, красивый, пришел к ним в столовую, проголодался. Они бросились к нему и заключили его в объятья, потому что истинно русское гостеприимство в том и заключается, чтобы обнять человека всего — с его головою, руками, ногами, — притиснуть к себе, дать ему почувствовать и мягкость своей материнской груди с ее натруженными сосками, и жар живота, и раздолье коленей, а потом, выждав паузу, осыпать пронзительным градом вопросов. Не слушая ответов, мать с дочерью повлекли Ушакова к столу, на котором лежали оранжевые пластмассовые подносы, и, сунув один ему в руки, взялись за опеку.

— Салату хотите? Возьмите, он свежий. А свеклы хотите? У вас как с желудком? Да, господи, Надя! Что ты мне свои круглые глаза делаешь? Вареную свеклу весь мир сейчас ест! И свеклу, и тыкву, и корки от дыни! Разваришь все вместе и — в миксер! И на ночь! С простой простоквашей, как в русской деревне! Весь мир согласился! Ростбифу хотите? Вы любите с кровью? У вас там в Париже едят все сырое! Да, господи, Надя, я что, не была там? Была там и ела, и страшная гадость! Ну, вкусы другие, о вкусах не спорят.

А Надежда, привычно распределив вокруг бровей кучерявые волосы и отодвинув подальше от себя смышленых детей своих, липких от ягод, спешила познакомить Ушакова с наиболее достойными обитателями столовой.

— Коржавина знаете? Вон он, Коржавин! Вы только не спорьте, не нужно с ним спорить! Он слишком горюет о судьбах России, а так очень добрый, простой и хороший. А это вон Найман, был дружен с Ахматовой.

Его называют — вы знаете, как? Нагнитесь. Я вам одному — по секрету!

Ушаков нагнулся, и Надежда шепнула ему, как называют сплетники достойного друга поэта Ахматовой. Он продолжал улыбаться, но тоска одиночества, которая сегодня утром так накрутила его душу на свои пальцы, словно душа его была прядкой стариковских волос, — тоска эта снова взялась за свое, и он пожалел, что приехал.

— А вон Жолковский. Красавец наш юный! Знаете, сколько ему лет? За семьдесят с гаком! Так, во всяком случае, люди говорят. А выглядит вечно на тридцать. Загар, бег и теннис. И вечно влюблен. Причем каждая следующая любовь на десять лет моложе предыдущей. «Голые пионерки»! Роман такой есть, весьма средний. Но мы не ханжи, мы все любим плейбоев. Ну, мама, не смейся! Я — что? Я серьезно. С Найманом он на ножах из-за Анны Андреевны. Но с Найманом все на ножах, но по разным причинам. Жолковский считает, что Ахматова — это вроде как Сталин, только в литературе. Не знаю, не спорю. Пусть время покажет! Пойдемте, и я вас сейчас познакомлю, пойдемте!

— А может быть, лучше попозже? — неуверенно пробормотал Ушаков.

— Да что там попозже? Пойдемте, пойдемте! У нас тут не скучно!

За десять минут его перезнакомили со всеми и наконец позволили вернуться к оранжевому подносу, на котором давно все остыло. Есть ему не хотелось, но он поел, и после обеда выполнил все, что от него требовалось: поговорил с Коржавиным, тут же рассердившимся на него за французскую толерантность, пожал руку Найману, человеку изящной внешности, с глазами пе-

71

чальными, полными муки, и поймал на себе снисходительную усмешку Жолковского, который, судя по всему, догадался, что Ушаков не читал ни одну из его работ о хитростях Ахматовой.

— Сюда-то зачем ты приехал, в Америку? — спросил его Коржавин, и от этого простого вопроса Ушаков неожиданно смутился, как будто его поймали на обмане.

— Я буду работать в Нью-Йорке.

Коржавин вздохнул и кивнул с огорчением, давая понять, что все происходящее на этом свете, включая Нью-Йорк и любую работу, не вызывает у него ничего, кроме тревоги за судьбы мира.

— У нас в шесть — концерт, — краснея всем телом, сказала Надежда. — Потом будут танцы, костер и купанье, и мы вас там ждем. Пойдите пока прогуляйтесь, мне нужно костюмы проверить.

Он вышел из столовой и неторопливо пошел по направлению к реке, близость которой чувствовалась больше по ее памятному с детства запаху, чем по слабо вспыхивающей и пропадающей голубоватой полоске между высокими деревьями и густыми травами вдалеке.

Анастасия Беккет — Елизавете Александровне Ушаковой

Москва, 1933 г.

Лиза, не сердись. Я тебе сейчас все расскажу. Не писала, потому что все эти дни провела довольно грустно и почти не выходила из дому. Радио московское невозможно слушать — одни победы, соревнования,

72

хвальба, достижения и призывы защищать большевистскую Родину от врагов. Враги им мерещатся везде, и любой человек вызывает подозрение. Послушаешь это радио — и хочется бежать куда глаза глядят! Патрик собирается ехать на Кубань, его обещали провезти по самым голодным районам. Бог знает, что там может случиться. Спорить с ним и просить его хотя бы повременить с этой поездкой — бесполезно.

Вчера наконец я решила пройтись. Иду по Серпуховке, уже темнеет, прохожих немного, сыпется редкий и сонный снежок. На пути все чаще попадаются пьяные, которых здесь так же много, как в северных районах Парижа, но милиция не обращает на них никакого внимания: протрезвеют и сами уберутся. В Москве почти нет питейных заведений, но водку можно дешево купить в любом государственном магазине, и, как заметили мы с Патриком, русские пьют много, но совсем не так, как на Западе. У нас народ пьянеет постепенно, коротая время в приятной беседе, неторопливо опрокидывая стаканчик за стаканчиком, а здесь люди страшно и быстро напиваются до полного одурения, как будто с разбегу бросаются в пропасть. Говорят, что на среднего посетителя московской пивной приходится по четверти ведра пива в день.

Иду и вдруг слышу — меня кто-то догоняет:

— Hi, baby![1]

Оборачиваюсь — Дюранти. Роскошное свободное пальто, серая кепка, в руках палка с серебряным набалдашником, который сверкает сквозь снег.

— Откуда вы здесь? — спросила я по-русски.

— Я ехал на машине, смотрю — вы. — Он тоже пе-

---

[1] Привет, малышка! *(англ.)*

решел на русский. Говорит свободно, но с сильным британским акцентом. — Вашу фигурку нельзя ни забыть, ни перепутать. Я бросил машину и стал догонять вас.

Он вдруг близко-близко подошел ко мне. Дюранти не очень высокий, но все-таки выше меня, и когда он наклонился, его губы почти коснулись моего лба, моих волос. От него пахнуло спиртным.

— Не бойтесь. Я сыт и не съем вас.

Он всегда был мне неприятен, с самой первой встречи, и муж мой считает его негодяем, но я не могу не признаться тебе в том, что всякий раз, когда он вот так близко подходит ко мне, я как-то обмякаю и чувствую, что между нами нет никакой преграды и что он может сделать со мной все, что захочет: обнять, поцеловать прямо в губы, даже ударить меня по лицу. У него какая-то физическая власть надо мной, Лиза, но я не виновата в этом. Не виноваты же мы в том, что идет снег?

Я хотела отодвинуться от него, даже, может быть, убежать — как бы глупо это ни выглядело! — и не смогла. А он стоял и прерывисто дышал мне на лоб своим очень горячим дыханием, потом усмехнулся и несколько раз поцеловал меня в брови и в глаза. Тут я наконец опомнилась и отскочила от него.

— Что вы себе позволяете?

Кажется, я произнесла это вслух, но точно не знаю — может быть, мне показалось, что я это произнесла. В темноте у него совсем другое лицо: ничего в нем нет жесткого и насмешливого, напротив, что-то даже простодушное, только глаза нагловатые, и, когда он всматривался в меня сквозь снег, они опять странно, по-сумасшедшему блестели. Потом он засмеялся низким, хриплым смехом, отступил в сугроб.

— Ну что, подвезти вас?

— Нет! Я лучше пройдусь.

— Смотрите, в Москве небезопасно.

Мне показалось, что он действительно сейчас уйдет, а я не хотела, чтобы он уходил!

— Я позвоню вам завтра, — сказал он, — покатаю вас по городу, покажу кое-что интересное, только с одним условием.

— Каким?

— Не говорите своему мужу.

Я, наверное, так покраснела, что он заметил это даже в темноте.

— Ого! Что я вижу! У вас разве нет секретов от мужа?

— Почему у меня должны быть секреты от него?

Он взял меня обеими руками за талию и крепко притиснул к себе.

— А вот почему.

Я высвободилась из его рук, но не сразу. Не сразу! Потому что меня словно бы парализовало, и я застыла, уткнувшись в его воротник и дыша запахом его крепкого одеколона.

— Отпустите меня, — пробормотала я.

— Идите.

И тут же действительно отпустил меня. Я ничего не сказала Патрику об этой встрече, но ночью не спала и решила, что, когда Дюранти позвонит, я попрошу его больше меня не беспокоить. Целый день я ждала его звонка, но телефон молчал. Сейчас уже полночь. Пишу тебе и мучаюсь. Неужели я такая развратная, подлая дрянь?

ДНЕВНИК
Елизаветы Александровны Ушаковой

Париж, 1958 г.

Я две недели не была у своих после Вериной выходки. Георгию говорю, что у меня болит горло и я боюсь заразить Митю. Сижу дома, занимаюсь переводами. На душе тяжело, сплю плохо, все время плачу. Проводила маму и папу в Тулузу. Мама надела в дорогу ярко-васильковую шляпу, от которой ее глаза стали еще синее. О чем я? Зачем? Какая разница, что надела в дорогу моя старая мама? Пишу всю эту чепуху, потому что смертельно боюсь. Боюсь того, что случайно увидела, боюсь думать об этом, а мысли не уходят.

Вчера я пошла прогуляться и сама не заметила, как вечером, часов в шесть, дошла до Лениного дома. Спохватилась и решила как можно быстрее уйти, чтобы меня — не дай бог — не заметил сын, который в это время обычно возвращается с работы. Но я не успела уйти, потому что увидела Ленечку, который ехал на велосипеде в какой-то странной, ненатуральной позе — сидя очень прямо и высоко держа голову. Вокруг было много машин, которые сигналили ему и резко тормозили, чтобы не сбить его, водители высовывались из окон, осыпали его руганью, а он словно бы ничего не замечал. Я так удивилась и перепугалась, что даже не окликнула его, меня как будто что-то удержало. И слава богу, что я его не окликнула. Он проехал мимо меня с тем же странным лицом и остекленевшими глазами, высоко задрав подбородок, потом остановился, бросил велосипед у подъезда и прошагал мимо, не обратив на меня никакого внимания. Я ничего не понимаю. Неужели он так напился? Но Леня никогда не напивается, это на него не похоже. Не нанюхался же он какой-то дряни!

Позвонить, может быть, Вере? Но как? После того, что она мне устроила? И что ей сказать? Что Леня был пьян и меня не заметил?

Вермонт, наше время

К реке вела узкая тропинка, с обеих сторон поросшая густою травой, лопухами, крапивой. Ушаков, унаследовавший от своих родных то исконно русское, старинное и без жалости утраченное сейчас чувство природы, которое ничего от нее не требует, кроме красоты и в детство влекущей пронзительной силы, шел не торопясь, с наслаждением вдыхая в себя те запахи, которые были знакомы по Тулузе, где раньше был дом его прадеда и куда мать часто ездила с ним, маленьким, после смерти отца. Запах боярышника, заждавшегося дождя, смешивался с запахом тех белых и душных цветов, которые всегда растут по низовьям и болотам и пахнут еще слаще фиалок, а вспышки солнечного луча вдруг прямо на глазах оборачивались большими, задумчивыми бабочками, летящими из березовой глубины.

Речная заводь, поросшая кувшинками, была близко, он расстегнул рубашку, снял ботинки, сделал еще несколько шагов и вдруг остановился. Вся его дорога через лес заняла минут пятнадцать, и он не встретил ни одной живой души, кроме птиц и насекомых, а здесь, в нескольких метрах от него, спиной к нему, по колено в воде стояла женщина в черном купальнике и обеими просвечивающими на солнце руками скручивала на затылке рыжевато-золотистые волосы. В первый момент она показалась ему настолько естественно вписанной в эту зелень, что он не сделал ничего, чтобы дать ей заметить свое присутствие. Он просто стоял и смотрел на нее так же, как смотрел на цветы и деревья. Она заколола волосы, вошла в воду немного поглубже, оттолкнулась и поплыла. Ушаков с наслаждением водил глазами по ее голове, по голым рукам, то появляющимся над голубизной, то вновь пропадающим в ней, и ему хотелось задержаться внутри этой минуты, повиснуть, застыть, как пчела застывает над цветком. Разрушить молчанье и дать незнакомой купальщице обернуться, показать ему лицо, которое могло оказаться неприятным, было все равно что заставить себя проснуться в самый разгар веселого и радостного сна.

Он осторожно отступил обратно, в тень разогретого хвойного леса, и тихий-тихий, еле слышный звук воды, повисший за его спиной, как ниточка голоса маленькой птицы, подсказал ему, что эта женщина не заметила его и продолжает плыть дальше, а золотистая голова ее по-прежнему вспыхивает на солнце.

К шести, после чая с бисквитами, вся русская школа собралась в большом чистом зале, раскрыли рояль в ожидании концерта, расселись, расправили плечи. Женщин, как всегда и везде, было больше, чем мужчин, и почти все они отличались деревенскою свежестью лиц и приветливостью улыбок. Нельзя было не кивнуть в ответ на эти взгляды, которые лепились к Ушакову, как чуткие осы к варенью из яблок. Ангелина по-родственному цепко придерживала его за рукав и все воскликала: «Надежда пропала!» Надежда и в самом деле появилась позже остальных, и тут же, за нею, из распахнувшихся дверей вылилась пестрая волна молодых девушек в красных сарафанах, под которыми были надеты белые украинские рубашки с вышитыми красными нитками петухами. Желтые платочки блестели на светлых и темных головках девушек, и сразу, при виде гостей, они ловким движением сорвали их, низко поклонились и описали желтыми платочками быструю радугу в воздухе.

— Русский народный танец «Лютики-цветочки»! — заливисто-нервно вскричала Надежда.

Вновь повязавшись платками, девушки пошли хороводом по центру зала, быстро вертя в разные стороны своими желтыми затылками. Вскоре за этим трое из них, оторвавшись от остальных, образовали еще один хоровод и закружились, сильно откинувшись назад, так что под белыми рубахами скульптурно, как у статуй, обрисовались их молодые груди и тонкие девичьи талии. Закончив танец, плясуньи вновь сорвали с голов желтые платочки, вытянулись в ряд, стыдливо краснея, с опущенными ресницами, как будто вернулась пора крепостничества, опять поклонились и выплыли прочь. Им долго, взволнованно хлопали.

Через пару минут к роялю, слегка расстроенному, но все же хорошему, добротному, подошла тоже весьма молодая еще девушка с розовато припудренным и несколько тяжеловатым в своей нижней части лицом и сильно накрашенными серыми глазами. Она подошла стремительно и настойчиво, словно рояль был крепостью, которую она намеревалась взять приступом, хотя улыбалась при этом беспечно, как будто бы так и должно быть, чтобы молодые, розовато припудренные, с тяжелой нижней частью красивого лица девушки почти каждый день брали силою крепости. Красное платье, бывшее на пианистке в этот вечер, сверкало нанизанным бисером, и в тот момент, когда она решительно усаживалась за инструмент, ее волевые колени откинули ткань, как портьеру в театре.

— Вы знаете Ольгу? — Ангелина тяжело дышала рядом. — Она — Ольга Керн. Вы, наверное, слыхали.

— Как Ольга? — растерялся Ушаков. — Не Ольга, насколько я помню, а Анна.

— Заладили все как один: Анна, Анна! С ума посходили по этой, по Анне! — рассердилась Ангелина. — Не Анна, а Ольга! Все думают: ах, если Керн, значит, Анна! А вот и неправда! Не Анна, а Ольга!

Воздушно припудренная Ольга ударила по клавишам с такой раздражительной силой, что все содрогнулось: и небо, и люди, и лес вместе с полем. Она разбивала сонату номер один, написанную молодым композитором Шостаковичем в тысяча девятьсот двадцать седьмом году, так, как будто под руками ее было тело соперницы, застигнутой утром в постели супруга.

— В прабабку пошла, в эту, в Анну, — не удержалась Ангелина. — Та тоже до ста прожила.

И хотя не было до конца понятно, какая связь между затянувшейся жизнью Анны и пианистическим искусством Ольги, но Ушаков согласился и с этим. Слушая неистовой силы игру новой Керн, он исподтишка разглядывал людей, собравшихся в зале. Женщины, которую он совсем недавно оставил одну между белых кувшинок, сейчас среди зрителей не было.

ГОЛОД

Партия большевиков в борьбе за коллективизацию сельского хозяйства 1930 — 1934 годы

Массовое вступление крестьян в колхозы, развернувшееся в 1929 — 1930 годах, явилось результатом всей предыдущей работы партии и правительства. Рост социалистической индустрии, начавшей массовую выработку тракторов и машин для сельского хозяйства, решительная борьба с кулачеством во время хлебозаготовительных кампаний 1928 и 1929 годов, рост сельскохозяйственной кооперации, которая постепенно приучала крестьянина к коллективному хозяйству, хороший опыт первых совхозов и колхозов — все это подготовило переход к сплошной коллективизации, вступление крестьян в колхозы целыми селами, районами, округами. Переход к сплошной коллективизации происходил не в порядке простого и мирного вступления в колхозы основных масс крестьянства, а в порядке массовой борьбы крестьян против кулачества. Сплошная коллективизация означала переход всех земель в районе села в руки колхоза, но значительная часть этих земель находилась в руках кулаков, — поэтому крестьяне сгоняли кулаков с земли, раскулачивали их, отбирали скот, машины и требовали от Советской власти ареста и выселения кулаков.

Сплошная коллективизация означала, таким образом, ликвидацию кулачества. До 1929 года Советская власть проводила политику ограничения кулачества. Советская власть обкладывала кулака повышенным налогом, требовала от него продажи хлеба государству по твердым ценам, ограничивала кулацкое землепользование законом об аренде земли. Такая политика вела к тому, что задерживался рост кулачества, вытеснялись и разорялись отдельные слои кулачества, не выдержавшие этих ограничений.

В 1929 году Советская власть сделала крутой поворот от такой политики. Она перешла к политике ликвидации, к политике уничтожения кулачества как класса. Она сняла запрет с раскулачивания. Она разрешила крестьянам конфисковать у кулачества скот, машины и другой инвентарь в пользу колхозов. Кулачество было экспроприировано. Тем самым были уничтожены внутри страны последние источники реставрации капитализма.

Краткий курс истории ВКП(б), глава XI[1]

Анастасия Беккет — Елизавете Александровне Ушаковой

Москва, 1933 г.

Вчера мы были приглашены в Большой театр на премьеру нового балета Шостаковича «Светлый ручей». Сказали, что приедет сам Сталин и другие члены правительства. В Москве стало совсем холодно, все время идет снег. Я хожу в своем рижском пальто — слава богу, что не пожалела денег и сшила его, как полагается: с большим меховым воротником и на ватной под-

---

[1] «Краткий курс истории ВКП(б)» — учебник по истории Всесоюзной коммунистической партии (большевиков), опубликованный в 1938 году. «Краткий курс» с 1938 по 1953 год издавался 301 раз в количестве 42 816 тыс. экземпляров на 67 языках.

кладке. Патрик сказал, что на премьере будут не только все наши, но и американцы со своими женами. Я пригласила на дом парикмахера и сделала прическу. Теперь я ношу волосы, почти закрывающие шею, бархатный обруч, и из-под обруча выпускаю челку, которую мне вчера так закрутили, что казалось, будто на лбу у меня пристроилась плотная темная змея. Платье я надела шелковое, темно-синее, с длинными узкими рукавами, лакированные черные туфли. Обошлась даже без ботиков, потому что за нами прислали машину.

Опять пошел снег, сквозь белизну светились редкие витрины закрытых магазинов, на ступеньках которых дремали старики и старухи в огромных тулупах в обнимку с большими ружьями. Это ночные сторожа, вид их вызывает у меня жалость и удивление. Почему они не идут в помещение, в тепло? Все говорят, что в Москве большая преступность, но ведь эти старики все равно ничего не могут! Патрик недавно рассказал мне о странностях в российском законодательстве: за убийство с целью грабежа дают всего десять лет, а за убийство на любовной почве, скажем, из ревности, — пятнадцать. У нас в Европе такие преступления разбираются особенно тщательно и караются, как правило, несильно, учитывая деликатный характер дела, но в России — все наоборот. Они считают, что нельзя, чтобы один человек относился к другому, как к своей личной собственности.

Подъехали к театру. Снег так сверкал под фонарями, что казался серебряным. Машины подъезжали одна за другой, из них выходили женщины в длинных шубах и меховых манто под руку с мужчинами, которые выглядели серо и буднично. Как всегда, очень много военных. У самого подъезда я сразу же увидела Дюранти, который курил папиросу и разговаривал с какой-то белокурой красоткой, причем они оба смеялись и казались очень возбужденными. У меня так заныла душа, что я даже приостановилась и чуть было не попросила Патрика отвезти меня домой. Но потом взяла себя в руки и смело пошла навстречу этому человеку, который почему-то имеет надо мной такую странную власть. Когда мы поравнялись, Патрик едва поклонился ему, а я очень небрежно кивнула, и мы хотели пройти мимо, но Дюранти оторвался от своей красотки и широко раскинул руки, как будто хотел заключить нас в объятья.

— Мечтаю вас видеть! — воскликнул он по-русски. — Как эта поговорка? «Кто что-то помянет, тому глаза вон»! Вы в ложе сидите?

Патрик сказал, что мы сидим в партере, и Дюранти вернулся к своей женщине, которая быстро окинула меня острыми и недружелюбными глазами. Слава богу, что он так и не позвонил мне тогда! Теперь я, по крайней мере, понимаю почему.

Театр переливался всеми цветами радуги, все казались знакомыми друг другу, все раскланивались и улыбались, шуршали бумажки из-под шоколадных конфет, многие женщины, которых я увидела в ложах и в первых рядах партера, были сильно оголены и ярко накрашены. Я давно заметила, что русские женщины так же, как француженки, с молодости склонны к полноте, но полнота у них какая-то другая: не рыхлая, как у француженок, а мраморная, молочная.

Мы с Патриком сидели в одиннадцатом ряду. Вдруг я почувствовала прямо на себе чей-то взгляд. Такой напряженный и сильный, что у меня загорелась вся кожа под волосами! Я подняла голову, чтобы понять, кто это смотрит, и прямо, как будто глаза притянуло магнитом, уперлась взглядом в смеющееся лицо Дюранти, который стоял в ложе, опираясь обеими руками на красный бархат и, не отрываясь, смотрел на меня. Мы встретились глазами, и он стал серьезным. Потом послал мне воздушный поцелуй. Я отвернулась и стала упрямо пялиться на сцену, где еще ничего не происходило. Вдруг все поднялись и захлопали. В царскую ложу уже входил Сталин, и с ним другие члены правительства. Все хлопали и смотрели на них, и я тоже смотрела, но глаза мои ничего не различали: красный бархат, огни и золото прыгали, все лица сливались. Что значит этот воздушный поцелуй, который он послал мне с таким многозначительным видом, как будто между нами существует какая-то тайна?

Хлопали минут десять, не меньше, потом Сталин сделал рукой жест, что он просит прекратить овации и переходить к делу. Тогда все уселись, не переставая глядеть на царскую ложу, но Сталина стало не видно — он скрылся за красной портьерой. Занавес разошелся, показали залитый светом деревенский полустанок, на котором толпились жизнерадостные люди. Потом они стали похлопывать друг друга по плечам, кружиться, один вдруг в восторге пустился вприсядку. Ты помнишь, я никогда не любила балета за фальшь, и, хотя мама много раз пыталась мне объяснить, что искусство — это условность, а условность не обязана совпадать с жизнью, во мне до сих пор все противится этому. Но такого, как вчера, я не переживала никогда. Сидеть в одиннадцатом ряду партера и смотреть, как лихо отплясывают наряженные трактористами и доярками танцоры Большого театра! Когда в деревнях такой голод! Когда я сама, своими глазами, видела фотографии!

Патрик сидел с таким лицом, как будто ему стыдно за то, что он сейчас в этом зале. Я положила ладонь на его руку, но он свою руку сейчас же убрал, как будто и это все лишнее. В антракте я сказала, что очень хочу пить, и мы с Патриком пошли в буфет, где были накрыты столы, на которых стояли букетики свежих цветов и бутылки с минеральной водой. Обслуживали публику официанты. Мы заказали по стакану чаю и пирожное для Патрика, я есть не хотела. Цены в этом буфете заоблачные, простым людям совершенно недоступные. Во втором акте началась настоящая вакханалия: колхозники и колхозницы бегали друг к другу на свидания, переодетые в чужие костюмы, как это бывает в классических комедиях и буффонадах, кто-то даже изображал собаку, которая катается на велосипеде, и декорации были под стать: везде лежали неправдоподобных размеров снопы пшеницы, корзины с красными яблоками, кукуруза, тыквы величиною с колесо. Короче, счастливое колхозное изобилие.

Ну и Шостакович! Был ли он хоть раз в деревне? А впрочем, какое это имеет значение, был или не был. Если людям не стыдно, никакие факты им не помогут, напротив, они станут только упрямее в потребности простить себе то зло, которое делают, особенно если считать, что искусству все позволено. Как это — все позволено? Ведь подлость есть подлость, и в искусстве она такая же, как и в жизни.

Когда мы выходили из театра, вокруг зашептались, что Сталину балет не понравился и он в середине второго акта уехал. Зрители выглядели смущенными, и никто ни о чем вслух не высказывался. Наверное, все боятся. Патрик сказал мне недавно, что в России очень быстро развивается доносительство. Детей в школах начали подстрекать к тому, чтобы они доносили на собственных родителей, запоминали, что родители говорят дома, не ругают ли правительство, не критикуют ли новые порядки. Какими же людьми вырастут эти дети?

Дюранти я больше не видела. Может быть, он заметил, что Сталин уехал, и последовал за своим кумиром?

Вермонт, наше время

Отыграв на рояле, сверкающая красным платьем и красным на белом, напудренном, нежном лице своем жгучим румянцем, счастливая вызванным восхищением, Ольга Керн прошла между нестройными рядами стульев и уселась рядом с Ушаковым. Он ощутил запах сильных духов, исходящий от ее голого, мускулистого плеча, запах помады, свежий слой которой она, по всей вероятности, только что нанесла на свои оттопыренные, в улыбке застывшие, плотные губы, — и волнение, вызванное не ею, не Ольгою Керн, но просто возникшей поблизости женщиной, волнение молодое и такое сильное, что он вдруг невольно заерзал на стуле, охватило Ушакова. Почувствовав это, самоуверенная Ольга широко раскрыла глаза и светлой, порхающей их синевою пробежала по его лицу и телу. Он хотел было ответить ей тем же, он уже развернулся к ней, но в это время в дверях зала мелькнула золотистая голова, которую он недавно видел среди сонных кувшинок, — мелькнула опять не лицом, но затылком, как будто обладательница этих волос играла с ним в веселую и слегка опасную игру. Забыв о своей соседке, Ушаков вытянул шею, чтобы проследить, куда она направляется, потому что, увлекшись разгоряченной Ольгой, он пропустил минуту, пока его русалка стояла лицом к залу, и заметил ее только тогда, когда она, отвернувшись, уже приготовилась уходить.

— Я же вам говорю, что у нас не скучно. — Надежда, до глубины души обиженная его невниманием, дотронулась до руки Ушакова. — У нас здесь — усадьба. Вот вы ведь читали Тургенева? У нас здесь, в Вермонте, все так, как в усадьбах. Прогулки, купания, споры, разлуки... Мы живем в России *до* семнадцатого года. — Она энергично взмахнула рукой, как будто Ушаков собирался возразить ей. — У нас отняли Родину. Не потому, что мы уехали. У тех, которые остались, ее точно так же отняли. Но мы ее здесь обретаем. И это не шутка.

Ушаков всмотрелся в черные, опустевшие от высказанной мысли глаза и промолчал.

— Вы что, мне не верите? — сердито оттого, что он не соглашается, продолжала Надежда. — Но вы убедитесь...

— Я очень вам верю, — понижая голос, ответил он — и в эту минуту женщина наконец обернулась.

Он увидел лицо, одного взгляда на которое было так же недостаточно, как недостаточно одного глотка воды тому, кто хочет пить, и одного вдоха тому, кто вырвался из наполненного дымом помещения. Но чем больше смотрел он на это лицо, вбирая глазами все его особенности и переполняясь ими, тем сильнее становился тот счастливый страх, который он почувствовал еще в лесу. Ему начало казаться, что эта женщина входит в его жизнь так, как входят в чужой дом, надавливая на дверь и заранее сокрушаясь, что дом этот слишком заставлен вещами. Обеими руками она опиралась на косяк и, слегка подавшись вперед, говорила что-то узкоглазому мальчику, сидевшему с краю, причем говорила по-английски, а не по-русски, и мальчик, вспыхивая маковым цветом от волнения, отвечал ей молодым ломающимся баском, слегка похожим на кряканье заплывшей в тростники утки, которая созывает своих мокрых и желтых утят, желая досыта накормить их разомлевшими от зноя червяками.

Не замечая взгляда Ушакова, незнакомая женщина улыбалась с такою готовностью, как будто ей было важнее всего на свете обласкать узкоглазого мальчика с его неуверенно-ломким голосом, а там уже можно уйти, раствориться в тишине не до конца погасшего заката. Она была невысока ростом, светлоглаза, и что-то спокойное, неторопливое было в ней, сразу напомнившее Ушакову, как она мягко и свободно плыла утром по голубоватому озеру, как закалывала волосы на затылке и как плавно, роняя вспыхивающие мелкие капли, двигались над водой ее тонкие руки. Волосы ее и сейчас были заколоты на затылке, но несколько кудрявых неподобранных прядей свисали свободно, и закатный свет проходил их насквозь, как завитки спирали. Она была в белой рубашке с закатанными рукавами, в широких легких брюках, и какое-то маленькое украшение поблескивало на ее груди — в той мягкой, взволнованной быстрым дыханьем ложбинке, куда вечно затекают и скатываются женские украшения.

Надежда проследила за взглядом Ушакова и демонстративно-громко закашлялась.

— Ну, видишь? И этот туда же! — шепнула она матери, которая в ответ так высоко возвела глаза к потолку, что тут же зрачки закатились под веки и вместо них вырос кустарник сосудов.

Застенчивый мальчик, с которым понравившаяся

Ушакову женщина так ласково разговаривала, вскочил, уступая ей место, и она, недоуменно пожав плечами, словно раздумывая, имеет ли смысл остаться, опустилась в конце концов на краешек стула, так что теперь, чтобы видеть ее, Ушакову пришлось бы сильно наклониться влево и этой своей неестественной позой мешать всем соседям. Он выпрямился и устремил глаза на сцену, где только что поставили высокий табурет для нового исполнителя. Исполнитель словно нарочно медлил, публика нетерпеливо ерзала, и тут за раскрытыми окнами зала в томном полусне, в недоумении перед тем, что ему снится, в любви, в ожесточении, что даже любовь тоже, кажется, смертна, но нужно успеть — да, успеть насладиться, — запел соловей. Запел так внезапно и неудержимо, что у стареющей Ангелины брызнули слезы, после чего она обвела всех собравшихся победными глазами, как будто бы это она и запела. Она, Ангелина, а вовсе не птичка с ее воспалившимся тоненьким горлом.

— И так каждый год, — горько и умиленно прошептала Ангелина Ушакову. — Ах, люди мы, люди! И что нам всем нужно? Когда вот такие красоты природы?

К табурету между тем подошел восточной красоты юноша с рассеянной полуулыбкой внутри очень пухлого алого рта, с опасно мерцающими полумесяцами синевато-черных глаз и такой белизною лица, словно он с самого рождения своего не мылся ничем, кроме как молоком — к тому же парным — из-под редкой коровы.

— Ой, что щас будет! — простонала Ангелина.

Восточный юноша не торопясь уселся на табурет, достал из футляра аккордеон с легкими клавишами цвета слоновой кости, с перламутровыми пуговицами, приподнял одно женственно-круглое плечо, опустил другое, и аккордеон вздрогнул, как испуганно проснувшийся ребенок, и вскрикнул, как этот ребенок, и вдруг начал так заливаться тоскою, как будто остался на свете один — один в темноте — и не знает, что делать. Аккордеонист закрыл глаза, при этом казалось, что синеватое мерцание их по-прежнему пробивается сквозь тонкую кожицу выпуклых век, разжал пухло-алые губы... Он то разворачивал аккордеон прямо к сердцу, припадая к нему лицом, то слегка отстранялся от него, легонечко его отталкивал, словно давая ему полную свободу от своих длинных пальцев, и аккордеон, как послушный ребенок, торопящийся выполнить волю строгого отца, казалось, следил не за пальцами и даже не за лицом его, а только за этим тревожным мерцаньем, которое то ярче, то бледнее дрожало под веками. Когда же они вдруг умолкли — и аккордеон, и соловей за окнами, — разразилась такая тишина, что всем стало страшно, и все закричали.

— Браво-о-о! — кричали обитатели русской школы и били в ладоши с нездешнею силой. — Браво-о!

— Ну, как? — пылая разнеженной грудью и не переставая хлопать, спросила Надежда. — В Париже мы с вами такого услышим? А ведь из аула, верней, из кишлака, отец пас овец, мать — простая кишлачка. Семнадцать детей, но ведь гений! Ведь чудо!

— Как его зовут? — шепотом спросил Ушаков.

— Иван Асанбеков, — ответила Надежда и многозначительно потрясла подбородком. — Он должен пробиться! О нем мы услышим! Не раз мы услышим!

— Нашу праграм завиршат пьесни, — с жестковатым, но сладким акцентом объявила молоденькая американка, одетая так, как одевались советские школьницы шестидесятых: в черную юбку и белую блузку. — Сполняют: Матвей и Сесилия Смиты.

Брат и сестра Смиты оказались похожими, как две капли воды: оба высокие, веснушчатые и узкоплечие, только у Сесилии белокурые кудрявые волосы, почти неотличимые от шкур тех овец, тех далеких животных, которых старательно пас Асанбеков, свисали до тоненькой девичьей талии, а у Матвея они прижимались к удлиненной голове, как плотный парик к голове английского придворного. Они одновременно кивнули сидевшей за роялем аккомпаниаторше и вдруг затянули с хриплым грузинским акцентом:

— Ах, эта красная ряби-ина-а срэди ассенэ-эй желтизны-ы-ы! Я на тиба-а смотрю, люби-и-имый, уже с дале-о-окой стороны-ы-ы!

Ушакову стало до странности хорошо. Мир, если верить соловью, был весь переполнен любовью, и то, что потом будет смерть, только усиливало блаженство быстрого времени, в котором никто не знает, что случится через минуту, и, стало быть, можно любить, забывая о смерти.

Оказывается, он ошибался, когда думал, что все, от чего увлажняются глаза, осталось глубоко в детстве, внутри их с матерью однообразной жизни, когда над Парижем шел снег и у него разбухали железки, а мать, заботливо обмотав ему шею вязаным шарфом, рассказывала истории о животных, от которых хотелось плакать. Тогда жизнь была еще вся впереди, а сейчас даже те годы, когда говорят, что мужчина «в соку», и время кажется водоемом, наполненным яркими рыбками, которые по очереди высовываются из воды, — увы, это время почти завершилось. Откуда такая «чувствительность»?

Париж, 1958 г.

Я до сих пор не позвонила Вере и ничего не сказала Георгию. Леня измучил меня, не могу ни о чем думать. Помню, что и раньше, еще когда он был в университете, я несколько раз замечала, как у него блестят глаза и немного дрожат руки. Я ни разу не видела его ни пьяным, ни даже навеселе, и папа мой часто подшучивал, что в такой чисто русской семье, как наша, где все мужчины любили и умели выпить, родился такой «чистоплюй».

Значит, дело не в алкоголе. Но в чем же? Боюсь того, что приходит мне в голову, но прогнать эти мысли не могу. В прошлом году Леня и его коллега, которого мы с Георгием хорошо знаем по церкви, Антуан Медальников, подавали в правительство прошение на получение субсидии для разработки большого лекарственного проекта, но им отказали. Леня был очень огорчен. Я помню, что он тогда сказал нам с отцом, что там, в правительстве, они и сами не понимают, насколько важно дать на это деньги, но — раз они такие бараны — придется ставить опыты на себе самом, ничего другого не остается. Я не знаю, о каких препаратах идет речь, я ничего не знаю, и мне не у кого спросить! Как мы радовались с Георгием, когда Леня защитил степень и получил эту работу в Институте Пастера, которой он так добивался!

Анастасия Беккет —
Елизавете Александровне Ушаковой

Москва, 1933 г.

Вчера я сидела в столовой, читала, вошла товарищ Варвара со своими поджатыми губами и колючим взглядом. И вдруг говорит:

— Какие же все-таки империалисты хитрые!

— Какие империалисты?

— Какие? Да ваши! Во все к нам тут лезут, покоя не дают! Ведь все это ихних лап дело! Коллективизацию нам срывают!

— О чем вы, товарищ Варвара? Как же империалисты добираются до ваших деревень?

— Да уж добираются!

— Но, может быть, коллективизация, — не выдержала вдруг я, — не такое уж и доброе дело? Вы же мне сами говорили, что половина беспризорников — это дети кулаков, и о таких детях государство начнет заботиться в последнюю очередь! Значит, не все так гладко с этой коллективизацией, раз даже сироты никому не нужны?

— Да много вы тут понимаете! — первый раз в жизни она повысила на меня голос. — Читали небось, вон на прошлой неделе в газете написали, что под Ульяновском жена одного кулака в ГПУ прибежала: муж ее родного отца топором зарубил! Как так не читали? Ну, тогда я вам скажу: они урожай от нашего государства прячут, кулаки проклятые! Старик-то, отец этой женщины, он знал, где муж ее зерно зарыл, и горстку махонькую зерна выкопал себе из-под навоза. А тот увидал, и отца — топором! Раз, раз — пополам, как скотину! Когда из ГПУ пришли, убийца давно уже в петле висел. Понял, что ему несдобровать! А под навозом у него тридцать центнеров пшеницы было закатано!

Я говорю:

— Вы же сама-то не деревенская, товарищ Варвара. Из города разве поймешь, что там, в деревнях, происходит?

— А вот мне сестра рассказала! — не слушая меня, раскричалась она. — У сестры муж на раскулачивании работал, он там чего не насмотрелся! В одном районе кулаки никак не хотели в колхоз записываться, зерно прятали, а у самих по двадцать голов скота на двор, полдеревни в батраках ходили! Ну, бедняки терпели-терпели, и кончилось терпенье: давайте, говорят, эту погань выселять. Начали выселять. А те сопротивляются. Живность истребляют. Загонят лошадь до пота, до пены, а потом в ледяную воду ведут. Ничего подобру отдавать не хотели. В одном доме прямо перед выселением хозяин пропал. Пошли к нему в дом, чувствуют: свежей кровью пахнет. Думали, он корову зарезал, стали искать. Коровы никакой не нашли, а в подполе трое детей мал мала меньше с перерезанными горлами. Вот до чего звери доходят! Детишек родных им не жалко!

Боже мой. Ведь этот крестьянин потерял рассудок и от страха убил своих детей. От ужаса перед тем, что их ждет. Помню, как мама однажды кричала, что она скорее убила бы нас с тобой, чем отдала *этой своре*! Варвара стояла вся красная и смотрела на меня со злобой. Я спросила, не знает ли она, как выживают эти крестьяне в Сибири, куда их ссылают.

— А что им там сделается? Устраивают им поселения особые. Живи да работай, если у тебя хоть капля совести осталась! Вон муж сестры рассказал, как на Дону в районе Луганска видел он этих раскулаченных: лежат на голой земле в одних лохмотьях, жрать нечего, больные, еле шевелятся, а рядом, на вагонном заводе, рабочие до зарезу нужны! Так что вы думаете? Эти вот, кулацкое отребье, они ведь подохли, а на завод-то не пошли! Им лучше с голоду пухнуть, чем на советскую власть работать!

Она еще что-то хотела сказать, но вдруг замолчала и подозрительно на меня посмотрела. У меня, Лиза, после этого разговора такая тоска на душе! Патрик вчера сказал, что получил разрешение на свою командировку.

ГОЛОД

Партия большевиков в борьбе за коллективизацию сельского хозяйства 1930—1934 годы

В связи с недостатками колхозного руководства понижалась заинтересованность колхозников в работе, было много невыходов на работу даже в самую горячую пору, часть колхозных посевов оставалась неубранной до снега, а сама уборка производилась небрежно, давала огромные потери зерна. Обезличка машин и лошадей, отсутствие личной ответственности в работе ослабляли колхозное дело, уменьшали доходы колхозов.

Особенно плохо было в тех районах, где бывшие кулаки и подкулачники сумели пролезть в колхозы на те или иные должности. Нередко раскулаченные перебирались в другой район, где их не знали, и там пролезали в колхоз, чтобы вредить и пакостить. Иногда кулаки вследствие отсутствия бдительности у партийных и советских работников проникали в колхозы в своем районе. Проникновение в колхозы бывших кулаков облегчалось тем обстоятельством, что в борьбе против колхозов они резко изменили свою тактику. Раньше кулаки открыто выступали против колхозов, вели зверскую борьбу против колхозных активистов, против передовых колхозников, убивали их из-за угла, сжигали их дома, амбары и т.д. Этим кулаки хотели запугать крестьянскую массу, не пустить ее в колхозы. Теперь, когда открытая борьба против колхозов потерпела неудачу, они изменили свою тактику. Они уже не стреляли из обрезов, а прикидывались тихонькими, смирненькими, ручными, вполне советскими людьми. Проникая в колхозы, они тихой сапой наносили вред колхозам. Всюду они старались разложить колхозы изнутри, развалить колхозную трудовую дисциплину, запутать учет урожая, учет труда. Кулаки сделали ставку на истребление конского поголовья в колхозах и сумели погубить много лошадей. Кулаки сознательно заражали лошадей сапом, чесоткой и другими болезнями, оставляли их без всякого ухода и т.д. Кулаки портили тракторы и машины.

Кулакам удавалось обманывать колхозников и проводить вредительство безнаказанно потому, что колхозы были еще слабы и неопытны, а колхозные кадры не успели еще окрепнуть.

Краткий курс истории ВКП(б), глава XI

Анастасия Беккет — Елизавете Александровне Ушаковой

Москва, 1934 г.

С Новым годом, дорогая Лиза! Как бы мне хотелось гулять с тобою сейчас по нашему бульвару, сизому от мороза, болтать по-французски! Потом зайти в кафе, где у стульев плетеные спинки и в центре полыхает газовый камин, выпить кофе с пирожными! Бывает же счастье на свете! Или, еще лучше, сесть в поезд, поехать к родителям, увидеть море, лодки на горизонте. А рынок! А запах свежего хлеба из булочных! А девочки в клетчатых юбках, которые бегут домой, дожевывая бублики от школьного завтрака! Ведь правда же, это чудесно? Если бы ты знала, какое здесь все — другое! Мэгги, которая живет в Москве со своим мужем уже два года — он работает в посольстве, — сказала, что большевики пытались упразднить даже Новый год и несколько лет не продавали ни елок, ни елочных игрушек, чтобы не поддерживать буржуазный праздник. Теперь, слава богу, принято решение «обеспечить советским детям празднование Нового года с обязательным соблюдением новых советских норм жизни». Никто толком не знает, что это такое, но на елки, которые опять начали продавать на улицах, нельзя вешать ни ангелов, ни рождественские звезды, и всякие смешные фигурки, вроде медвежат и белочек, тоже не приветствуются, зато в газетах черным по белому написано, что лучшие елочные украшения — это самодельные тракторы, станции метро и модели самолетов!

Новый год мы встречали у Буллита, было много русских знаменитых гостей, с которыми Буллит очень заигрывает. Как только попадаешь внутрь особняка, и Москва с ее бедно одетыми людьми остается в темноте и холоде, а ты в тепле, освещенном десятками люстр, и перед тобою плывут нарядные женщины с голыми плечами, на которых переливаются драгоценности, сразу начинает кружиться голова, перестаешь понимать, что сон и что явь: эти комнаты, где скользят официанты с подносами и слепит глаза от хрусталя, или та нищая жизнь, которая мерзнет в снегу за порогом.

Начался вечер. Официанты поспешно распечатывали массандровские вина, хранившиеся, как нам сказали, в подвалах еще с царских времен, подливали в хрустальные штофы холодную водку, которую здесь полагается закусывать молочными поросятами. Потом принесли горячую закуску: блины с икрой, севрюжий бок и отварную форель. В зале все время играла музыка, и пары уходили танцевать, потом опять возвращались в столовую. Оркестр здесь великолепный. Я начала было выискивать глазами Дюранти, потом спохватилась и крепко взяла под руку своего Патрика. К нам подошли Буллит с женой, она у него, наверное, итальянка или испанка — очень жгучая, очень сильно накрашенная женщина средних лет, вся в бриллиантах, на черное шелковое платье накинут белый песец. Жена Буллита спросила, как мне живется в России, и я сказала, что мне бы хотелось вернуться в Лондон или хотя бы ненадолго навестить свою семью в Париже, потому что здесь мне все чужое. Она очень высоко подняла свои выщипанные нарисованные брови и посоветовала не воспринимать вещи трагично, потому что в нынешней Москве «так интересно»!

— Кроме того, — добавила она, — Москва не должна вам казаться чужой, вы же русская.

Как они ничего не понимают, Лиза! Как они бездушно на все смотрят! Люди вокруг живут впроголодь, продукты выдают по карточкам, перед промтоварными магазинами с вечера выстраиваются тысячные очереди, ждут открытия, ночуют в подъездах, чтобы хоть что-то купить, манку получают только больные дети по рецепту врача, а мадам Буллит и ее американским дамочкам «так интересно»! Помнишь, как мама говорила, что, пока человек не научится чувствовать чужую боль, мир останется таким, какой он есть. И вера в Бога, вера в Христа есть не что иное, как память о том, что рядом всегда кому-то больно.

Ничего такого я ей, разумеется, не сказала. Заметила только, что мне не совсем понятно, почему все так напирают на мою «русскость»: ведь мои родители убежали из России, спасаясь от нового режима, нам очень многое пришлось пережить, и мы ни в коем случае не отождествляем себя с тем большевистским «русским», которое здесь победило. Мадам Буллит снисходительно выслушала, но мне показалось, что она очень далека от подобных рассуждений и вообще не терпит никакой «философии».

Дюранти нигде не было, и мне стало тоскливо. Только тебе могу признаться, Лиза: мне хочется — да, хочется — чувствовать на себе его жадные глаза. Теперь я поняла, что значит, когда говорят: земля горит под ногами. Когда он рядом, у меня начинают гореть ступни, как будто я наступаю на раскаленное железо. Я знаю, что он негодяй, верю Патрику, который сказал, что порядочные люди должны стыдиться знакомства с ним, но то, что происходит со мной, когда я вижу его, — это не моя вина, это что-то в крови моей, что-то стыдное, запретное просыпается во всем моем теле!

В половине двенадцатого погасили верхний свет, все собрались в беломраморной зале, где были танцы, опять выстроилась цепочка официантов с подносами, на которых стояли фужеры с армянским коньяком, тонко нарезанными лимонами на розеточках, открытые коробки папирос «Казбек» и «Герцеговина Флор». Говорят, что это любимые папиросы Сталина. Все время играла музыка, и наконец в полутьме ярко вспыхнула новогодняя елка, и Буллит с женой начали раздавать подарки, которые приволокли три официанта в огромных, украшенных еловыми ветками корзинах. Мужчины получали трубки, бинокли, красивые авторучки, а женщины — помаду в золотых коробочках, флаконы духов, шоколадные конфеты. По радио услышали поздравление от правительства, как всегда очень хвастливое и одновременно угрожающее, потом официанты быстро обнесли всех шампанским и разбросали по полу белые и красные розы. Ты не представляешь себе, какой стоял запах: зимы и мороза — от свежей елки и летнего парка — от этих только что срезанных в оранжерее влажных цветов. Пробили кремлевские куранты, и все начали поздравлять друг друга с Новым, 1934 годом. Я поцеловала Патрика, прижалась к нему, и так мне хотелось верить, что все исправится, все будет хорошо!

И тут я услышала:

— Hi, Walter! O, here you are![1]

Навстречу Буллиту, широко распахнувшему руки, прихрамывая, протискивался Дюранти в ослепительной рубашке и черном фраке, а за ним, улыбаясь, шла блондинка, которую я уже видела в Большом театре. На ней было длинное темно-красное бархатное платье — такого густого, яркого цвета, словно ее всю только что окунули в кровь, а на маленькой, как у птицы, белокурой голове переливалась бриллиантовая (неужели настоящая?) диадема. Я отвернулась, чтобы не смотреть на них, но успела почувствовать, что он увидел нас и опять — опять! — словно бы проглотил меня этими своими прозрачными и наглыми глазами.

Вдруг Буллит громко, как фокусник, хлопнул в ла-

---

[1] А, вот и ты, Уолтер! *(англ.)*

доши, и в залу вползли три огромных тюленя в сопровождении дрессировщика. На головах у несчастных животных были венки из живых цветов, а носами они удерживали разноцветные резиновые мячики, которыми по знаку, полученному от своего дрессировщика, начали перебрасываться. Все захлопали и захохотали. Дрессировщику поднесли огромный бокал шампанского, который он выпил одним махом, потом раскланялся и под громкую музыку удалился вместе со своим тюленьим цирком.

В главной столовой был накрыт ужин: целиком запеченные куропатки и поросята, обилие экзотических фруктов, всех видов закуски, салаты. Есть уже никто не хотел, но все-таки мы расселись: кто пощипал крылышко куропатки, кто оторвал несколько виноградин. Опять пошли танцевать, и танцевали до утра. На рассвете подали крепкий кофе, чай, ликеры, печенье, конфеты, и наконец повар, толстый и румяный, как сдобный хлеб, в накрахмаленном колпаке и колом стоящем на его надутом животе белом фартуке, торжественно поставил на середину стола огромный белый торт, на котором ярко-красным кремом было выведено: 1934.

Вернулись домой в восьмом часу. Голова моя шла кругом от этой сумасшедшей ночи. Я не хочу так веселиться. Мне плохо здесь, гадко. Пусть Патрик съездит на Волгу и Кубань, сделает репортаж, а когда он вернется, я поставлю условие: если он хочет работать в Москве, ему придется жить здесь одному. Мне это все не под силу.

ГОЛОД

Весна 1933 года оказалась для Украины необычайно холодной. В наших краях весенняя погода устанавливается с конца марта. Но в этом году снег лежал на полях до середины апреля. Голод на селе дошел до того предела, когда смерть стала желанной, как единственное избавление от мук. Многие хаты уже долгое время стояли без признаков жизни. Вместе с таянием снега на земле обнажились человеческие трупы: во дворах, на дорогах, на полях. Воздух потеплел, и трупы начали разлагаться. У живых не было сил, чтобы похоронить мертвых, а посторонней помощи неоткуда было ждать. Те, кому было суждено умереть в лесу, стали добычей диких животных, те, кто встретил смерть дома, достались крысам. В селе наступила паника. Все запасы давно иссякли. Отчаявшиеся люди опустились, одичали и ослабели настолько, что не могли сделать и шага. Тела их представляли собою скелеты, обтянутые серо-желтою кожей, лица напоминали резиновые маски с огромными немигающими глазами. Шеи сморщились и вросли в плечи. С оттепелью потянулись вереницы нищих. Старые и молодые, женщины и дети медленно переходили от дома к дому, с трудом волоча обмотанные тряпьем ноги. Они умоляли дать им хоть что-нибудь: корку хлеба, сгнившую луковицу, объеденный кукурузный початок.

Участь детей — самое страшное зрелище того времени. Немногие дети в нашем селе пережили эту страшную зиму, а те, которые пережили, стали похожи на стариков: покрытые морщинами, вялые, грустные, они находились в постоянном оцепенении. Головки на тоненьких шейках напоминали надутые шары, животы распухли. У некоторых начали расти волосы на лице, в основном на лбу и на висках. Я видел таких детей, они выглядели настолько непривычно, что казались пришельцами с других планет.

Из воспоминаний
Олега Ивановича Задорного

Вермонт, наше время

— Эх, деточки! — горько, растроганно и так громко, что все услышали, вздохнул Коржавин, когда пунцовые от волнения брат и сестра Смиты сбежали со сцены. — Эх, деточки, жаль мне Россию! Пропала Россия!

И тут же все поднялись, засуетились, послышалось слово «купаться», и Надежда, крепко вцепившаяся в руку Ушакова, сказала, что только посмотрит, где эти «поганцы», и тут же вернется, чтоб ехать купаться.

Ушаков заметил, что американские студенты моментально куда-то исчезли и остались только преподаватели, у которых особенно жадно сверкнули глаза, как будто бы пробил их час и они ему рады. «Поганцы», родные дети заботливой Надежды, как водится, играли в карты в самом отдаленном корпусе (вполне безобидно, отнюдь не на деньги!) и были легко прощены отыскавшей их матерью, заброшены в комнату с сонной Настасьей, дитем от недавнего брака с французом, и там, изнывающие от скуки, оставлены на ночь.

Ночь, непроницаемая и теплая, с редкими, нерешительными еще звездами, которые словно не знали, остаться ли им здесь сиять или спрятаться за пуховыми, прорванными во многих местах облаками, вдруг вся содрогнулась от крика: «Уху-у-ху-ху! Уху-у-ху-ху!»

От этого крика, торжественного, властного и такого сильного, что притих даже соловей, примолкли захмелевшие от крови комары, и в наступившей тишине только она, эта птица, внезапно проснувшись в шумящих деревьях — наверное, очень большая, всего на веку повидавшая вдоволь, — продолжала восторженно и жутко повторять: «Уху-у-ху-ху! Уху-у-ху-ху!»

Расселись по машинам, светя карманными фонариками, задыхаясь от громкого смеха, белея в темноте полотенцами, наброшенными на плечи. Ушаков оказался в одной машине с Надеждой и тем страдальчески-внимательным и одновременно раздраженным поэтом, у которого черные глаза казались слишком большими для его старого, но все же красивого, злого лица. Фамилию поэта Ушаков, к сожалению, не мог вспомнить. Издали послышался громкий звук падающей и серебристо вскрикивающей в момент своего падения воды, машины остановились, и все собравшиеся весело, осторожно, натыкаясь друг на друга, вошли в очень редкий березовый лес. Звезд стало больше, и наконец в черноте ночи не увиделось, но сначала остро почувствовалось что-то беспокойное, облачно-голубое, пахнущее пронзительной свежестью, что могло быть только водою, которая издалека услышала их шаги и разволновалась.

Вышли к озеру.

— Какие, однако, здесь виды, в Вермонте! — то ли сквозь судорогу зевоты, то ли сквозь стиснутые от раздражения зубы проговорил петербургский поэт и зябко повел небольшими плечами. — Купаться при этом не так уж и тянет.

— Нет, я искупаюсь, — весело возразил Ушаков. — Мы тоже купались ночами. Мальчишки из летнего ла-

105

геря выпрыгивали из окон и удирали на реку, пока педагоги спали. И это, наверное, лучшее, что было в моем детстве.

— Ваше детство, смею думать, было благополучнее нашего, — с легкой усмешкой, словно прощая Ушакова за то, что его детство было благополучнее, заметил черноглазый. — Мы — дети блокады, веселья немного.

Завернувшись в полотенца, преподаватели подходили к воде, сбрасывали ненужные махровые прикрытия и, мраморно, зыбко белея во мраке, бросались в пучину. Тела их раскалывали звездные отражения, приподнимались над голубоватой чернотой и быстро, как рыбы, уходили туда, где нагота их становилась естественной, а нежные прикосновения друг к другу были безгрешны, как прикосновения цветов. Разговоры перешли на шепот, словно все вдруг испугались кого-то разбудить — птенца или, может быть, даже младенца, — головы закружились, кончики пальцев начало покалывать, и страшно хотелось друг к другу прижаться, неважно зачем, только чтобы покрепче. Надежда исчезла, хотя бархатный, низкий смех ее с русалочьей негой звучал над рекой, и Ушаков, почувствовав себя свободным, осторожно пошел к воде.

— Рискнете? Ну, что же! Тогда — бон вояж! — с сильным иностранным акцентом сказал ему вслед постаревший красавец.

Вода расступилась и сразу сомкнулась, и он поплыл, доверяя ей, испытывая тот полный покой, который ощущает любое привыкшее к земле существо, пока ему не напомнят, что прежде земли было что-то другое. Он доплыл до середины реки и приготовился возвращаться, как женский голос — не голос Надежды, от которой он порядком устал за этот вечер, но голос той женщины, с которой ему хотелось познакомиться, сказал очень близко:

— Заплыли куда! Вы совсем не боитесь?

Она оказалась справа от него и лежала на боку, вся погрузившись в воду — так же спокойно, как будто лежала на земле, заросшей невидимыми, слегка шевелящимися от ветра, призрачными травами.

— Смотрите, как мы далеко, — взмахом руки она указала на мраморные человеческие очертания вдалеке. — Они нас забудут, уедут, и мы здесь погибнем.

Он засмеялся. Странный покой охватил его, и показалось, что еще немного — и можно заснуть прямо здесь, вместе с рыбами.

— Я видел вас утром, — сказал Ушаков. — Вы купались в лесу.

Теперь засмеялась она.

— Почему вы так уверены, что это была именно я?

— А кто же еще?

— Да здесь все купаются! Мало ли кто.

— Позвольте представиться: Дмитрий.

— И как обращаться к вам? Дима?

— Нет, Митя.

— Ну, здравствуйте, Митя. Я — Лиза.

— Вы — Лиза?!

— А что здесь такого? Да, Лиза.

— Бабушку мою так звали. Я редко встречал это имя. Вернее сказать: не встречал даже вовсе.

— Ну, вы же не жили в России.

— Не жил. Это верно.

— Давно из Парижа?

— С неделю. Чуть больше. Бывали в Париже?

— В Париже? Бывала.

Теперь они плыли рядом, лица ее не было видно в

темноте, но смутная белизна, окруженная чем-то, более светлым и неподвижным, чем вода, дрожала совсем близко от его плеча, и при желании можно было бы дотронуться до этой белизны рукой или даже губами. Неожиданно Ушакову пришло в голову, что она, как и все здесь, без купальника, и он почувствовал, что в него словно бы плеснули кипятком.

Она первой нащупала ногами дно и выпрямилась. Мокрая одежда так тщательно облепила ее, как будто воде было жаль с ней расстаться.

— Купальник забыла, пришлось плавать в майке, — объяснила она и принялась выжимать эту майку прямо на себе.

— Вы простудитесь, — опомнился Ушаков. — Подождите, я принесу вам переодеться.

— Да что вы, ей-богу! Тепло! Я привыкла.

Он бросился к своим вещам, торопливо надел брюки прямо на мокрые плавки, а рубашку понес ей. Она стояла под деревом спиной к нему — он увидел очертания стройной спины и широких плеч, на которых лежали почерневшие от воды волосы, — и, наклоняясь вперед, выжимала что-то.

— Сейчас, подождите! Сейчас я оденусь, — шепнула она, не оборачиваясь.

Ушаков молча набросил ей на плечи свою рубашку. Она запахнулась в нее, обернулась. Он почувствовал запах пропитанных рекою волос, увидел блеск ее глаз, лоснящихся в темноте, и тихо потянул ее к себе. Она переступила босыми ногами по траве и, высвободив руки, обеими ладонями обняла его лицо, словно хотела при свете звезд попробовать разглядеть его выражение.

108

ДНЕВНИК
Елизаветы Александровны Ушаковой

Париж, 1958 г.

Георгий сказал, чтобы я пошла к доктору. Оказывается, я не сплю по ночам. Кто-то еще сказал, что я совсем поседела. Мне стало трудно двигаться, трудно ходить. А так все нормально. Я живу, ем, я разговариваю. Я вижу себя со стороны, и нас теперь двое: я и еще я. И это хорошо: иначе разве я могла бы? Георгий сказал, что нам нужно вырастить Митю. Вчера мы с Георгием вышли на улицу, уже тепло. Поехали на кладбище. Моего сына там нет. Вот главное! Слава богу, что я это поняла! Сказала Георгию, что там Ленечки нет. Он спросил, знаю ли я, где он сейчас. Я сказала, что Ленечка все время со мной. Что я там, где он, но мне трудно, потому что нужно все время помнить, что нас хотят разлучить с ним, а это нельзя. Что-то я не то написала. Сейчас соберусь. Да! От меня все требуют, чтобы я чувствовала то, что чувствуют они, и этим все время мешают. Я много думала о том, чтобы уйти. Меня не останавливает, что это грех, но останавливает другое: если я сделаю это — вдруг мы с ним не встретимся? Оторвусь от него — не дай бог — и попаду куда-то, где он будет только еще дальше от меня. Сейчас мы с Леней вместе в моей душе, как в том лесном домике, куда мы прятались от дождя, когда жили в Тулузе. Домик был внутри леса, душа моя внутри тела, как же я могу разрушить это тело своими руками? Куда тогда деться нам с сыном? Ведь мы с ним вернулись к тому же, что было. Это мой ребенок, он лежал в моем животе. Сейчас мой ребенок — в душе. Разве это другое?

Начинаю вспоминать то время, когда мы с ним ничего не знали друг о друге. Я уже была на свете, ходила, дышала, спала, а его еще не было. Вернее, я еще не знала, что он придет, что это я помогу ему появиться. Теперь я понимаю, что меня для него выбрали, меня использовали для того, чтобы пришел он. Когда Богородице возвестили, что Она будет матерью, это ведь то же самое. Ее выбрали, чтобы Она родила Сына. И я родила своего сына. И когда мне говорят, что моего сына больше нет, я знаю, что меня пытаются обмануть. Им кажется, что они все понимают. Нелепость! Я прежде жила совсем без него — вот это было ужасно. Потом он лежал в животе. Значит — был. Теперь, когда они говорят, что его нет, я знаю, что он есть. Он, в сущности, там, где и был до рожденья. Куда ему деться? А я вместе с ним. Они думают, что это я говорю о своей смерти. Боже мой, они же ничего, совсем ничего не понимают! Что значит — смерть? Ничего не значит. Просто слово. Думаю иногда: я вот все понимаю, а как остальные? Ведь им говорят: «Близкого твоего человека закопали в землю, его больше нет, иди на могилу, сажай там цветочки». А это неправда! Неправда. Не верьте.

Георгий все просит, чтобы я пошла к врачу и принялась пить таблетки. Бог их знает, что в этих таблетках, какой там в них яд. Мне Бог помогает. Не хочется спать — я не сплю. Не нужно меня заставлять! Георгий сказал, что через два месяца — или два года, не помню — приедет Настенька. Настенька мне сказала по телефону, что, когда умер Патрик, она тоже не могла спать. А я весь день пыталась вспомнить, кто такой Патрик и когда он умер. Потом вспомнила. У Патрика были рыжие волосы, в нем текла ирландская кровь. Почему Настенька так и не родила от него ребенка? Нужно будет спросить у нее, когда она приедет.

Вермонт, наши дни

Вокруг была тишина. Все замерли, стало быть, или уехали. Ушаков не слышал даже птиц, даже однообразного шума воды. Они тихо стояли во глубине дерева, он прижимал ее к себе обеими руками. С ее волос сочилась вода на его голые плечи, лицо было прижато к его лицу, и губы Ушакова приходились на ее крепко зажмуренный глаз, который он не целовал, а просто поглаживал губами, боясь повредить эту горячую, шелковистую поверхность. Все его существо наслаждалось тишиной и теплом, которые наступили сразу же, как только он прижал ее к себе. Именно тишина была необходима ему. Поэтому, когда Лиза попыталась отстраниться, он прижал ее к себе еще крепче и даже затряс головой, как ребенок, которому пытаются поправить подушку или укрыть одеялом, а он ничего и не хочет другого, как только смотреть безмятежно свой сон.

**Анастасия Беккет —
Елизавете Александровне Ушаковой**

Москва, 1934 г.

Лиза, у меня такие перемены! Ужасные, Лиза!

Я писала тебе, как мы встретили Новый год у Буллита и как Дюранти пришел туда намного позже, чем все остальные, вместе со своей красоткой. Я знаю, что он женат, и жена его живет в Париже, поэтому решила, что эта женщина — его любовница, но потом Мэгги, жена Юджина, сказала мне, что Дюранти живет с какой-то русской кухаркой, от которой у него есть сын. Кто эта блондинка, Мэгги не знает. Тут же она мне рассказала, что он начал свою карьеру журналиста во время Первой мировой войны, и репортажи, которые он тогда делал, отличались большой смелостью и талантом. Но потом — как считает Мэгги — «что-то с ним произошло, может быть, это все из-за наркотиков», он стал много пить, предавался немыслимому разврату (все в нашем с тобой ненаглядном Париже!), спал с мужчинами и детьми, насиловал животных, пока не подвернулась возможность уехать в советскую Россию. Здесь он довольно быстро выучил язык, получил квартиру, машину с шофером и был принят у Сталина. Все наши знают, что он давным-давно никуда не выезжал из Москвы и все его репортажи о колхозах — чистое вранье. Он циник и русских ни в грош не ставит. Пулитцеровскую премию получил потому, что сумел подружиться с сыном самого Джозефа Пулитцера.

С этим человеком я вчера изменила своему мужу. Лиза, молчи, не говори ничего! Патрик уехал из Москвы второго января, рано утром. Я не провожала его на вокзале, потому что у меня сильно болела голова с вечера. У меня всегда болит голова, когда идет снег, и мне кажется, что — когда снег — я как-то хуже соображаю. Патрик вышел из дому с небольшим чемоданчиком, внизу его ждала машина. Я приняла таблетку от головной боли и провалилась. Проснулась далеко за полдень от громкого чириканья воробьев. Снег кончился, за окном ослепительно светило солнце. Голова уже не болела, но мягко кружилась, и во всем теле было ощущение приятной легкости, как в детстве после долгой болезни. В дверь постучала товарищ Варвара и сказала, что меня просят к телефону. Я вышла в коридор, взяла трубку. Лиза, это был он. У меня подкосились ноги. Почему-то он заговорил со мной по-французски.

— Вы готовы?

— Готова? Мы разве о чем-то договаривались?

— Ça c'est la meilleure! On part en vadrouille![1]

— Я плохо себя чувствую.

— Со мной вы будете чувствовать себя хорошо. — Он коротко засмеялся в трубку, и я отчетливо увидела, как он смеется, дергая левым уголком рта. — Ну, что? Вы согласны?

— Согласна.

— Я заеду через полчаса. Вы спуститесь или мне подняться?

Я подумала, что если я попрошу его не подниматься, значит, я прячу его и сама понимаю двусмысленность нашей встречи, а если я сделаю вид, что ничего такого нет и быть не может, то все это станет невинно и просто.

— Пожалуйста, поднимитесь.

Я накрасила губы и надушилась. Потом надела свое самое красивое белье, еще из Парижа. Если ты думаешь, что я делала это сознательно, то ты ошибаешься, Лиза. Я действовала механически, но только ужасно при этом торопилась, и меня всю лихорадило. Оделась, посмотрела в зеркало. В зеркале стояла испуганная кукла с очень бледным лицом. Я сразу же отвернулась. Ровно через полчаса Дюранти позвонил в дверь. Лиза, он был с цветами. Где он достал цветы? Зимой? В Москве? Я тут же заметила выражение, остановившееся на лице у Варвары, когда она открыла ему дверь. Оно было злорадным, словно Варвара заранее знала все, что будет.

---

[1] Вот это новость! Мы пойдем на большую прогулку! (франц.)

— Хотите чаю? — спросила я.

— Я приглашаю вас в ресторан, — ответил он и добавил по-английски, кивнув на Варвару: — А это что за чучело? Она у вас служит?

Я смутилась. Варвара смотрела на нас стеклянными глазами.

— Пойдемте, пойдемте! — заторопился он. — А то мы пропустим все солнце, и будет темно, сыро, мрачно, как в Лондоне.

Сели в машину на заднее сиденье. У него красивый темно-синий «Кадиллак», за рулем шофер, который обернулся ко мне, вежливо поздоровался. Поднятые плечи в кожаном пальто, кепка. Глаз почти не видно. Дюранти назвал адрес.

— Куда мы едем? — спросила я.

— Сначала ко мне, на Ордынку, я забыл деньги, а в долг здесь никто не дает.

— Но мы же хотели гулять, пока солнце!

Он осторожно обнял меня за талию.

— Вы что, мне не верите?

Я отдернулась, и он засмеялся.

— Русские девочки, которых я подкармливал в Константинополе, не были такими пугливыми.

— Что это вы такое говорите?

— Да ничего я не говорю, это просто шутка, — усмехнулся он. — Мы заедем ко мне на Ордынку, я возьму кошелек, и пойдем обедать. На обратном пути прокатимся по городу, потом я доставлю вас домой. Чего вы боитесь?

Я вспыхнула, мне стало стыдно. Показалось даже, что я действительно все придумала. Минут через десять мы подъехали к большому каменному дому на Ордынке. Он попросил шофера подождать.

— Пойдемте, посмотрите, как я живу.

Поднялись на второй этаж. Все старое, темное, добротное. Он открыл дверь своим ключом. Навстречу нам вышла молодая, очень полная светловолосая женщина с васильковыми глазами. Мне показалось, что Дюранти не ожидал ее увидеть и смутился, если только можно употребить это слово по отношению к такому опытному человеку.

— Катя, ты можешь идти, — сказал он негромко.

Она вся стала красной — не только лицо и шея, но даже плечи и огромная белая грудь в вырезе платья.

— Я лучше останусь, — ответила она тонким и неприятным голосом.

Дюранти посмотрел на нее так, что она вдруг махнула рукой, сорвала с вешалки пальто и хлопнула дверью. Кажется, она еле удержалась от слез.

— Характер! — весело сказал он. — Такие у них революцию сделали.

Квартира у него очень большая, пять или шесть комнат, прекрасно обставленных, на стенах картины, ковры, как в музее.

— Хотите вина?

— Я не пью, — сказала я.

Он достал из шкафа несколько красивых бутылок, две рюмки и коробку с конфетами.

— Вы курите?

Я кивнула. Он предложил мне папиросу, а сам закурил трубку. Потом спокойно уселся на диване, разглядывая меня. Я делала вид, что рассматриваю картины, задавала ничтожные вопросы. Он отвечал односложно и совсем перестал улыбаться. Глаза его стали вдруг темными и снова какими-то бешеными. Наконец я вскочила.

— Голова болит, — сказала я, — отвезите меня, пожалуйста, домой.

— Домой? С удовольствием.

И близко подошел ко мне. А дальше, Лиза, я не могу ничего объяснить. Все произошло само собой, и я чувствовала себя на седьмом небе. Потом стало стыдно и страшно. На следующий день мы встретились в полдень на бульваре. Я не хотела, чтобы он опять заезжал ко мне домой. Сидела на промерзшей скамейке, бульвар был почти пустым, две няньки гуляли с колясками. Он сильно опоздал, и, пока я ждала его, думала только о том, что, если он бросил меня, я этого не вынесу. Теперь я вижу его каждый день, слава богу.

ГОЛОД

Самоубийство стало частым явлением в нашем селе. Многие кончали с собой, вдыхая угарный газ. Это было просто и безболезненно. Большинство составляли женщины, чьих мужей арестовали и сослали в лагеря, а дети умерли от голода. Они заделывали все щели, затворяли окна и двери, разжигали огонь в печи или прямо на глиняном полу и умирали, вдыхая пары угарного газа. При этом вся хата часто выгорала целиком.

Иногда кому-то удавалось поймать рыбу или птицу. Летом в лесу можно было набрать ягод, грибов, и в пищу шло все, даже листья и кора деревьев. От истощения у людей выпадали зубы. Они добирались до лужайки, ложились на землю и начинали выдирать из нее траву своими распухшими, кровоточащими деснами. Трава не утоляла голода. Когда с полей сошел снег, истощенные скелеты потянулись туда в надежде раздобыть в земле что-нибудь съедобное. Самой большой удачей было наткнуться на картошку. Картофель и лук были бесценными находками.

Из воспоминаний
Олега Ивановича Задорного

Вермонт, наше время

Вернувшись с плотины, выпили водки в столовой. Согрелись, обсохли. Студенты и дети давно крепко спали, над школой сверкала луна.

— Теперь на костер! Без костра не годится!

Лиза смеялась, запрокинув голову.

— Вы никогда не ездили в пионерский лагерь?

— Мы разве на «вы» с вами, Лиза?

Она усмехнулась:

— Мы ведь не пили на брудершафт. Откуда же «ты»?

Ну, вот. Она замужем, наверное, или у нее есть друг.

— Тогда я поехал, — весело сказал Ушаков.

Она покачала головой.

— Не хотите посмотреть, как люди впадают в детство?

— Хочу, но не очень.

— Не обижайтесь на меня. Если вы сейчас уедете, значит, я вас обидела чем-то.

— Я лучше поеду. Спокойнее будет.

— Останьтесь.

— Да боязно здесь оставаться!

Он тоже смеялся.

Она слегка прищурилась:

— О'кей, поезжайте. Спокойной вам ночи. Вы просто чудесный.

— Откуда вы знаете?

— Так, догадалась.

Ушаков дотронулся губами до ее теплой щеки.

— Счастливо, прощайте.

— А может, останетесь?

Он делано зевнул. Хотелось еще прикоснуться.

— Спасибо за вашу рубашку. Я сразу согрелась.

— Хотите, я вам подарю? — Он сделал вид, что собирается снять рубашку.

— Попробуйте только, меня здесь съедят!

— Пойдемте, пойдемте! — Тoропливая Надежда пробежала мимо, сверкнула глазами, как звездами. — Там петь уже начали!

— О любви не говори! — С лужайки и вправду заливисто пели. — О ней все сказано! Сердце, полное любви, молчать обязано! О любви не говори, умей владеть собой, о любви не говори...

— Вы таких песен в Париже не услышите, — сказала Лиза. — Да и нигде не услышите. Ведь вы антрополог?

Костер раскинулся посреди леса с весельем, привольностью и беспорядком. Огонь подпрыгивал, как великан, которому хочется достать до самого неба, поэтому он приседает на секунду, набирает сверкания и шума в огромные гроздья своих желтых легких и вновь устремляется кверху, где вскоре с большой неохотой чернеет и гневно уходит в прохладное небо. Все рассевшиеся и разлегшиеся вокруг огня люди — те самые, которых Ушаков застал днем одетыми и прибранными, — казалось, сорвали сейчас свои маски, где пламенным лицам их было неловко, и, выставив в небо широкие скулы, и пели, и пили, и что-то шептали друг другу в прогретые пламенем уши.

Ушаков не слышал того, что они шептали, но, судя

по смеху, всем стало так сладко! Всем стало — как детям, но только не нынешним, бледным, изнеженным детям, которых родители гордые лечат, и моют шампунем, и водят в концерты, а тем первобытным, оскаленным детям, которые жили во мрачных пещерах среди разгулявшейся грозной стихии, резвились, как звери, и грызли коренья. Все слабые узы человеческой цивилизации, основанные на страхе перед будущим и несправедливом распределении природных запасов, здесь, в этом лесу, наконец-то исчезли, и вновь разыгрались свирепые страсти, животная нежность и грубые ласки.

Большая ярко-розовая женщина с лицом очень круглым, немного отечным, на котором отблески огня плясали так ярко, что даже черты его словно сместились и нос поменялся с глазами, а рот с подбородком, взяла гитару и толстыми белыми пальцами пробежала по струнам.

— Ну, что будем петь?

— «Голубчика», Леля! Сначала «Голубчика»!

Леля закрыла глаза, пышное тело ее приобрело легкий наклон и слегка заколыхалось, словно бы устремившись вдогонку за голосом, который жил сам по себе и всегда был свободен, и низко, тревожно и страстно запела:

— Не уезжай ты, мо-ой голу-у-убчи-и-ик! Печально жить мне бе-ез тебя!

— Дай на прощанье о-о-обещанье-е-е! — подхватили собравшиеся, и тут же весь лес, вся лесная природа, охваченная этим голосом, с одной стороны, огнем — с другой, присоединилась к празднику, и захмелевшие деревья, играя листвою в загадочном небе, вплели в эту песню расслабленный лепет.

Ушаков, которому кто-то плеснул уже водки в бу-

119

мажный стаканчик, сидел очень близко от Лизы на постеленном одеяле и, не отрываясь, смотрел на нее. Ему до тоски хотелось остаться сейчас наедине с этой женщиной и физически соединиться с нею, но то, что это может произойти — и очень скоро, — пугало его, как пугало все, связанное с теми женщинами, которые после смерти Манон вызывали у него желание близости. Когда эта близость случалась и женщина переводила на Ушакова полные ожидания глаза, ему сразу же хотелось одного: как можно быстрее уйти и забыть. И он уходил, а потом долго злился и мучился тем, что кого-то обидел.

Пели и пили до рассвета. И только когда ночное небо стало бледнеть и что-то розовое, мерцающее, как брюхо молоденькой рыбы, проплыло в его глубине, все вдруг поднялись с одеял и подушек, стряхнули еловые иглы.

— Понравилось вам? — обиженно спросила Надежда и хрустнула смуглыми, сплетенными над затылком руками.

По тому взгляду, которым она полоснула его лицо, Ушаков понял, что он не оправдал ее ожиданий.

— Да, очень.

— Мы — русские люди, — с вызовом сказала Надежда. — Что бы ни говорили, а песня есть сердце народа. Согласны?

Лиза стояла поодаль, но не торопилась уходить. Ушаков чувствовал ее взгляд на своем лице.

— Хотите остаться, Димитрий? — Надежда слегка исказила его имя. — У нас для гостей здесь отдельный есть домик...

— Спасибо, Надин, я уж лучше поеду, — торопливо

ответил Ушаков. — Я завтра в Нью-Йорк собирался по делу...

— В такую жару — и в Нью-Йорк? — протянула Надежда, своей интонацией давая понять, что ни на грош не верит Ушакову. — Ну, что ж, как хотите... Раз надо — так надо...

ДНЕВНИК
Елизаветы Александровны Ушаковой

Париж, 1958 г.

Когда я просыпаюсь, я ведь не сразу вспоминаю, что его больше нет. И несколько секунд мне так хорошо! О ГОСПОДИ! ГОСПОДИ! ГОСПОДИ! Вот так и буду писать. Господи! Дай мне забыть. Убей во мне память, зачем мне память?

Пошла вчера к Вере. Увидела Митеньку. Он похож на Леню. Взяла его на руки. Посадила на колени. Смотрю: родинка на виске. Значит, не он. У Лени не было никакой родинки. Но они очень похожи. За Митю я тоже волнуюсь. Не так, как за Леню, но тоже волнуюсь. Раньше, бывало, с ума сходила: вот Леня летит куда-то на самолете, а я не сплю, смотрю на часы. Скорее бы позвонил! Или когда он ездил в Эфиопию, делал там жителям прививки от тропических болезней, тоже ведь я ни секунды покоя не видела. А сейчас — он во мне. Куда он от меня денется? Кладу руку на живот: вот ты, мой маленький. Вот, шевелишься. Пойдем на улицу. Там уже листва. Я везу тебя в коляске, на личике прыгают тени. Митенька — другой, не такой, как мой Леня. Мой никогда не плакал, не капризничал. А Вера гово-

121

рит, что Митя без ее руки не засыпает. Сказала Георгию. Он огорчился: куда это годится? Мальчик должен быть мальчиком. Кто знает, что выпадет в жизни. А он у нас нежный. На виске родинка, как у барышни. Но все же похож на Ленечку, очень похож. Может, ему повезет?

Вчера я весь день ждала Настю. Вечером спрашиваю у Георгия: что же она не приехала? А он говорит, что она приезжает в пятницу. Я думала, что пятница была вчера. Оказывается, я все перепутала. Пятница — послезавтра. А по четвергам — это я прекрасно помню! — мы встречались с Колей. Я так его загадочно называла в своих записках: Н. Какой еще Н.? Ну, Коля и Коля. Мой грех. Не может быть, чтобы от этого Ленечка умер. При чем же здесь Коля? О господи.

Вермонт, наше время

Дошли до машины. Ушаков открыл дверцу.

— Куда вы торопитесь? — спросила она. — Слышите, какие у нас цикады?

И положила руки на его плечи — не обняла, не прижалась, просто положила руки, словно это было ей удобно.

— Qu'est-ce que tu fais, toi? — спросил он.

— Переведите! — засмеялась она.

— Я спросил: что ты делаешь?

— Пытаюсь понять.

Ушаков наклонился к ее лицу:

— Поедем?

— Поедем — куда?

— Куда ты захочешь. Мне так очень трудно.

— А надо?

122

— Мы взрослые люди. Tu va pas te barrer comme ça?[1]

— Ах, делай как знаешь! — неловко отмахнулась она.

Через двадцать минут подъехали к дому.

— Да это поместье! — пробормотала она, оглядываясь. — И все — одному человеку?

— И все — одному, — ответил он, пропуская ее в дверь.

Но тут, в темноте комнаты, где слабо белели от заоконного звездного света березовые дрова в камине, так что казалось, будто и незажженный, камин все же освещает диван, стол и стулья, — тут Ушаков не мог больше ждать: он изо всей силы обнял ее и принялся осыпать поцелуями лицо и шею, одновременно пытаясь высвободить ее из легкого платья.

— Постой, — прошептала она. — Ведь ты же не знаешь...

— И знать не желаю. — Что-то хрустнуло под его руками, посыпались пуговицы. — Il y a des tas de choses à faire![2]

ГОЛОД

Когда у людей отняли хлеб, все, что составляло прежде человеческую жизнь с ее чувствами, делами и мыслями, постепенно закончилось. Со стороны, наверное, было бы очень просто заметить, как именно это происходило: сначала ослабели отношения друже-

---

[1] Ты же не уйдешь так вот просто? *(франц.)*

[2] Мне есть чем заняться! *(франц.)*

ские, потом мужеско-женские, потом начали сдаваться воспитанные поколениями привычки, как-то: уважение и жалость к старости, снисхождение к слабым. Дольше всего остального держалась любовь, и муж, плачущий над телом, вернее сказать, над скелетом умершей жены, и жена, из последних сил роющая яму, чтобы похоронить в ней умершего мужа, встречались еще, хотя реже и реже.

Единственным, чего не удалось победить даже голоду, оказалось материнство. Смерть ребенка перекусывала последнюю нитку, привязывающую женщину к жизни, ровно так же, как и судорожные попытки вырвать своего ребенка из рук смерти долгое время заставляли женщину двигаться по земле в поисках пищи, которая могла бы хоть на день, хоть на два продлить то еле ощутимое тепло, которое сочилось изо рта ее сына или дочки во время дыхания.

Случаи людоедства, на которые закрывают глаза современные историки, боясь нарушить предназначенную исключительно для жалости и сострадания картину голода, заставляли людей опасаться, что дети их могут быть съедены. Эти несчастные, которых Бог наказал тем, что, лишившись рассудка, они убивали других несчастных и поедали их, находились среди людей и имели человеческий облик. В памяти одного из крестьян, переживших голод, сохранился особенно один случай: ему запомнилась мать пятерых детей, которая, потеряв рассудок, начала поедать их, но до конца успела расправиться только с двумя — грудным мальчиком и трехлетней девочкой.

Из воспоминаний
Олега Ивановича Задорного

124

Анастасия Беккет — Елизавете Александровне Ушаковой

Москва, 1934 г.

Наши отношения с Уолтером не похожи на любовь. Скорее нас связывает постоянная готовность причинить друг другу боль. Мы мучаем друг друга. При этом я и двух дней не могу прожить без того, чтобы не видеть его. Ревность моя достигает немыслимых размеров. Эта женщина с васильковыми глазами и неприятным тонким голосом живет с ним в одной квартире и считается его прислугой, кухаркой и экономкой. Ее зовут Катерина. Он не стал скрывать от меня, что Катерина родила ему сына, которому сейчас уже четыре года. Но Уолтер не любит детей, и поэтому сын живет в городе Пушкино, неподалеку от Москвы, у родственников Катерины, которых Уолтер содержит. Денег у него достаточно. Мне кажется, что он боится Катерину, и для этого у него есть какие-то серьезные причины, но я не знаю какие. О жене в Париже он вообще не упоминает. Я ничего про него не знаю. Ты, Лиза, наверное, удивляешься тому, что у него ведь отрезана нога, но это *ничему* не мешает. Физическая сила Уолтера необычайна. Когда он дотрагивается до меня, просто дотрагивается, я почти теряю сознание от острого наслаждения. Ведь я уже знаю, как все это будет. При этом я все время помню, что ненавижу его, потому что люблю Патрика. Лиза, я боюсь его. Я боюсь того, как он смотрит на меня. Однажды я заснула случайно, а когда проснулась, увидела его глаза. Он разглядывал меня, как разглядывают насекомых под микроскопом. В этих его холодных и прозрачных глазах не было ни капли любви и нежности, но было слегка удивленное и веселое любопытство, словно он пытался понять, кто ему на сей раз попался.

Вчера мы ужинали с ним в ресторане, и я по неосторожности порезалась ножом, наточенным для мяса. Закапала кровь. Я хотела было достать из сумочки носовой платок, но он не дал мне этого сделать: схватил мой палец, прижал его к губам и начал слизывать кровь.

— Ты — просто вампир, — сказала я.

— А ты — моя бедная дурочка.

Я побежала в уборную и там нарыдалась вволю. Отчего мне все время хочется убежать от него и долго, навзрыд плакать? Как будто что-то пытается вырваться из меня, вылиться слезами. Лиза, Бог меня оставил, и я это чувствую. Иногда по ночам просыпаюсь, вспоминаю Патрика, который должен скоро приехать. Начинаю молиться и не могу, как будто вся голова моя, и грудь, и рот наполнены горячим песком. А наступает утро, и хочу одного: увидеть Уолтера, а там — будь что будет.

Он сказал мне, что уже два года не живет с Катериной. Я заплакала, закричала, что ни одному его слову не верю. Тогда он очень спокойно добавил:

— Неужели ты считаешь, что я стал бы придумывать небылицы, лишь бы тебя успокоить? Мне гораздо проще сказать тебе все, как есть.

Лиза, это правда. Ему действительно и в голову не пришло бы щадить меня. Он — враг моей душе.

ДНЕВНИК
Елизаветы Александровны Ушаковой

Париж, 1958 г.

Вера вчера сказала, что ей звонил Антуан Медальников и попросил встретиться с ним. У него есть что-то, что касается Лени.

О Медальникове мы узнали от сына очень давно. Леня говорил, что у него очень непростая жизнь. Он рано потерял родителей, вскоре после того, как семья убежала из России. И вырастил его дядя, этот знаменитый зоолог. К дяде он был сильно привязан. Потом он начал работать в Институте Пастера и делать какие-то сложные опыты. Дядя его заболел тяжелой душевной болезнью, и Антуан Медальников перевез его к себе от дядиной молодой жены, которая попросила забрать у нее этого несчастного как можно быстрее. Потом старший Медальников то ли умер в клинике, то ли покончил с собой. Ленечка говорил, что сам Антуан Медальников не соглашался с тем, что его дядя был болен, и считал, что это нормальная реакция на то, что происходило вокруг: на войну и весь этот коммунизм с фашизмом. К тому же и личные очень сильные переживания. Леня мой тоже не верил в психические болезни и не понимал, как люди остаются «здоровыми», если вся человеческая жизнь — такая жестокая. Значит, у этих «здоровых» нет совести, нет у них сердца. Помню, как еще подростком мой сын на заданный учителем вопрос, чего он больше всего боится, ответил: «Предательства». Вообще, у Лени была своя жизненная философия, но он не любил об этом особенно распространяться. Я знаю, что он был очень высокого мнения об

Антуане Медальникове и доверял ему. Вера сказала, что Медальников был на похоронах, но я никого там, кроме Ленечки, которого я не выпускала из рук, пока меня не оттащили от него, не запомнила. Вера не хочет встречаться с Медальниковым, она все повторяет, что Медальников ей «неприятен». Тогда я предложила, что, как только приедет Настя, я могу сразу же позвонить Медальникову сама. Может быть, он согласится поговорить со мной, а не с Верой? Я с ним встречаться не боюсь, только мне хотелось бы взять с собой сестру: я стала ужасно рассеянной, мне с ней будет легче.

Вчера за чаем мы с Георгием долго обсуждали Настю. Георгий считает, что Патрик погиб из-за нее. К счастью, он не знает всего того, что знаю я, и думает, что это Настя хотела уехать тогда, в 1934-м году, из России, и по ее желанию они вернулись в Лондон, вскоре после чего Патрик снова уехал — на этот раз в Маньчжурию. У меня не поднимается рука уничтожить Настины письма из Москвы, хотя я прекрасно понимаю, что они никому, кроме меня, не предназначены. Я всегда думала, что хорошо знаю свою младшую сестру, но, оказывается, я ничего не знала про нее, пока не начала получать эти московские письма. Иногда мне даже приходило в голову вот что: если моя Настя оказалась почти незнакомой мне женщиной, за которой я с удивлением следила из Парижа и каждый день просила, чтобы Господь помог ей, то, может быть, я точно так же ничего не знаю ни о своем сыне, ни о своем муже, ни о своих родителях? Может быть, я и о самой себе ничего не знаю?

Очень хорошо помню Настю ребенком. Помню, как мама сшила нам обеим новые летние платья, когда папа подарил ей на день рождения машинку «Зингер», и наша жизнь, как песочные часы, в тот же миг перевернулась. Теперь жужжание швейной машинки будило нас по утрам, а по вечерам не давало заснуть: мама бросилась перешивать все, что попадалось ей под руку. Она смастерила нам платья: Насте — желтое в синюю крапинку, а мне — красное в белый горошек. Мы нарядились и долго, как остолбеневшие, смотрели на себя в узкое, испещренное черными трещинками зеркало, которое, к сожалению, до неузнаваемости все искажало. Потом мы обе, не сговариваясь, вышли из дома, перешли через золотое пшеничное поле — сколько света было внутри этого поля, сколько неба над ним! — вышли на большую дорогу в надежде, что проедет какая-нибудь машина и нас заметят. Я и сейчас вижу перед собою Настю, которая сорвала с головы бархатную черную ленточку, и длинные каштановые волосы упали ей на круглые плечики с рукавами-фонариками! Вижу этот уже немного женский и лукавый жест, которым она быстро наслюнявила ладошки, пригладила волосы, потрясла головой и откинула ее, словно бы посмотрела на себя саму со стороны чьим-то восхищенным взглядом. Как назло, ни одна машина не проехала, только уже на закате через дорогу потянулось коровье стадо в сопровождении пастушка — лет, наверное, одиннадцати-двенадцати, светлоголового, в растрепанной соломенной шляпе, в широких холщовых штанах и босого, который, увидев таких красавиц, как мы с Настей, остановился и, забыв про своих коров, долгое время не мог отвести от нас глаз.

А какая прелестная она была на своей свадьбе! Тоненькая-тоненькая, с ярким, отливающим медью румянцем, про который мама сказала, что он — как герань в нашем доме в Тулузе.

Завтра пятница. Георгий сказал, что он сам поедет в аэропорт и встретит ее и чтобы я осталась дома. Ему все кажется, что я могу умереть от волнения по дороге или у меня случится сердечный припадок. Глупости. Почему он так боится за меня? Напротив, теперь мне намного лучше. Я так часто стала слышать Ленечку, так много разговариваю с ним сейчас!

Вермонт, наши дни

Ушакову нравилось, что она молчит. В молчании была успокаивающая правота и простота случившегося. Она ни о чем не спрашивала, не волновалась, никуда не убегала, не говорила, что ей пора. Она тихо лежала рядом с ним, положив голову на его плечо, как будто они знали друг друга много лет и ей уютно отдыхать молча, прислушиваясь к повисшему за окном птичьему голосу.

— Сварить тебе кофе? — спросил он.

— А вы там, в Париже, без кофе не можете? — засмеялась она.

И в смехе была та же успокаивающая простота. Она приподняла голову, оторвалась от его плеча и заглянула ему в лицо. Он подумал, что, наверное, нужно спросить, замужем ли она и есть ли у нее дети, но даже и это казалось неважным. Он чувствовал эту женщину совсем не так, как других своих женщин, когда душа пыталась быстро впитать незнакомое существо, подобно желудку, который пытается быстро впитать попадающую в него пищу, но потом оказывалось, что так же, как ненужная непривычная пища не может усвоиться желудком, — так и чужую женщину тянуло как можно быстрее вытолкнуть из своей души и больше не помнить об этом.

— Сейчас половина четвертого, — сказала она. — Тебе ведь не нужно в Нью-Йорк завтра утром?

Он покачал головой.

— Поспим до шести, а потом я поеду. Подбросишь меня до развилки?

— При чем здесь развилка?

— Но так ведь всем проще.

— Ты замужем, Лиза? — спросил он.

— Нет, Митя. Но я жду ребенка.

**Анастасия Беккет —
Елизавете Александровне Ушаковой**

Москва, 1934 г.

Наверное, Лиза, я не права, когда вижу в Уолтере только плохое. Вчера он много рассказывал мне о своем детстве: он сирота, воспитывали его дядя с теткой — люди пьющие, очень жестокие, почти не заботились о чужом ребенке. И он всего в жизни добился своим трудом, своими невероятными способностями. Выпускник Оксфорда, прошел всю войну корреспондентом на полях сражений, столько раз рисковал жизнью. Послушай, ведь это не шутки. Мой желтоволосый Патрик — ребенок по сравнению с этим человеком. Иногда я думаю, что судьба распорядилась неправильно, сделав меня женою «полумальчика-полумужчины», которого я с самого начала почувствовала в Патрике, несмотря на все его героические обещания.

Уолтер рассказывает мне о том, через что ему довелось пройти во время войны, — это очень страшно, но еще страшнее то, как после войны, разочаровавшись в людях, он вернулся в Париж и попал в среду артистической богемы. Оказывается, все, что мне говорили, — чистая правда. Чего там только не было! Слово «разврат» мало что объяснит. Жизнь была полностью подчинена наркотикам, а Уолтер объяснил мне, что, попадая под влияние наркотика, человек перестает быть самим собой, и то, что вылезает из него, не поддается никакому контролю. Он, например, сказал мне, что человек может быть очень тихим и кротким в жизни, но под наркотиком в нем поднимается такая ярость, что некоторых приходится связывать: настолько сильно в них желание насилия, разрушения и даже убийства. Многие убивают себя, потому что не могут справиться с физической необходимостью немедленно уничтожить кого-то. В Париже они устраивали так называемые «встречи с дьяволом», специальные сеансы, на которых люди пили кровь, совокуплялись на виду у всех, не обращая внимания — с мужчиной или с женщиной, со стариком или со старухой, и были случаи, что некоторые даже умирали во время этих сеансов от разрыва сердца.

Ты, наверное, не можешь представить себе, как же я имею дело с таким чудовищем? Но он не чудовище. Я начинаю привыкать к нему, и иногда мне становится жалко его, хочется просто гладить его по голове, успокаивать и баюкать, как маленького ребенка. Уолтер не верит в Бога и не хочет говорить об этом, один раз только пробормотал, что это хорошо, что большевики позакрывали храмы, посрывали колокола и разогнали священнослужителей, потому что истинная вера и должна быть под гонением, как это было во времена раннего христианства или с евреями во времена инквизиции.

— Если людям все разрешать, даже такую ерунду, как есть досыта, — сказал он, — они сразу становятся неблагодарными и отвратительными, но если их прижимать, запрещать и отнимать у них как можно чаще и как можно больше, у некоторых просыпается страх и даже, как ни странно, появляется относительная честность. Русским говорят, что верить в Бога нельзя, их наказывают за это — ну так, значит, те, кто будет продолжать верить, несмотря ни на что, и есть настоящие верующие люди.

Презирает он всех одинаково: и большевиков, и не большевиков, и правых, и левых, и победивших, и побежденных. Я думаю, что, скажи он это нашим с тобой родителям, они бы его просто разорвали! В нем нет никаких нравственных убеждений, кроме одного: нужно быть не просто умным, а умным «как дьявол». Уолтер никогда не целует меня в губы — почти никогда, — и я так отвыкла теперь от поцелуев в губы, что с удивлением вспоминаю, насколько мне все это нравилось с Патриком, все эти долгие нежности и голубиные объятья! А здесь... Боже мой, как здесь все просто, как даже грубо, Лиза! Я только изо всех сил закрываю рот руками, чтобы удержать внутри крик, который всякий раз готов вырваться из меня! Я не знала, не догадывалась, сколько во мне звериной силы, какая я дикая, веселая, бесстыжая, и сейчас, когда это все открылось, я ничего не боюсь, кроме одного: что все это кончится.

Лиза, милая, дорогая сестра моя, не пиши мне никаких страшных слов! Не пугай ни Божьим гневом, ни родительским проклятьем, ни тем, что Патрик немедленно бросит меня, как только узнает! Да, я пропала, я погубила все, я не буду ни верной женой, ни преданной матерью, и даже на том свете — если он существует — меня не ждет ничего хорошего. Но что же делать, если я, как безумная, готова целовать каждый волосок на его теле, и даже запах его одеколона, смешанный с запахом снега, который я всякий раз с наслаждением вдыхаю, когда он ждет меня в сквере, и я подбегаю, утыкаюсь лицом в его воротник, — если даже такая ерунда, как этот запах, лишает меня рассудка!

ГОЛОД

В сентябре 1933 года корреспондент газеты «Нью-Йорк таймс» Уолтер Дюранти поехал на Дон. Картина увиденного не могла не потрясти его так же, как всех, кто оказывался тогда в этих краях. Тон его корреспонденций слегка изменился. Дюранти признал, что власти забрали слишком много зерна, но и этому находил объяснение: Россия опасалась войны на Дальнем Востоке. Кроме того, многие крестьяне отказывались от участия в колхозах, из-за чего и не была собрана значительная часть урожая. Смертность на Украине, сообщил Дюранти, может быть сопоставима со смертностью в битве под Верденом. Но в этом он так же солгал, как во всем: смертность в бою под Верденом достигала шести тысяч в день, смертность на Украине была в четыре раза больше. Репортаж Дюранти от 16 сентября вышел под оптимистическим названием «Большой советский урожай вслед за голодом».

Вернувшись в Москву, он заглянул в британское посольство. В посольском документе сохранились его точные слова: «За прошедший год в Советской России не менее 10 миллионов человек умерли от недостатка продовольствия».

Из воспоминаний Олега Ивановича Задорного

Вермонт, наше время

Седая, со скромным курчавым пучком на затылке, Ангелина, мать сладостно спящей Надежды и бабушка деток: Настены, Андрея и Карла — взяла с собою по грибы старинную свою приятельницу, жену знаменитого искусствоведа Пастернака — не того, однако, всем известного Пастернака и даже не родственника его, а просто однофамильца, с которым случилась смешная история. На вопрос посмотревшего кинофильм «Доктор Живаго» вермонтского жителя, на что была потрачена Нобелевская премия за известный роман, искусствовед не сразу нашел в себе силы сообщить неискушенному человеку, что тот заблуждается, и Нобелевская премия была дана не ему (а могла бы!), но вовсе другому совсем Пастернаку. И хотя нынешний Пастернак, Кирилл Адольфович, прекрасно помнил и готов был поклясться, что никогда не получал престижной Нобелевской премии и вряд ли мог претендовать на нее, занимаясь исключительно узором решеток в Нескучном саду и другими незначительными архитектурными достижениями, — несмотря на это, вопрос наивного вермонтского поселянина долгое время поддерживал в искусствоведе легкое хмельное головокружение. Впрочем, было чем заняться даже и без ненужной Нобелевской премии. Отдавая всего себя разгадке решеток в Нескучном саду, искусствовед сумел прекрасно вырастить и воспитать дочь Анюту, теперь уже взрослую худощавую женщину, похожую в профиль на автопортрет художника Дюрера, а также обеспечить семейное счастье жены своей Марты, которая, в свою очередь, открыла для них в общей жизни такое, что будет похлеще любых даже премий. Открыла она не писателя просто, но воплощение самого духа искусства внутри одного человека, носящего имя Саша Соколов. Много-много светлых и радостных вечеров провела семья искусствоведа Кирилла Адольфовича, склонившись над книгами Саши. Для изучения гения не пожалели ни собственного времени, ни детства Анюты, которая была лично и даже безжалостно бита отцом (приложена крепко затылком ко шкафу!), когда заметили, что легкомысленная девочка не с должным вниманием слушает волшебные куски из романа «Палисандрия».

Давно защитившая докторскую степень, уже разведенная дочка Анюта, забывши нелегкое детство, проводила лето в Вермонте, радуясь обществу матери и отца своего, искусствоведа Кирилла Адольфовича, который стал тише, скромнее и мягче среди этих мирных лесов и лужаек. Матери ее Марте хотелось при этом пристроить Анюту, и она зорко высматривала, кто именно приезжает в гостеприимную школу, где часто устраивались то конференции, то фольклорные фестивали, то спектакли. Любящее сердце ее встрепенулось при виде немолодого, но очень привлекательной наружности, сдержанного и хорошо воспитанного Дмитрия Ушакова, про которого нетерпеливая Ангелина успела настрекотать ей с три короба.

Сейчас две седые подруги, почти не сомкнувшие глаз этой ночью, шли рядом по кроткой зеленой тропинке и, переминая оборки своих длинных и просторных сарафанов, обсуждали Ушакова.

— Во-первых, умен, — горячо, как про родного, говорила Ангелина. — Умен. Образован, окончил Сорбонну. К тому же: семья. Ну, тут ясно. Семья — просто белая гвардия! Ведь он не военный, а выправка, плечи!

Моя-то дуреха — и та задрожала! — Ангелина раздраженно покраснела, но вид нежнейших розовых облаков над головой успокоил ее. — Короче: давай-ка пристраивать Анну.

— Но как? — брызгая слюной, быстро заговорила Марта. — Нет, ты хоть послушай! Она же меня — ну, ни в грош! Все: «Папочка, папа! Мы с папой решили, мы с папой хотели!» А я что? Молчу, утираюсь. Я вот говорю ей: «Анюта, ты косу решила отрезать. Ведь жалко! Ведь с этой косой ты — как «Вешние воды»! Там, помнишь, была эта... как ее... Марья? Ну, ладно, неважно! Короче: твой имидж! Ведь ты из России! Загадка! С косою! А срежешь — и что? Кем ты будешь? Ответь мне!»

— И что? — невнимательно спросила Ангелина. — Послушалась разве?

Марта тяжело вздохнула и нагнулась, чтобы сорвать недозрелую твердую землянику, случайно выросшую на обочине, но тут у обеих подруг округлились глаза: небольшая спортивная машина остановилась у самой развилки. Из машины вышла очень даже знакомая им женщина в короткой белой кофточке, наброшенной на легкое платье, со своими распущенными, словно бы нарочно неприбранными волосами, а за ней, щеголяя так приглянувшейся подругам военной выправкой, милый, немолодой и только что получивший наследство, вылез Дмитрий Ушаков. Часы на запястье Ангелины показывали шесть по вермонтскому времени, и чей-то проспавший рассвет удивленный петух вдруг заголосил с такой вдохновенной пронзительной громкостью, как будто желая всему, что есть в мире, явить свою преданность и дисциплину. Парочка тоже заметила подруг, но не сделала и малейшей попытки укрыться ни в сумрак лесов, ни хотя бы в машину. Давно вызывавшая раздражение у Марты и у Ангелины женщина в белой кофточке прислонилась спиной к стеклу и что-то начала говорить понуро застывшему перед ней Ушакову. Она говорила и при этом слегка поглаживала его по плечу, а он, обратив свой взгляд в розовые облака, печально молчал, и видно было, что разговор их идет не о Владимире Сорокине, а вовсе о чем-то другом, невеселом.

Стройные и кудрявые, несмотря на преклонные лета свои, застывшие средь васильков Ангелина и Марта не сводили с них глаз, и, словно в насмешку над их любопытством, Лиза положила руки на статные плечи Дмитрия Ушакова и крепко поцеловала его. После чего он сел обратно в машину и уехал, а она, стащивши с себя свою белую кофту, прошла, волоча белизну по росе, — задумчиво, тихо, не глядя на Марту, жену Пастернака, и даже на друга ее Ангелину.

ДНЕВНИК
Елизаветы Александровны Ушаковой

Париж, 1958 г.

Вчера встречали Настю. Я ее сначала не узнала. Смотрю: идет женщина — очень смуглая, даже немного желтая, очень худая, в клетчатом костюме, в очках. Увидела нас и приостановилась. Георгий говорит:

— Настя!

Она всплеснула руками и бежит к нам. А я стою и не понимаю: где Настя? Кто — Настя? Опомнилась только тогда, когда она повисла у меня на шее. Узнала ее по этой манере. Она и в детстве так делала: подбежит и повиснет молча. Не целует, а сжимает, просто душит. Да, Настя. Говорю ей:

— Вот что значит жить в Китае! Сама стала как китайка. Ты зачем такая желтая?

— Какая я желтая? Что ты говоришь?

Стоим обнявшись. Чувствую, как начинаю вспоминать: ее волосы, ее запах. А мальчика моего нет. Боже мой, ведь Ты мог отнять у меня сестру, а отнял сына. На все Твоя воля.

Георгий пошел за такси.

— Что ты, — говорю, — на меня так смотришь? Не узнаешь?

— Лиза, да ты же седая!

Я вдруг стала плакать.

— Седая? Да, Настя, седая! А как же ты думала?

Она меня сжала обеими руками, шепчет что-то в ухо — я не сразу разобрала.

— Вы встретитесь, Лиза! Вы с Леней там встретитесь!

Я знаю. А иначе разве бы я осталась жить? Я ничего не ответила. Не нужно об этом говорить. Она потом сама поймет, что самое трудное — это мне, которая все понимает, быть среди людей и «делать вид». Но в глубине души я почувствовала облегчение, когда она так сказала. Даже Георгий не знает, чем я сейчас спасаюсь, не говоря уж о Вере. Не зря, стало быть, я так ждала Настю. Теперь буду с ней целый месяц. Завтра поведу ее к Мите.

**Анастасия Беккет —
Елизавете Александровне Ушаковой**

Москва, 1934 г.

Завтра возвращается Патрик, я получила телеграмму. Что будет, не знаю. Видела сон вчера, как будто мы

139

с тобой маленькими девочками ходим по лугу, и рядом с нами беззвучно бродят коровы, про которых мы как будто бы знаем, что всех их завтра увезут на бойню. И мы с тобой бросаемся от одной коровы к другой, целуем их и прощаемся. Проснулась от боли в сердце. Лежала и еще долго чувствовала губами их родные горячие морды. Потом услышала, как товарищ Варвара с кем-то разговаривает по телефону. Странно. С кем она может разговаривать?

Я всего боюсь, меня все настораживает, даже такая ерунда, как то, что домработница позвонила по телефону. В одиннадцать спустилась на бульвар, в четверть двенадцатого Уолтер подъехал на машине один, без шофера. Я молча села, закрыла лицо муфтой, чтобы он не видел, какая я заплаканная.

— Поедешь встречать на вокзал? — спросил он.

— Тебе это важно?

— Мне кажется, нужно поехать.

Я так и замерла: что он хочет этим сказать? Посмотрела на него. Лицо неподвижное, ничего на этом лице не прочтешь. В глубине души я надеялась, что он предложит мне уйти от Патрика к нему, и, хотя я не представляю себе, что бы я ответила, мне так нужно было услышать это! Теперь понимаю, что с самого начала я только этого и ждала. Но он молчал всю дорогу до своего дома, молчал, пока мы поднимались по лестнице, молчал, пока я снимала ботики, поправляла мокрые от снега волосы перед зеркалом, и заговорил только тогда, когда мы прошли в спальню, и я села на краешек его, как всегда, незастеленной, неряшливой, сильно пахнущей табаком постели.

— Постарайся вести себя так, как будто ничего не случилось, — сказал он.

Я онемела. Он повысил голос, словно разозлился на меня.

— Ты не первая и не последняя женщина, у которой в отсутствие мужа появился любовник. Tu ne vas pas faire tout un plat pour ça?[1]

— Любовник? — переспросила я.

Он сделал жест, как будто приподнял над головой воображаемую шляпу:

— Я к вашим услугам, мадам.

Тогда я вскочила, бросилась к вешалке в прихожей, сорвала свое пальто. Он, сильно хромая, как это бывает всегда, когда он особенно возбужден, вышел вслед за мной, силой отобрал у меня пальто и силой затащил обратно в спальню. Я пыталась вырваться, что-то выкрикивала, отталкивала его, но он очень грубо сорвал с меня всю одежду, быстро разделся сам.

Как страшно, Лиза, все то, что мне приходится сейчас писать тебе. Но без этого ты ничего не поймешь. Правды не бывает наполовину, иначе какая же это правда? То, что произошло между нами вчера, было чем-то совсем незнакомым мне, хотя и казалось, что я все уже знаю про это и ничего нового быть не может. А вот оказалось, что может.

Потом мы лежали молча, отодвинувшись друг от друга, и я плакала. Но я плакала не так, как плакала ночью дома, и не так, как на лестнице, и не так, как когда он оскорбил меня. Я плакала озлобленно, но с наслаждением, мучилась, а при этом мне хотелось смеяться во весь голос, я готова была убить его, но если бы в эту минуту он приказал мне выпрыгнуть с шестого этажа, то я бы исполнила это. Лиза! Я просто взяла бы и прыгнула, раз он так хочет.

---

[1] Ты же не будешь из этого делать проблему? *(франц.)*.

ГОЛОД

В конце августа разнесся слух, что жителям села скоро запретят делать покупки в сельмаге. Через пару недель действительно объявили, что колхозники, не выполнившие своего плана по сдаче зерна, лишаются права покупать что бы то ни было в государственных магазинах. Люди оказались без всего. Керосиновая лампа стала роскошью, которую никто не мог себе позволить: негде было купить керосин. Мыться приходилось без мыла. Сахара не было в селе уже два года. Крестьяне попытались ездить в соседние поселки, где на черном рынке можно было купить катушку ниток или полкило соли, но и тут ничего не вышло: покупателей черных рынков объявили спекулянтами, осуждали по статье и ссылали в лагеря. Целые районы были оцеплены, чтобы голодающие не имели возможности покинуть свое село. Немногие добирались до города, надеясь на помощь, но там их отлавливали, как животных, и вывозили на грузовиках. Вид умирающих прямо на улицах перестал вызывать удивление, и к тому, что люди падают под ноги прохожим и больше не поднимаются, постепенно привыкли. Руководящие органы изменили тон: крестьян обвиняли в невежестве и в неспособности оценить значение высокого патриотического мероприятия по сбору и доставке продовольствия государству. В интонации газетных статей появились негодующие ноты: крестьяне по своей отсталости и необразованности начали приравниваться к непослушным детям, о которых неустанно заботятся партия и правительство. Если же они не ценят этой заботы и не понимают ее, им придется пенять на себя и нести заслуженное и справедливое наказание.

Не связанные никакими ограничениями, уполномоченные обходили крестьянские хаты в поисках «утаенного» хлеба. Они искали под кроватями, пробивали дыры в подсобных постройках, копали в саду и на заднем дворе, просверливали глиняные полы, замеряли толщину стен и искали полости, в которых могло быть спрятано зерно. Иногда полностью сносили подозрительную стену или целиком разбирали печь. Каждый человек подвергался обыску с головы до ног, детские кроватки и колыбели переворачивали вверх дном, спящих детей вытряхивали прямо на пол. Конфисковывали все: даже маленькая баночка с семенами, предназначенными для посадки на следующий год, приводила к тому, что хозяев обвиняли в утаивании зерна и арестовывали.

Власти, казалось, всерьез задумывались над тем, почему не все еще умерли и чем поддерживают себя те, кто продолжает жить. Ведь, если живут, значит, что-то едят. Но что же едят, если все отобрали?

Из воспоминаний
Олега Ивановича Задорного

Вермонт, наше время

Расставшись с нею на развилке, Ушаков вернулся домой и сразу же прошел в спальню, словно нарочно хотел растравить себя как можно больше. И хотя он сказал себе, что они расстаются, что нечего и думать о том, чтобы продолжать эти странные отношения, то есть встречаться с женщиной, которая через семь-восемь месяцев собирается стать матерью и любит другого человека, — хотя Ушаков и сказал себе это, но боль охватила его всего — все тело, всю голову, за которую он схватился обеими руками, когда увидел смятые простыни, свою рубашку, в которую она завернулась, выйдя из душа, заколку на подушке, так сильно освещенную солнцем, что она казалась сосредоточением всего летнего в мире.

Поспешно набросив на эту постель покрывало, накрыв ее всю, как умершего, он тут же перешел в другую комнату, где стоял компьютер. Работу на кафедре антропологии в пригласившем его нью-йоркском институте можно было начать прямо сейчас и не дожидаться осени, а дом в Вермонте продать и вместо него купить себе хорошую квартиру в центре Манхэттена, поскольку оставленных денег на это хватало. Главное — быть занятым и как можно меньше копаться в своих мыслях. Ему пришло в голову, что одиночество — это что-то вроде химического завода, одновременно перерабатывающего те вещества, которые в природе встречаются редко и на большом расстоянии друг от друга. Так, если человек, не предоставленный самому себе, вынужденный заботиться о других и постоянно имеющий этих других рядом, вдруг затоскует или почувствует усталость, испуг, раздражение, ему (для того, чтобы в полной мере, остро и сильно пережить и осознать свои ощущения!) необходимо будет хотя бы на время освободиться от присутствия связанных с ним людей. Одиночество — как детская железа, выделяющая вещество, которое помогает детям переваривать молоко и отсутствует у взрослых. Оно переносит человека в состояние беззащитности, и он начинает различать те острые, болезненные краски и запахи жизни, которые сопровождают ребенка. Сейчас Ушакову казалось, что стоит уехать в Нью-Йорк и купить там квартиру, как Лиза, навязанная ему этим длинным днем, запахом сухой, прогретой солнцем земли, горами с их сочной кудрявою зеленью, птицами, насекомыми, песнями у гудящего и звонко щелкающего сучьями костра, — вся Лиза, как часть этого дня и его основное украшение, исчезнет, растает, вернется туда, где была, и все успокоится в нем, все смирится. Останется то, что и было вчера, позавчера, короче говоря, все то, что было до этого озера, по которому она плыла внутри вспыхивающих бликов, вызвавших у пристально глядящего на нее Ушакова внезапную ослепленность и легкое помутнение в глазах.

В Нью-Йорке жили знакомые, с которыми он несколько раз сталкивался на антропологических конференциях, всякий раз оставлявших досадное чувство запутанной болтовни, с которой приходится мириться, так как всякая область человеческой деятельности, старающаяся ответить на серьезные духовные вопросы, неизбежно сводится к чему-то вторичному и фамильярному. Сейчас, однако, наступило самое время уехать в Нью-Йорк, позвонить своим коллегам, встретиться с ними в хорошем ресторане и быстро зажить тою жизнью, которая вся вдруг открылась ему.

Он нашел расписание поездов, потом посмотрел прогноз погоды. Завтра обещали жару и грозы, а послезавтра, напротив, небольшое похолодание и стопроцентную сухость. Ему хотелось увидеть океан, и он уже решил напроситься в гости к одному из коллег, у которого был дом на Лонг-Айленде, а потом съездить к другому, у которого был дом в штате Коннектикут неподалеку от Нью-Йорка, и этот коллега увлекался верховой ездой и, кажется, даже имел дома лошадь.

Дедовские деньги открыли Ушакову новые возможности, и теперь ему ничего не стоило взять билет на самолет и как следует посмотреть Америку, хотя бы Великий Каньон или даже Аляску.

Все родные ему люди умерли. Они умерли не сразу, с успокаивающими перерывами между своими смертями: сначала отец, дед и бабушка, которых он мало запомнил и поэтому не тосковал без них, потом сероглазая Манон, потом Медальников, которому он был бы должен помочь, потом, позже всех, ушла мама, и Ушаков остался настолько одиноким, что всякий наугад открытый в записной книжке номер телефона сначала пугал его: казалось, что тот или та, чья жизнь протекала под этим вот номером, тоже могли исчезнуть за время, прошедшее с их последнего разговора или последней встречи.

Ничто не держало его, никто в нем уже не нуждался. Вчерашняя женщина, с которой он не хотел бы расстаться, окажись она не беременной (Ушаков усмехнулся, когда вспомнил, что беременность не помешала ей лечь с ним в постель!), ни о чем не спросила его, будто никакие обстоятельства *его* жизни не могли бы помешать ей сделать то, что она сделала. И в этом он тоже увидел подтверждение, что люди вокруг несвободны и все от чего-то зависят, а он так свободен и так бесприютен, что всем это ясно, не стоит и спрашивать.

Окна в доме были открыты, и комнаты переполнились пестрой мошкарой и маленькими белыми мотыльками, напомнившими ему море на юге Франции, куда его иногда увозили летом и где в легком тумане на горизонте дрожали от слишком сильного синего моря и слишком прозрачного воздуха белые паруса, которые казались похожими на мотыльков. Сейчас, когда перед его глазами порхали настоящие мотыльки, они вызывали в памяти море, и эта взаимная похожесть лесных мотыльков и лодок на морском горизонте с их белыми парусами вдруг обрадовала его, как будто на глазах совершилось двойное подтверждение подлинности и тех, и других.

ДНЕВНИК
Елизаветы Александровны Ушаковой

Париж, 1958 г.

Вчера были с Настей на кладбище. Потом зашли в наше любимое кафе на рю Дарю, неподалеку от церкви, долго сидели. Разговариваем мы немного. И я этому рада. Зачем вообще говорить? Хорошо, что она рядом, но мне нечего сказать ей, кроме того, что она и так видит. Она ведь видит меня, видит Ленину могилу, и что же еще говорить? Я ей сказала только, что мне жаль Георгия, который Ленечкину смерть переживает иначе, чем я: он не чувствует, что Ленечка от нас не ушел. Сколько раз я пыталась ему помочь, но ему, наверное, даже тяжелее от моих слов. Не дай бог, подумает еще, что я сумасшедшая.

Смотрю на мою Настеньку. Как она изменилась! Не в том дело, что годы ее состарили — кого они молодят? — а в том, что исчезла вся яркость, благодаря которой она так выделялась. Сейчас это просто лицо, очень тихое, незаметное, очень тонкое, немного бескровное, и только вчера, когда было сильное солнце и она раскрыла над головой шелковый зонт, весь в золотых и оранжевых узорах, я увидела на ее щеках и глазах отблески этого шелка и сразу представила себе ее такой, какой она была прежде.

— Тебя как будто высушили, — сказала я ей. — Ты

была похожа на цветок, полный дождевой воды. Куда же ты делась?

Я уверена, что она на меня не обижается. Кто, кроме сестры, скажет ей правду?

Она только быстро глаза опустила. Как монашка.

— Другая на моем месте совсем черная бы ходила, Лиза.

Анастасия Беккет — Елизавете Александровне Ушаковой

Москва, 1934 г.

Лиза, прости, сил не было написать тебе, и ты, наверное, беспокоишься за меня. В понедельник я поехала встречать Патрика. Ждала долго, продрогла. Наконец показался поезд. До этой минуты меня всю колотило, а тут вдруг охватило полное безразличие и сразу захотелось спать. Патрик спрыгнул с подножки и направился ко мне. Пока он протискивался через людей, хлынувших из вагонов, я заметила, что с каждым шагом он все больше и больше закрывает изнутри свое лицо, а когда он подошел совсем близко и я увидела его глаза, все оборвалось во мне. У него были глаза человека, который носит в себе снаряд и боится, что каждую секунду этот снаряд может взорваться. Он еле дотронулся губами до моей щеки, взял меня под руку, и мы пошли. Сели молча в машину, почти молча доехали до дома. Товарищ Варвара открыла нам дверь.

— Спасибо, вы можете идти, — сказал он ей.

Она хотела что-то возразить, но передумала, напялила свое пальто и ушла.

— Мне нужно помыться.

Он даже не взглянул на меня, закрылся в ванной комнате. Его не было, наверное, больше часа. Я слышала, как льется вода, и не знала, что делать. Мне было страшно и в то же время безразлично. Странное это желание заснуть, наступившее еще на вокзале, не проходило. В ванной стало совсем тихо. Почему-то мне пришло в голову, что он разрезал себе вены. Я изо всей силы ударила ладонью по двери. Опять полилась вода, но он не отзывался. Мне казалось, что с ним что-то случилось, и нужно звать дворника, ломать дверь. Но дверь открылась сама, и он вышел в халате, босиком. Прошел мимо меня, взял свой чемодан, который стоял в прихожей, и начал доставать из него какие-то листки исписанной бумаги и тетради. Он доставал и складывал их на пол рядом с зеркалом, по-прежнему не глядя на меня. Я подумала, что он уже все знает про Уолтера, но это была нелепая мысль — он же только что приехал!

— Я должен работать, — сказал он. — А потом мы можем поговорить с тобой, если у меня будет время.

— О чем поговорить? — прошептала я.

— Мне нужно сообщить тебе, что наша прежняя жизнь навсегда закончилась.

Еще немного, Лиза, и я бы сама начала ему рассказывать про Уолтера, но он вдруг сказал:

— В лучшем случае они выкинут меня из страны, а в худшем — расправятся как-то иначе.

— Кто «они»?

— Хозяева России. Но я за себя не боюсь. Я завтра же передам все материалы дипломатической почтой, и послезавтра «Манчестер гардиан» и «Лондон пост» их напечатают.

— Материалы о чем?

Я не поняла его. При чем здесь его материалы? Разве он говорил не о нас, не о нашей жизни? Он сидел на корточках перед зеркалом и рылся в своих бумагах. Я стояла. Вдруг он обхватил мои ноги и с силой рванул меня вниз. Я упала на пол рядом с ним.

— То, что я знаю теперь, — зашептал он мне в ухо, — это не то, что мы вычитывали из книг или знали по чьим-то рассказам. Запомни это! Я видел, как уничтожают людей. Не одного, не двоих, не десятерых! Их уничтожают тысячами! А все остальные продолжают есть три или даже четыре раза в день, ты слышишь меня?

Он вскочил, бросился в столовую, где на столе все было накрыто к завтраку. Сорвал салфетку с хлебницы.

— Там нет ничего! Дети коченеют в нетопленых домах! Пока не умрут! А умрут в страшных муках!

Он смотрел на хлеб остановившимися глазами.

— Я *сам* это видел.

Вермонт, наше время

Во сне Ушаков видел Настю, бабушкину младшую сестру. Она приезжала к бабушке в Париж, когда он был совсем маленьким, вскоре после смерти его отца. Во сне Настя оказалась до странности похожей на вчерашнюю Лизу, которая осталась с ним на ночь. У нее оказались такие же, как у Лизы, светлые волосы, и голос звучал почти так же. Сначала они с Ушаковым брели по воде, доходящей им до колен, — прозрачной и теплой, — и Настя рассказывала ему о чем-то, но, проснувшись, Ушаков ничего не вспомнил из ее рассказа. В памяти остался только самый последний кусок сна: Настя стояла, закутанная в ткань, похожую на ствол дерева, если бы только дерево могло стать настолько мягким, что его набросили на тело, как ткань. Это дерево или, вернее сказать, то, что напоминало его, было, как сразу же понял Ушаков, ее новым домом и той новой жизнью, которую Настя обрела после своей кончины.

— Où prenez vous l'eau?[1] — спросил он.

И Настя, почти не отличимая от его любовницы — такая же вся светлоглазая, легкая, — знаками дала ему понять, что всем им хватает воды, и воды очень много.

Проснувшись с радостно бьющимся сердцем, он удивился, что еще продолжается ночь, которой не могло быть, потому что ночью с ним была Лиза, и ночь эта кончилась. Потом он сообразил, что заснул в своем кабинете, где искал на компьютере расписание нью-йоркских поездов, а в кабинете были опущены все шторы и было прохладно, темно, за исключением одного только пятна на стене, с ломкими и яркими узорами солнца от косо приоткрытого бокового окна, в котором белела прозрачная жимолость, так наивно заглянувшая в глаза Ушакова, словно она была белокурой французской крестьянкой, которая пришла на станцию продавать молоко и с ребячьим любопытством заглядывает в окна остановившегося поезда. Что-то очень счастливое было в его сне. Счастливое, да. И веселое.

Ушаков наскоро сварил кофе и, обжигаясь, выпил его на маленьком балконе. Утро уже разгорелось, и наступило то особенное время, которое бывает в равной степени и зимой, и летом, когда солнце освещает собою каждую — не забывая ни о ком — земную мелочь, начиная от крохотной снежинки, неуверенно подняв-

---

[1] Откуда вы берете воду? (*франц.*)

шейся в воздух с сугроба под силой внезапного ветра, и кончая столь же крохотной божьей коровкой, которая расправляет свои блестящие сатиновые крылышки, надеясь к полудню добраться до неба.

Русская школа невинно дремала всеми своими четырьмя корпусами, которые покачивались на голубых волнах зноя, как лодки у берега. Студенты, ошалевшие от русского языка, счастливые, что по случаю праздника нет занятий, сопели в неприбранных кельях, и не было силы на свете, чтоб их разбудить и заставить умыться. Преподаватели разъехались по водопадам и водоемам, а те, кто не разъехался, были в столовой и пили там чай с мармеладом. Ушаков знал, что Лиза живет в третьем корпусе на первом этаже и окно ее выходит прямо на куст белой сирени, настолько разросшейся, сильной, цветущей, что в комнате было слегка темновато.

Он постучал, никто не откликнулся. Тогда он слегка надавил, уверенный, что дверь заперта, но она мягко подалась, и он вошел. Кровать была аккуратно застелена полосатым пледом, как будто бы Лиза и не ложилась сегодня, на тумбочке лежала раскрытая книга, название которой он прочел. Это был «Подросток» Достоевского. Взгляд Ушакова остановился на белых полотняных туфлях, напоминающих балетные пуанты, с длинными коричневыми лентами, которыми крест-накрест обвязывают щиколотки. Он взял их в руки. Полотняная часть оказалась слегка шершавой и на ощупь напомнила песок, а коричневые ленты были шелковистыми и скользкими, как водоросли. Он представил себе ее ноги, обутые в эти туфли, ее колени, и страстное плот-

152

ское желание охватило его так сильно, что он сразу вышел из этой комнаты и с размаху захлопнул за собою дверь.

Она ждет ребенка. Желать ее тело сейчас, когда внутри его, как деревце, разрастается чужой младенец, нелепо и странно. Во всяком случае, если бы она вчера вечером сказала ему, что беременна, между ними ничего бы не случилось. Ушаков отчетливо увидел перед глазами ее молочно-белый живот и почувствовал тепло его очень гладкой кожи, на которую он совсем недавно, на рассвете, положил голову, удивившись нежному, едва ощутимому запаху реки, которым пахла эта кожа. И руки ее, сомкнутые у него на шее так, что их внутренние сгибы приходились на его щеки, и он запомнил горячую, слегка влажную, словно бы детскую, кожицу этих сгибов, — и руки так пахли: рекой, летним лесом. Ему было радостно думать о ее теле, и чем больше он запрещал себе эти мысли, тем настойчивее они становились. Младенец, растущий внутри ее тела, мешал его счастью, но одновременно вызывал ту жалость, которую вызывает все беззащитное в природе, все еле заметное, начиная от невзрачного, крохотного цветка в глубине травы и кончая муравьем с бугорком на спине, придавленным крепкой сосновой иголкой.

Что делать? Уехать обратно домой?

На небо тем временем хлынул закат, и оказалось, что Ушаков, погруженный в свои переживания, незаметно успел выйти за территорию школы и направлялся теперь к подножию ближней горы, над которой так низко стояло солнце, что ее пологие склоны казались розовыми, как на китайских акварелях.

— Димитрий! — раздалось за спиной, и тут не по

голосу даже, а по тому, как она исказила его имя, Ушаков узнал Надежду.

Она догоняла его, бежала к нему по траве, по легкой, почти незаметной, похожей на слабый пробор в волосах, светло-желтой тропинке.

— Я вашу машину углядела! — задохнувшись, сказала она. — Ну, все, думаю, этот попался!

— У вас здесь чудесно, — пробормотал он.

— У нас здесь — Россия, — с важностью сказала Надежда, забыв, очевидно, что уже вчера высказала нечто подобное. — Мы нашим студентам взрастили оазис. Они же ведь варвары, вы их не знаете!

Ушаков чуть было не спросил, не на американские ли деньги взрастили оазис, но удержался. Люди, которые, подобно Надежде, мыслят обобщенными величинами, отпугивали его. В душе его было что-то вроде особого компаса или, лучше сказать, особого увеличительного стекла, сквозь которое он смотрел на вещи, пробиваясь через общее к единичному и частному. Каждый раз его выводило из себя, когда кто-то говорил, например, что немцы, или евреи, или французы вели себя так-то и так-то, а кто-то еще (то есть те же, скажем, немцы, евреи или французы) испытывал в известный момент то-то и то-то, а убито было столько-то или столько-то, притом что все убитые были такими-то или такими-то. Каждый раз он ощущал, как кожу его стягивает к закипающему затылку, и каждый раз ему хотелось одернуть говорящего, спросить, как бы он отнесся к тому, если бы и его самого вдруг причислили к безликой исторической массе.

Сообразительная Надежда, заметив, что он задумался и не отвечает, сорвала плотную молодую ромашку и доверчиво провела этой ромашкой по рукаву Ушакова.

— Я, к сожалению, родилась в Америке, — грудным и печально-старательным голосом сказала она. — В Россию меня первый раз повезли, когда уже перестройка началась. Родители очень воодушевились тогда и чуть было совсем в Москву не переехали. Исаич был — за, но отец Александр — знаете отца Александра? — не благословил, и они остались.

— Это Мень, что ли? — растерялся Ушаков.

— При чем же здесь Мень? Наш здешний, отец Александр. Который родился и вырос в Париже, как вы. Но сейчас он в Канаде.

— Ах, да! Из Канады. Я, кажется, слышал...

— В том-то и беда, что все живут слухами! — вдруг горячо воскликнула Надежда и целый пук нежно цветущих растений выдрала из земли, прижала к горлу и бросила умирать на обочину. — Я вам расскажу одну историю. Очень типичную для эмигрантских характеров, о-очень! Ведь принято думать, что это русские, то есть бывшие советские, себя вести не умеют, хапают все, и вообще, как говорится, дети коридорной системы! А на самом деле совсем наоборот! Самые испорченные — это и есть эмигранты! Вот уж у кого мозги набекрень!

— И я из семьи эмигрантов, — мягко возразил Ушаков.

— История такая, — не слушая его, продолжала Надежда. — Ярмарка в Париже, ежегодная литературная ярмарка, которая всегда в конце марта. Слыхали?

— Да. Но я, правда, довольно далек...

— Да слушайте вы! — перебила она. — Вам будет над чем задуматься, а то вы доверчивы больно! Рабо-

таю я на этой выставке переводчицей, меня попроси-
ли. И вдруг такое событие: приглашают русскую писа-
тельскую делегацию во дворец к президенту! На встречу президента Ширака с президентом Путиным. Роскошные пришли приглашения. Каждому писателю — в
собственные руки. С золотыми буквами и красной лен-
точкой. Вы бы как отреагировали?

Ушаков пожал плечами.

— Вот, вот! Некоторые тоже засомневались. Зачем
нам к президенту, унижаться, мол, терять достоинство,
мы все, мол, свободные люди, нас тут на козле не объе-
дешь... Но все же пошли. Я сидела в автобусе рядом с
этой писательницей... как ее? Толстая такая, фамилия
на «о», вся извелась за Украину... Она мне говорит: «Вы
зачем едете?» Я, говорю, на работе. А вы зачем? Могли
бы сейчас в Лувр пойти! «Что вы, — говорит, — какой
Лувр! Это же историческое событие! Когда я еще во
дворец попаду?» Ну, едем. Паспорта сдали ведущему.
Весь Париж перекрыт, один наш автобус летит на всех
парусах плюс, конечно, полиция. И сзади, и спереди.
Приезжаем. Вы сами-то, — Надежда недоверчиво поко-
силась на Ушакова, — сами-то бывали во дворце?

— Я — во дворце? — искренне удивился он. — Ни
разу. Зачем мне?

— Красивое место, — сдержанно похвалила Надежда. — Все окна открыты, в саду все цветет, везде зеркала. Красиво, со вкусом. Входим в залу. Ни Путина там,
ни Ширака. Задерживаются, дела. Пресса, правда, уже
собралась. Официанты с подносами. На подносах всякая чепуха. Ну, вы же знаете, как это бывает: бутербро-
дики, маслинки. Вино очень легкое. Это понятно: русские писатели! Надерутся — потом костей не собе-
решь!

— А как они выглядели? — поинтересовался Ушаков.

— Прилично, — вздохнула Надежда. — Мужчины — прилично: в костюмах, в рубашках. Вспотели все, жарко. Один так вообще с перепоя — прозаик, но тоже в прекрасном английском костюме. Там многие запили, в этом Париже. А что? Понимаю! Уж больно все сытно! Быков, правда, явился в джинсах, но ему можно: он выглядит сам как Людовик. Хоть в джинсах, хоть в плавках. Видали портреты?

— Портреты Людовика?

— Быкова! Димы! — вспыхнула Надежда. — Умен. Остроумен! Короче, Людовик! Ну, это природа... А женщины... Что вам сказать? Маринина пришла, как учительница младших классов, на затылке — пучочек, юбочка, блузочка. Славникова — нарядная, в черных ажурных чулках. Остальные — так себе. Но я не об этом. Стоим, нервничаем. Такое чувство, что все наши разговоры прослушиваются.

— А вы говорили о чем-то серьезном?

— Не помню, не помню! — отмахнулась она. — О чем говорить? Я стояла с Марининой, и она все вздыхала. Что вы, говорю, Саша, вздыхаете? Она говорит: «Не люблю я дворцы! Ох, я не люблю, ненавижу! Домой хочу! К кошкам!»

— У нее кошки?

— Ну, раз говорит, значит, кошки. К ней в душу не влезешь! Вам не интересно?

— Нет, очень!

— Ну, ждем, — вздохнула Надежда. — Вдруг говорят: «Приехали!» Мы все побледнели. Входят Путин с Шираком. Ширак — длинный, Путин — короткий. Он короткий-то короткий, но бицепсы у него — дай боже всякому! Железный мужчина. Вот так сложил руки, — она показала как. — Все бицепсы вздулись. А наш — размазня. Только волосы красит. Француз есть француз. Что поделаешь, правда? Встали на возвышение. Сначала Путин начал речь говорить.

— А переводил кто? Вы?

— Нет, я на подхвате. Свои переводили.

— И что он сказал?

— Сказал, что шесть раз прочитал «Мушкетеров»! — огрызнулась Надежда. — Что он мог сказать? Он не для литературных споров в Париж приехал! Потом стал Ширак говорить. Тоже что-то в таком роде. И вдруг... — Надежда замолчала. — И вдруг я гляжу — и что вижу? Там была одна, вроде как писательница. Из здешних, из Штатов. Зачем вам фамилия? Вы все равно не знаете. Из русских, ну, из эмигрантских. Ее сейчас очень толкают, печатают. Жевала она, значит, жвачку.

— Жвачку? Во дворце? — засмеялся Ушаков.

— А где же? Жевала с автобуса, сплюнуть забыла! Воспитание! И вдруг я вижу, как она тихонечко свою эту жвачку изо рта — тьфу! В малюсенький шарик скатала и — на пол. Сама отошла! Мол, моя хата с краю!

Ушаков расхохотался, Надежда горестно поглядела на него.

— Такая вот форма протеста! А может, вообще родилась хулиганкой! Полы там — как зеркало! На таких полах стоять страшно, а не то что жвачку на них плевать! А рядом Маринина. В туфельках! Саша. Она, значит, шаг — и на жвачку! О боже! Стала отдирать. Еле отодрала. Ругается, прямо чуть не плачет. А я вижу и молчу. Что я могу поделать? Не ползать же мне по дворцу на карачках! Вокруг президенты! Потом смотрю: Виктор. Ну, вы его тоже не знаете, он про красавиц пишет. Известный писатель, недавно женился. На куколке просто! В серебряных шортиках, всюду косички! Он сам — сын разведчика. Тоже не шутка! Так Виктор принес во дворец свою книгу. Она только вышла. Хотел ее Путину, значит, с Шираком. Donner en souvenir![1] А сам — р-раз! И в жвачку!

Ушаков вытер слезы, выступившие от смеха. Надежда хихикнула.

— Так вся вликая наша литература на проклятую жвачку и начала спотыкаться! Один отдерет, другой — вляпается! А эта стоит, эмигрантка, которая себя писательницей считает, отошла в сторонку и смотрит в окошко на розы! Убила бы просто! Взяла б и убила!

**Анастасия Беккет —
Елизавете Александровне Ушаковой**

Москва, 1934 г.

Патрик отправил все материалы в Лондон под псевдонимом, и вчера в газете «Лондон пост» появилась первая публикация и несколько фотографий. Посылаю тебе, Лиза, отрывок из этой публикации — рассказ одного молодого учителя, с которым Патрик встречался на Кубани. Он ничего не изменил в этом рассказе, нисколько не приукрасил его, но ты увидишь, что это человек грамотный, и язык его, конечно, отличается от языка простого крестьянина.

«Ранним морозным утром в самом конце января мы с мамой направились по главной дороге к самому

---

[1] Подарок на память *(франц.)*.

центру села. Вскоре взошло солнце. Кругом все было объято тишиной и покоем. Мы не встретили ни одной живой души: ни птицы, ни собаки, ни кошки, даже привычных звериных следов — и то не было на снегу. Навстречу не попалось ни одного человека. Единственным признаком того, что люди еще оставались в селе, был слабый дымок, поднимавшийся над далекими трубами. Но труб таких было немного. Вскоре мы заметили темный предмет в снегу, который поначалу показался нам пнем, занесенным снегом. Подойдя ближе, мы увидели, что это было тело мужчины, окоченевшие руки и ноги которого нелепо и причудливо топорщились под снегом. В нескольких шагах от него лежало еще одно обмороженное тело. Когда я разгреб снег, кровь во мне застыла от ужаса. Это была женщина, окоченевшими руками прижимающая к себе крошечное тельце грудного ребенка. Когда село осталось позади, мы медленно поплелись по дороге, ведущей в районный центр. Вдоль всей дороги лежали мертвые замерзшие тела. С правой стороны — это были тела тех, кто направлялся в город в поисках работы или куска хлеба. С левой — тех, кто возвращался обратно, ничего не добившись. Открытые колхозные поля показались мне местом жесточайшей битвы. На них тоже лежали тела людей, которые пришли сюда в последней надежде найти остатки убранного урожая и умерли прямо на поле.

Пятнадцатикилометровая дорога до города стоила нам огромного непосильного труда. Когда же мы наконец добрались до окраин, то увидели совсем уже немыслимое по своему ужасу зрелище. В нашем городе нечистоты собираются в ночное время специальной санитарной бригадой. Потом они перевозятся на телегах в огромных емкостях и сбрасываются вдоль дорог прямо за городом. Вот и сейчас по обеим сторонам дороги темнели скользкие насыпи нечистот. Внутри этих нечистот лежали умершие окоченевшие люди. Они лежали и группами, и поодиночке, и даже один человек на другом, словно бревна. Часть из них была покрыта снегом, а часть — свежим слоем нечистот. Все это были крестьяне ближних сел. Несмотря на запрет покидать свои дома и выходить за пределы родной деревни, они все же делали это и массами шли в город, к неудовольствию городского населения и местных властей».

Не буду больше. Остальные подробности таковы, что переписывать — рука не поднимается. Завтра прием в посольстве. Знаю, что будет Уолтер. Я его не видела со дня возвращения Патрика. Скажу, что плохо себя чувствую. И не пойду.

Лиза! Не успела отправить тебе это письмо, как пришел Патрик с новостью: он получил телеграмму из Лондона, что все его материалы в печать не приняты и сам он уволен из газеты. Мы ничего не понимаем. Кто мог разгадать его псевдоним и почему — сразу увольнение? Патрик сказал мне, что он почти знает, чьих это рук дело, и завтра в посольстве все разъяснится. Теперь я, разумеется, не смогу остаться дома и пойду вместе с ним.

Вермонт, наше время

— Вы ищете кого-то, Димитрий? — спросила Надежда.

— Да, Лизу, — спокойно ответил он, и у Надежды округлились глаза.

— Сказала ведь я, что попался! — скороговоркой пробормотала она и с досадой щелкнула ногтем по спинке синей, в черных полосках, стрекозы, опрометчиво припавшей к ее загорелому плечу. — Ну, в этом я вам не советчик! Вы тут без меня разбирайтесь!

— В чем?

— Не знаю, не знаю, — отмахнулась Надежда, — тут у нас много было страстей, много переживаний, тут у нас некоторые из-за этих прекрасных глаз вообще без работы остались!

Ушаков молчал.

— Вы понимаете, Димитрий, — доверительно понижая голос, сказала она, — когда женщина не считается с тем, есть ли у человека семья, дети, обязанности, жена, наконец, причем не какая-нибудь там, в замызганном халате, вечная жена, а личность тоже творческая, яркая, нервная, — когда женщина плюет на все и вцепляется в такого человека, я этого не комментирую! Да! Просто и ясно! И вы от меня ничего не добьетесь!

— Но раз вы так сердитесь, то понятно, как вы к этому относитесь...

— Я бы никогда не стала ни во что вмешиваться, — перебила она, — не так, слава богу, воспитана! Но нельзя же смотреть равнодушно на то, как на наших глазах человек немолодой, разносторонний, любящий детей и, главное, свою жену, которая, повторяю вам, лучший его друг и партнер по творчеству, нельзя же смотреть равнодушно на то, как он вдруг с разбегу съезжает с катушек!

— С кадушек?

— С катушек! — взвизгнула Надежда. — Кадушки — с капустой! А это — катушки! И я говорю: просто съехал с катушек! Хотел на чужбине стать чернорабочим!

А сам — режиссер! Постановщик балетов! Поставил у нас здесь четыре балета! И лучше намного, чем Эйфман, намного!

— Где — здесь? В русской школе?

— Не в школе, — успокаиваясь, сказала она. — В балете — все молча, нам так не подходит. Балеты он ставит в столицах, в Европе, а здесь он с женой, она тоже все ставит. «Каток под названием «Анна», слыхали? Прекрасный спектакль! Там классики много, но есть современность. Ребята играли с огромным восторгом.

— Оазис, короче, — засмеялся Ушаков.

— А вы не шутите! — вспыхнула Надежда. — Россия — в душе у ребят, это точно.

— С Россией в душе целые пароходы возвращались из Европы в тридцатые годы! — с неожиданным раздражением сказал Ушаков. — Известно, чем это все кончилось.

Она прикусила полную нижнюю губу.

— У нас тут всегда много спорят, — старательно, словно отвечая урок, начала Надежда. — Об эмиграции. Есть такие циники, которые считают, что евреев начали выпускать из бывшего СССР в качестве обменной валюты и что это было исключительно из экономических соображений. Но таких циников — меньшинство. Мои родители очень многое сделали для того, чтобы расшаталась советская система. И не только мои родители, а все вообще правозащитники. Если бы Галич не пел свои песни, неужели, вы думаете, был бы разрешен выезд евреев?

«Боже мой, какая дура! — тоскливо подумал Ушаков, вежливо улыбаясь в лицо раскрасневшейся Надежде. — Откуда берутся эти люди, которые всегда и все знают?»

— Мы бы тоже вернулись, — с вызовом продолжала она. — И мама. И папа. И я. И все дети. Но мой бывший муж — он, как вам известно, американец, — он ни за что не дал бы мне увезти обратно детей. Он бы меня просто в тюрьму посадил, в сумасшедший бы дом запер! Ни перед чем бы не остановился!

— А вам бы хотелось обратно в Россию?

— Волков бояться — в лес не ходить! — звонко ответила Надежда, давая этим понять, что устала вести философский спор. — Ой! Слышите? Они, кажется, уже репетировать начали! Они, значит, тут, на поляне. Тут чудо-акустика!

За спиной Ушакова во влажной лоснящести леса, который был, словно зонтом, накрыт застывшим над ним облаком и слегка зарумянился от быстрых багровых оттенков заката, послышались голоса, перебивающие друг друга. Потом они стихли, и вдруг один голос — с громоздким английским акцентом, но чистый и сильный, запел очень громко:

Однозву-учно гре-е-емит колоко-о-ольчик,
И дорога пы-ы-ы-ылится-я-я слегка,
И ши-и-ироко-о-о по ровному-у-у полю
Разливается песнь я-я-ямщика-а!

Столько чувства-а-а в той пе-е-есне уныло-ой,
Столько чувства-а-а в напеве ро-о-одном,
Что в груди моей, хладно-о-ой, осты-ы-ы-лой,
Разгорелося се-е-ердце огне-ем!

— Не так, не так! — закричала Надежда, бросаясь на звуки песни. — Я сколько раз говорила, Матюша, что ты должен начать тихо, сдавленно, а потом — чтобы как гром среди неба! Когда запоешь «разгорелося сердце», чтоб все тут рыдали!

На поляне, местами заросшей крупными добродушными ромашками, особенно белыми в этом уже покрасневшем вечернем воздухе, стояли брат и сестра Смиты, кудрявые и покрасневшие, похожие на старые английские портреты, а рядом, уткнувшись в раскрытые тетрадки, сидели на траве юноши и девушки — не больше чем семь или шесть человек — и откровенно зубрили написанное так, как это делают школьники в младших классах: зажмурившись и быстро, беззвучно шевеля губами. При виде Надежды они застеснялись.

— Опять, значит, слов мы не знаем! — медленно и грозно произнесла Надежда. — Вы что, и на вечере будете по тетрадкам петь? А ну, положите! За месяц могли бы уж выучить!

Американские студенты послушно закрыли тетрадки.

— Саня! — обратилась Надежда к Сесилии, сестре голубоглазого Матвея Смита. — Давай начинай! Без шпаргалки.

Сесилия-Саня вытянулась, как змейка, прижала к груди свои белые руки:

Ты этого-о-о хотел, счи-и-ита-а-ая все ошибкой!
Ты са-а-ам мне го-оворил, нам разойтись по-о-ора!

— Да мучайся, Санечка, мучайся! — застонала Надежда. — Не пой мне слова, а заставь меня плакать!

Я встре-етила-а разры-ыв спокой-но-о-о-ю улыбко-о-ой,
Но плакала по-отом до са-а-амого-о утра-а! —

заголосила Саня, умоляюще глядя на небо и стискивая руки так сильно, что кулаки покраснели и стало казаться, что Саня в перчатках.

— Вот! Лучше! Вот так! — просияла Надежда. — По-русски мне пой, чтобы все тут рыдали!

Но тут, испугавшись, наверное, рыданья и к русской душе до сих пор не привыкнув, спокойное светлое небо Вермонта нахмурилось и потемнело.

Гром, поначалу негромкий, стал громче, грубее, из земли поднялась целая лавина одуряющих своею свежестью запахов, что-то раскалилось в глубине неба, как железо в горне, да так и застыло.

— Бежим! Ох, щас хлынет! — закричала Надежда.

Студенты живо вскочили на свои молодые загорелые ноги и с радостными воплями побежали сквозь лес.

> Брошу жизнь стя-я-япно-ой цыганки,
> В шу-умный город жить пой-ду-у!
> Скину серьги-и, бро-ошу карты-ы,
> В скушны-ы-ый горо-од петь пойду-у! —

счастливым голосом заорал похожий на английского эсквайра Матюша Смит и перемахнул через невысокий кустарник.

— Эх! Мать честна, кабы денег тьма!

Налетевший ветер горячо полоснул по ромашкам. Ромашки согнули безвольные шеи, как будто прощенья прося за веселость, но тут озарилось таким страшным светом, и так засверкало тяжелое небо, и так повалился сначала направо, и тут же налево, и снова направо отзывчивый лес, вспыхнул белым, как будто плеснули в него молоком закипевшим, потом стал лиловым, потом стал кровавым... О, что началось! Что умеют там, в небе!

Если бы не эта гроза, не бег через вспыхивающие деревья, не смех, который охватил Ушакова так же, как он охватил всех остальных, если бы не внезапный восторг от того, что есть этот лес, этот бег, этот ливень, разве отважился бы он снова войти в третий корпус, постучать в ее дверь, толкнуть эту дверь, надеясь, что она не заперта, и, увидев Лизу спящей или притворяющейся, что спит, сказать ей:

— Прости, что врываюсь.

ДНЕВНИК
Елизаветы Александровны Ушаковой

Париж, 1958 г.

Долго вчера ходили с Настей под дождем, разговаривали. Мы с ней и в детстве часто ходили под дождем, нас к этому приучил отец. Настя сняла шляпу, любит, чтобы волосы становились мокрыми. Говорили обо всем. Мне нелегко разговаривать сейчас с кем бы то ни было, даже с ней, но молчать все время тоже нельзя: она ведь приехала, чтобы помочь мне. Как будто мне можно помочь!

Настя до сих пор мучается своей историей с Дюранти, и никакими силами нельзя выбить из нее уверенность в том, что она виновата в смерти Патрика.

— Настя, — сказала я, — такие люди, как Патрик, никогда не живут долго. Они летят на огонь, как бабочки. Может быть, они сами смерти ищут? Кто знает?

Опять она на меня посмотрела этим своим новым, светлым, монашеским взглядом:

— Неужели ты думаешь, что смерти ищут просто так? *Без всякой причины?*

Мой сын умер от внезапной остановки сердца. Так

же умер отец Георгия, он мне об этом говорил. Я знаю, почему умер мой сын. Знаю *причину*. Больше никаких *причин* не было. Он не искал смерти. Да что со мной? Настя ведь и не упомянула о Лене! Она говорила о Патрике! Но я почему-то вся покрылась потом и долго не могла прийти в себя.

Потом мы вспомнили про Георгия, и я сказала Насте, что более прозорливого человека в моей жизни не было. Настя его слегка побаивается и не понимает.

— Вы разные, Лиза, — сказала она и очень глубоко вздохнула. — И дело не в возрасте. Но ты — светлая, ты веселая. — Она, видно, заметила, как я вся содрогнулась от этого слова, и сразу поправилась: — Ты *была* веселой. Мне всегда казалось, что тебе должно быть трудно с ним.

Трудно ли мне было? Да. Очень трудно. И дело не в том, что я светлая. Муж мой светлее, душа его чище моей. Но что делать? Намучились оба.

— Я принесла Георгию много горя, — сказала я. — И сама от него много вытерпела. Он вечно был мной недоволен. И ревность...

— Ты когда-нибудь обманывала его? — перебила она.

Я не стала ей отвечать. Не буду же я сейчас исповедоваться! Сейчас все это уже не имеет никакого значения!

— Георгий иногда рассказывал свои сны, — ответила я, чтобы что-то сказать.

Она вдруг вся покраснела.

— Какие же сны? Ты их помнишь?

— Я помню один. Очень помню. *(Это было в начале нашей с Колей истории, когда я вся горела и ничего не видела вокруг себя.)* «Я искал тебя по какому-то городу, полному снега, — сказал мне Георгий. — Везде были церкви, занесенные снегом. Может быть, это была Москва, а может быть, русская провинция, вроде Ярославля или Владимира. Я оставил твоих родителей и Леню ждать в гостинице, а сам бродил по сугробам, чтобы найти тебя. И я тебя нашел. Ты вышла из калитки отвратительного, уродливого дома и пошла мне навстречу. У тебя было мрачное и бессмысленное лицо, и я понял, что что-то с тобой происходит. Потом мы ехали в разболтанном поезде — даже во сне я слышал, как скрежетали колеса, — и тогда я уже почему-то знал все, что происходит с тобой. Ты изменяла мне с человеком, который жил в этом доме, и ходила к нему только для того, чтобы он *это* делал с тобой. Я знал, что ты не любишь его, а любишь меня, а от него тебе нужно только одно, потому что ты сошла с ума, ни за что не отвечаешь и не помнишь себя. И я проснулся в слезах. Я начал просыпаться в тот момент, когда ты встаешь, чтобы опять уйти к нему, а я хватаю тебя за платье и вдруг чувствую, что платье твое — все липкое и влажное от его семени».

Настя молчала, шла рядом со мной, белая, испуганная. Дождь почти перестал. Потом она прошептала:

— Патрик уехал в Китай, потому что понял, что нашей жизни больше нет и не будет.

— Настя! — Я попыталась ее обнять, но она резко отодвинулась. — При чем тут ваша жизнь? Ты о чем говоришь? Патрик искал себе дела. Он был журналистом, хотел знать всю правду!

— Нет! — Она затрясла головой. — Он просто сбежал. Он не выдержал правды!

Анастасия Беккет —
Елизавете Александровне Ушаковой

Москва, 1934 г.

Вчера на приеме в посольстве Патрик ударил Уолтера, и был безобразный скандал. Когда мы приехали, Уолтер был уже сильно пьян, и мне кажется, что он нас ждал и даже нарочно попался нам на дороге, когда мы проходили по коридору из вестибюля в большую залу. Патрик на его презрительный кивок не ответил и посторонился, как будто боялся, что Уолтер до него случайно дотронется. За обедом мы сидели почти напротив, но ни я, ни Патрик на Уолтера не смотрели, а он очень заигрывал с женой Буллита, которая вся утопала в своей собольей накидке и жаловалась, что ее знобит. Мне вдруг до неприличия захотелось заглянуть под стол, чтобы убедиться в своих догадках — ведь я так знаю Уолтера! Я уронила вилку, быстро наклонилась, подняла и заодно увидела, как он гладит ее колено. Когда я выпрямилась, он очень прямо и насмешливо посмотрел мне в глаза, как будто хотел сказать, что отлично понимает все мои хитрости.

Начались, как всегда, танцы. Патрик пошел курить в холл, и тут я заметила, что нас с ним слегка сторонятся, словно известие о его увольнении стало всеобщим достоянием и всем неловко. Но откуда они могли узнать? Уолтер подошел ко мне и пригласил на танго. Я знаю, что он не может толком танцевать, у него же нет ноги. Но такова его власть надо мной, Лиза, что я, как под гипнозом, поднялась и позволила ему обнять себя. Музыка уже началась, пары выходили на середину, а мы стояли чуть поодаль, не двигаясь, и он держал меня за талию. И тут я увидела Патрика, который, наверное, заметил все это через открытую дверь. Я увидела, как он бросил папиросу и очень быстро подошел к нам.

— Get lost![1] — сказал он Уолтеру.

Я попробовала стряхнуть руки Уолтера, но он стиснул меня, как клещами.

— You get lost! You hear me?[2] — повторил Патрик.

Уолтер медленно засмеялся и отрицательно покачал головой. Я вырвалась, красная и растрепанная.

— My little sweet doll, — сказал он. — Do you mind dancing? But why? What's the matter?[3]

— Leave her alone![4] — сказал Патрик и схватил его за руку чуть ниже кисти.

Уолтер оттолкнул его так сильно, что Патрик еле удержался на ногах. Они стояли лицом к лицу, оба очень тяжело дыша, и с дикой ненавистью смотрели друг на друга. Буллит попробовал было вмешаться, но Уолтер оттолкнул и его. Все это заняло не больше минуты.

— Russians want to eat, but they are not hungry, — громко, на весь зал, сказал Патрик. — You, dirty bustard! They pay you a lot![5]

Все поняли, что фраза про русских — это заголовок к статье Уолтера, наделавшей в свое время много

---

[1] Прочь! *(англ.)*

[2] Прочь! Слышите меня? *(англ.)*

[3] Моя сладкая куколка, вы уже не хотите танцевать? Но в чем дело? Что случилось? *(англ.)*

[4] Оставьте ее в покое! *(англ.)*

[5] Русские хотят есть, но они не голодают. Ты, грязная сволочь! Тебе хорошо платят! *(англ.)*

шуму, и тут уж все бросились разнимать их, все разом закричали. Буллит насел на Патрика, пытаясь его увести, но Патрик вырвался. Уолтера тоже попытались оттащить двое, но он сбросил их плечами (он ведь железный!), и опять они оказались лицом к лицу внутри этой свалки. Я не поняла даже, как это получилось, но я знаю, что Уолтер что-то сказал ему очень тихо на ухо — никто ничего не расслышал, — и Патрик вдруг дал ему затрещину. Не пощечину, а настоящую дворовую затрещину, от которой у Уолтера тут же распухло все лицо. Он не успел ударить Патрика в ответ, потому что из носа у него очень уж сильно полилась кровь, и белая рубашка, белый платок в нагрудном кармане стали ярко-красными. Их наконец растащили. Мы с Патриком пошли в прихожую и стали надевать пальто, за нами вышел Буллит, потом его жена. Буллит взял Патрика под руку и отвел его в сторону. Я услышала, как он сказал ему, что в его увольнении из газеты совсем не обязательно виноват Уолтер, все это может оказаться пустыми слухами. Запад не хочет ссориться с большевиками, а статьи Патрика напрямую привели бы к ухудшению отношений, так что поводов избавиться от него было предостаточно. Вполне может быть, что Дюранти ни в чем не замешан. Патрик ничего не ответил, и мы ушли.

Лиза, эту неделю, которая прошла с его возвращения, мы спали вместе в нашей спальне на одной кровати, и, хотя ничего не происходило между нами, настоящего отчуждения я все-таки не почувствовала. Просто видно было, что ему не до меня. Но вчера, когда мы вернулись домой, Патрик, не сказав мне ни слова, взял плед и подушку и постелил себе в кабинете на диване. Лег и закрылся пледом с головой. Я не знала, что делать. Ложиться одной в спальне? Я спросила, не хочет ли он чаю или виски. Но он словно и не услышал вопроса.

Сегодня утром он, не глядя на меня, сказал, что мы возвращаемся в Англию. Он, наверное, все знает. Тогда почему он молчит?

Вермонт, наше время

Она, как обычно, не задала ни одного вопроса, не удивилась тому, что он пришел, не испугалась. Она вела себя так, как будто они и впрямь знали друг друга давно, и поэтому то, что произошло вчера ночью, не было и не могло быть случайностью, а то, что он думал, что они расстанутся, и даже сказал ей об этом, она просто не приняла всерьез.

Вскочив при его появлении с постели, она остановилась перед ним в короткой ночной рубашке, и пока он объяснял, как попал под дождь и бежал через лес и как ему хотелось увидеть ее, стояла, опустив руки, сильно покрасневшая, и смотрела прямо ему в глаза своими обрадованными блестящими глазами.

— Хотел увидеть тебя, — бормотал Ушаков, — иначе было бы слишком нелепо...

— Я знаю, — шептала она, — ты мокрый весь, Митя. Я все понимаю, но ты же весь мокрый...

И как тогда, на плотине, подошла близко к нему, обняла и прижалась всем теплым, заспанным телом, спутанными своими волосами, всей кожей, губами, глазами, вышитыми цветочками на вороте ночной рубашки, стащила с него мокрую майку, он почувствовал вздрагивающие поцелуи на своих плечах и груди и сам начал торопливо и горячо отвечать ей, желая только как можно глубже уйти внутрь всего ее существа, зарыться, укрыться, не думать.

— Не буду тебе ничего говорить, — бормотал он, — потому что я уже старый, я устал, я представить себе не мог, что есть женщина, то есть ты, которая мне все вдруг вернет...

— Но мне ничего и не нужно, тем более сейчас, когда я... Ребенок родится, я больше не буду одна...

Они не слышали друг друга, но продолжали говорить, и им казалось, что идет какой-то связный диалог, что-то открывается, проясняется, словно они опять знакомятся, и снова плывут в этой черной воде, и берег, которого совсем было не видно в густоте ночи, приближается к ним стремительно и надежно, и скоро можно будет нащупать ногами песчаное дно, выпрямиться...

Он целовал ее лицо, ее плечи, и тело его, словно оно вдруг само, не спросившись, вспомнило все, что было ею до конца, было ее плотью, запахом этой плоти — тем розовым, с рыжим отливом, горячим и влажным, от чего он недавно хотел навсегда отказаться, — тело его само нащупало край кровати, само опустилось на эту кровать, и черная вода, в которой они плыли, и бормотали, и искали дно, вдруг вся задрожала и вся осветилась.

ГОЛОД

Если целью большевиков было не только физически уничтожить русского мужика, но и оторвать его от Бога, то голод оказался той самой силой, которая в короткий срок помогла справиться с этой задачей. Сы-

174

тый человек имеет здоровое чувство страха за свою жизнь и за жизнь тех, кого он любит. Острота любви настояна на страхе смерти, то есть нежелании расстаться со своею любовью. Голодный человек не в состоянии думать ни о чем, кроме еды, и любое постороннее голоду ощущение моментально убивается внутри самого человека. За время советской коллективизации несколько миллионов человек приняли смерть, забыв о Боге и помня только о том, что они голодны. Сбылись изреченья Пророка, сказавшего так: «Тяжкими смертями умрут они и не будут ни оплаканы, ни похоронены, будут навозом на поверхности земли, мечом и голодом будут истреблены, и трупы их будут пищею птицам небесным и зверям земным» (Иеремия, гл.16).

Из воспоминаний
Олега Ивановича Задорного

ДНЕВНИК
Елизаветы Александровны Ушаковой

Париж, 1958 г.

Сегодня мы с Настей опять говорили о Патрике. Я сказала, что всегда чувствовала, что всякий человек должен сделать что-то одно — пусть даже незначительное, но свое, подлинное. А получается, что человека стараются впутать во все сразу, и ему кажется, что главное — это доказать, что он все понимает и обо всем у него есть свое мнение, поэтому то единственно важное, что он мог бы сделать, пропадает бесследно. Патрик своею цельностью был похож на моего Георгия, но мой Георгий раздражителен и часто несправедлив, а Патрик был уравновешенным и по-английски немногословным. Мы с Георгием поначалу были уверены, что это НКВД отомстило Патрику за его статьи в английских газетах о голоде в России. Большевики начали следить за ним сразу же, как только он уехал из Москвы. Мало ли кому он мог перебежать дорогу!

— Все перебегают дорогу всем. Так устроен мир, — оборвала меня Настя.

Ужасная эта манера у нее: перебить человека на полуслове! И как она не понимает, что сейчас я говорю о Патрике *просто так,* из вежливости. Какое мне дело до ее Патрика, погибшего двадцать лет назад!

Но я сдержалась.

— Помнишь, — сказала я, — как наши родители всегда и всего боялись? Но таких, как наши родители, было слишком много, не всех же могли уничтожить, а Патрик твой жил на виду, сам шел в руки.

Она затрясла головой.

— Шел в руки! — повторила она почти с презрением. — Это я шла в руки! Не шла, а летела! Тебе ли не знать!

У меня часто бывает такое чувство, что она давно догадалась о моей двойной жизни, хотя я ничего не рассказывала ей. Но, может быть, это просто моя подозрительность. Чтобы перевести разговор, я сказала, что завтра у меня есть одно очень важное дело: нужно дозвониться Антуану Медальникову, Ленину коллеге по Институту Пастера, и встретиться с ним. Он хочет отдать нам какие-то Ленины записи.

Настя вдруг произнесла странную фразу:

— А причина его смерти точно установлена?

Я даже отшатнулась: что она говорит!

— Ленечка умер от остановки сердца. Вере и Георгию объяснили врачи. Они объяснили подробно.

— Да, да! — подхватила она испуганно. — Я знаю, ты мне говорила!

Потом опять вернулась к своему Патрику:

— Бандиты взяли в плен его и еще одного журналиста, немца. Их продержали больше двух недель. Он мне писал, и письма доходили. Их почти не били, не пытали. Так он писал. Через две недели отпустили немца, а Патрика повесили и спустили тело в реку. А потом в английском посольстве меня уверяли, что он умер от сердечного приступа. Так же, как Ленечка.

Так же, как Ленечка! Не хочу ничего слышать. Не хочу, чтобы имя его произносили посторонние! Сын мой. Сын мой. Если бы я могла ни с кем не разговаривать, никого не видеть! Сидеть целый день и шептать: мой сыночек!

Анастасия Беккет — Елизавете Александровне Ушаковой

Москва, 1934 г.

Мы уезжаем из Москвы через две недели. В Лондоне Патрик не собирается задерживаться надолго, он отправляется работать то ли в Австрию, то ли в Германию. Я спросила, почему именно туда, и он очень просто сказал, что в России он понял, что такое коммунизм, а теперь хочет понять, что такое нацизм.

По-моему, за нами здесь следят. Вчера я стояла у окна и смотрела на улицу. Увидела товарища Варвару, которая подходила к нашему дому не одна, а с незнако-

177

мым человеком, издалека показавшимся мне похожим на белого негра: широкий приплюснутый нос, надутые губы, из-под низко надвинутой шапки торчат мелкие желтые кудри. Она стала ему что-то объяснять, показывая на наши окна, он закивал и несколько раз деловито высморкался в сугроб. Я отошла от окна с занывшим сердцем. Не могла решиться сказать об этом Патрику. Со времен его драки с Уолтером мы почти не разговариваем, хотя продолжаем быть вежливыми друг с другом, как будто ведем какую-то игру с жесткими правилами. И еще раз я увидела этого «негра» потом, когда ехала в трамвае. Он вошел следом в вагон и потом наблюдал за мной всю дорогу, заслонившись газетой. В вагоне было холодно, а я вся покрылась потом под пальто. Лиза, ты пойми: это во мне ужас животный, это не просто страх. Теперь по ночам мне все чаще хочется встать и проверить все замки, все двери, я иду в кабинет — Патрик теперь спит один в кабинете — и слушаю, дышит ли он, жив ли.

От Уолтера ни слуху ни духу. Тоскую по нему денно и нощно. Бегу на каждый звонок, хотя со дня увольнения Патрика из газеты нам почти никто и не звонит. Какие все трусливые, какие они все продажные! Каждый трясется за свою шкуру, за теплое местечко, и никто не хочет ни во что вмешиваться. Не люди, а требуха. Единственная, кто зашла после скандала, — Мэгги, жена Юджина. Она сказала, что у Буллита были очень недовольны поведением Патрика, и все намекают на то, что Патрик ударил Уолтера по личным причинам, а вовсе не из-за того, что Уолтер исказил картину колхозной жизни в своих статьях. Кто-то якобы спросил Уолтера после нашего ухода, правда ли то, что говорит Беккет, и Уолтер ответил сквозь зубы, что все это правда, но «это ведь русские». Всего-навсего!

(На следующий день)

Лиза! Вчера оборвала свое письмо на середине, сегодня мне необходимо дописать его. Необходимо. Провела очень тяжелую ночь. Снились какие-то маски, как будто я на карнавале, одна из этих масок все время облизывалась, и я знала, что она слизывает кровь, которая незаметна под гримом. Конечно, все это от моих постоянных мыслей, во-первых, об Уолтере, а во-вторых, о том, что я узнала от Патрика. От этих мыслей я не могу избавиться ни на секунду. Проснулась наконец после своего кошмара, вся разбитая, и увидела, что комната залита розовым ослепительным солнцем. Увидела сквозь шторы кусок очень синего неба и поняла, что начинается весна. Вспомнила, как было хорошо на душе раньше, когда начиналась весна. А в детстве! Ты помнишь?

Патрика дома уже не было, а товарищ Варвара вытирала пыль в его кабинете, но, когда я вошла, она очень резко отпрянула от письменного стола, как будто я ее спугнула. Я поскорее оделась и, несмотря на холод, пошла гулять. В переулке увидела старуху, которая так напомнила нашу Франсуазу, что я глазам не поверила: то же красное лицо с редкими старушечьими усами, те же слезящиеся голубые глаза с их покорным, коровьим выражением. Но Франсуаза всегда улыбалась, даже когда рассказывала нам свои грустные сказки, а эта шла сгорбившись и всхлипывала. Я чуть было не крикнула ей: «Франсуаза!», потом сообразила, что наша Франсуаза давно умерла и покоится на кладбище в Тулузе. Какая там Франсуаза! Все чужое мне в этом городе, и я всем чужая. Я не успела даже толком подумать об Уолтере, как вдруг меня охватило такое желание увидеть его прямо сейчас, такая поднялась тянущая боль в животе и заколотилось сердце, что я побежала по этим заваленным снегом переулкам, и мне стало жарко на морозе.

Лифт у них никогда не работает, в подъезде темно. Иду по лестнице. Вдруг слышу шаги. Сверху, прямо на меня, сбегает Патрик. Мы столкнулись лицом к лицу. Мне одного хотелось в эту минуту: умереть. Так вот звери, наверное, притворяются мертвыми, чтобы их не трогали.

Я увидела в темноте, как у него задрожало лицо. Потом он посторонился, словно пропускает меня, дает мне идти туда, куда я шла, и слегка даже вжался в стену. Он ведь должен ударить меня или убить прямо здесь, на лестнице, и мне было бы легче, если бы он ударил меня, но он только смотрел, и лицо его дрожало передо мной внутри этой студенистой темноты.

— Я только проститься, — сказала я.

— Я так и подумал.

Он пошел было вниз, но вдруг резко обернулся и обеими руками схватил меня за щеки, сжал изо всей силы, мне нечем стало дышать, но он не отпускал меня. Смотрел, не произнося ни слова. Так, наверное, смотрят на умерших, перед тем как опустить крышку гроба.

— Ты сумасшедшая, — сказал он. — Вы, русские, все сумасшедшие.

Оттолкнул меня и побежал вниз. Через секунду я услышала, как оглушительно хлопнула подъездная дверь. Я опустилась на грязную ступеньку. Вдруг слышу с верхнего этажа голос Уолтера:

— Поднимайся!

Я не ответила. Он чертыхнулся и сам начал спускаться по лестнице в темноте. Почувствовала его знакомый запах: виски, табак и английский одеколон.

— Вставай, — сказал он. — Пойдем.

— Никуда не пойду!

Тогда он просто сгреб меня в охапку и понес наверх. Я подумала, что если бы он сейчас со всего размаху бросил меня в этот гулкий, как колодец, лестничный пролет, то было бы лучше всего. В квартире у него оказалось холодно. Уолтер положил меня на диван, накинул плед, а сам сел рядом.

— Я бы оставил тебя здесь, — сказал он, налив себе виски в стакан. — Ты — маленький furet[1], ты прогрызла мне сердце. А может быть, ты раньше была моей дочкой. — Он коротко засмеялся. — Такие папаши, как я, всегда спали со своими дочками. Что ты затихла? Я думаю, что мы живем не один раз, а очень много. Сначала я — Уолтер Дюранти, потом — еще кто-то, какой-нибудь булочник или пожарный. Могла у пожарного быть, скажем, дочка? У меня болит здесь. — Он потер переносицу. — Такое вот: у-у-у-у! И по всей голове! Когда я беру тебя, мне сразу легче. Другие женщины слиплись в голове, как леденцы. Я их не помню.

Он выпил залпом и налил еще.

— Я никогда никого не любил, — сказал он хрипло. — Но это нормально. Я не притворялся. Ни с кем, никогда. И с тобой. А зачем? Мне нравилась женщина, я ее брал. А ты меня перехитрила. Я больше не хочу никого, кроме тебя. Другими уже не наешься. Что ты сделала со мной, а?

— Замолчи!

— Твой муж хотел испортить мою репутацию. Глу-

---

[1] Зверек *(франц.)*.

по. В политике все решают деньги. Так было и будет. Миру наплевать на этих мужиков. Да пусть хоть сгниют! А мне нужна ты.

Он встал на колени перед диваном, на котором я лежала, и положил лоб на мою руку. Лоб его был таким горячим, что прожигал меня через кофту. Потом он оторвался, поднял голову, и я удивилась: он плакал.

— Я напился, но так даже лучше. Он увезет тебя. А ты без меня жить не сможешь. Ты не сможешь спать с другими, потому что ты моя.

У него начал заплетаться язык, он плеснул себе еще виски и судорожно проглотил.

— Я бы оставил тебя здесь, мне наплевать на твоего Беккета, но она тебя задушит. Не в Беккете дело, а в ней.

Я поняла, о ком он говорит. Об этой своей домработнице.

— Я хотел здесь жить. Потому что мне хорошо. Все ходят пешком, а я езжу на машине. Мне наплевать на их режим, я свободен. Сначала мне было совсем хорошо. Китаец приносил порошок. А Катерина сперва даже не оставалась ночевать. Она говорила: «Ой, что вы! Нельзя!» — Он всплеснул руками и запищал, передразнивая Катерину. — У нее такая вот грудь. О-о какая! И когда она пришла ко мне, у нее из груди все время капало молоко. Она мне сказала, что это у нее всегда так. Она — как корова. Не женщина, ты понимаешь? Корова.

— Зачем мне все это?

— Зачем? А вдруг я сегодня умру? Там ничего нет. Ни там и ни здесь.

— А вдруг это я сегодня умру?

Он расхохотался:

— Ну, нет! Я тебе не позволю.

— Ты меня не любишь! — Я оттолкнула его. — Если бы ты любил меня...

Он сморщился.

— Ну, «если бы»! «Если бы» пускай тебя другие любят! А я без тебя не могу. При чем тут любовь? Это голод.

Меня всю передернуло, когда он сказал «голод».

— Катерина меня зарежет, если я захочу удрать. Она на меня доносит, но пусть. Здесь все доносят. Я был в Кремле и ел вместе со Сталиным. Он маленький, дряблый, а нос у него в гнойничках.

Я попыталась встать, но он резко отбросил меня на подушку.

— Лежи. Я хочу с тобой спать. Сегодня ты будешь спать здесь.

Нужно было спросить у него, зачем приходил Патрик. Но он сам заговорил об этом.

— Твой Беккет совсем еще маленький мальчик. Он сказал, что он меня убьет. Подумай: убьет! Все хотят моей смерти. И этот твой... как его?.. муж? Тоже хочет.

Он вжал меня в спинку дивана, а сам лег рядом и вдруг заснул. Он был очень пьян, я никогда не видела его таким пьяным. Теперь я могла бы уйти. Но я никуда не ушла. Мне вдруг стало так хорошо рядом с ним! Так блаженно тепло от близости его тела. Я лежала не шевелясь. Минут через десять он, не раскрывая глаз, стащил с меня платье.

Утром он сам отвез меня домой. Мы ни о чем не говорили дорогой. Он был мрачным и только сказал мне, что у него дико болит голова. Когда мы подъехали к моему парадному, он спросил:

— Ты уверена, что хочешь вернуться к Беккету?

— А куда мне деваться? — спросила я.

Лиза, если бы в эту минуту он предложил мне остаться с ним, я бы осталась. Он пожал плечами и ничего не ответил. Я поднялась по лестнице, открыла дверь своим ключом. Патрика не было. Он не ночевал дома. Сейчас десять часов утра. Я написала тебе все, больше нечего. Варвара сегодня выходная.

Вермонт, наше время

Кто-то ходил по коридору, грохоча ногами, потом кто-то невидимый вкрадчиво засмеялся за окном — так близко, как будто засмеялась сама сирень, от запаха которой давно одурело все в комнате, и стол, стулья, книги казались надушенными.

Они лежали обнявшись, прикрытые простыней. Было очень тепло.

— Покажи мне фотографию, где ты в детстве, — попросил Ушаков.

— А у меня ничего нет, — ответила она, — только вермонтские.

— Ну, покажи вермонтские.

Она встала, вытащила из ящика стола пакет с фотографиями, вытряхнула их на кровать, и они начали рассматривать вместе.

— Вот это самое мое первое здесь лето, я только приехала в Америку. Восемь лет назад. Здесь была конференция, много набежало российских знаменитостей. Был Кушнер с женой.

— А кто это — Кушнер?

— Я все забываю, что ты иностранец! Поэт такой. Маленького роста с большой головой. Написал стихотворение про череп Моцарта.

Она нахмурилась и негромким, гнусавым слегка

184

голосом произнесла, передразнивая неизвестного Ушакову Кушнера:

— «Мне человечество, мне человека жаль!»

Ушаков засмеялся.

— Ах, господи, что я стараюсь! Ведь ты не оценишь! — Она тоже засмеялась. — Жена у него большая, высокая, и все время говорила: «Ешь, Сашенька, йогурт!»

— А стихи хорошие? — любуясь ею, спросил Ушаков.

— Чистенькие. Пошловатые. Бродский незадолго до смерти написал стихотворение, где обозвал Кушнера амбарным котом. Очень обидное и очень точное. Видно, что Кушнер его сильно раздражал. А потом, когда Бродский умер, я наткнулась на интервью, где Кушнер как ни в чем не бывало объявляет себя ближайшим и любимейшим другом Бродского. С таких людей всё как с гуся вода.

— Страшная вещь эта ваша русская литература! — усмехнулся он.

Лиза слегка покраснела:

— Ты хочешь поговорить о литературе?

Он покачал головой.

— Сейчас я тебе покажу кое-что. — Она вытащила из вороха фотографий одну, которую прижала к своему животу, не сводя с Ушакова вдруг потемневших глаз.

— Что там? — напрягся он.

На фоне деревьев, почти побелевших от солнца, трое стояли, дружески обнявшись, и улыбались невидимому фотографу. Лиза была в центре, и поэтому ее обнимали с двух сторон: высокий, с большим, круто слепленным лбом мужчина в раскрытой на груди рубашке, прищурившийся от слишком яркого света, и черноволосая женщина средних лет в очень коротком летнем платье.

— Ты понял? — спросила она.

Теперь покраснел Ушаков.

— Это он?

Она тяжело встала и отошла к окну. Ушаков тоже вскочил. Ему стало неловко, что он в одних трусах, и если сейчас начнется серьезный разговор, то все это будет комичным.

— И *все ш таки*? — он выговорил это так, как выговаривала мать: «все ш таки».

— Отец моей дочки. Да, он.

— Откуда ты знаешь, что дочки? А может быть, сына?

— Я чувствую.

— И где он сейчас?

Он старался вовсе не смотреть на нее, но она отражалась в зеркале, перед которым он остановился, и пристыженное и одновременно готовое к отпору выражение ее лица больно удивило его.

— Я, может быть, не имею права ни о чем спрашивать?

— Не знаю. Наверное, имеешь.

Один взгляд на лысоватого, с большим лбом и ласковым прищуром человека на фотографии вызывал тошноту. Он казался сосредоточением той самоуверенной пошлости, которую Ушаков остро и безошибочно чувствовал в людях.

— Тебе, наверное, лучше всего уехать, — вдруг сказала Лиза. — Совсем уже поздно.

— Послушай! — У него затряслись губы. — Я так не смогу...

Она перебила его:

— Не нужно ничего объяснять! Я еще вчера сказала тебе, что ничего не получится, потому что я беременна, и это...

— Не это! — громко и раздраженно перебил он. — Я готов был принять твоего ребенка как часть тебя самой. Но этого твоего seduire[1], — он кивнул на фотографию, — я не могу принять как должное, и если он до сих пор существует...

— Детей ведь не аист приносит, — сказала она спокойно и грустно.

Лицо ее изменилось. Выражение стыда и готовности к отпору уступило место грустному равнодушию, как будто она поняла бесполезность каких бы то ни было объяснений. Ушаков быстро надел брюки и потянулся за рубашкой.

— Я знала, что так все и будет. — Она выгнулась и обеими руками поправила рассыпавшиеся волосы. Сирень за ее спиной была слишком белой и слишком сильно пахла. — Прости, что так вышло...

Теперь он мог бы уйти. Она сама отпускала его. Ушаков опустился на стул.

— Скажи только, где он сейчас?

— Он? Здесь. Он в Вермонте. Совсем, кстати, близко.

— Ты видишь его?

Она отрицательно покачала головой.

— Да нет. Последний раз мы виделись в Нью-Йорке два месяца назад. И все.

— И что? — пристально глядя на заоконную белизну, спросил Ушаков.

— И расстались.

— Прости, я не верю. Почему это вдруг люди рас-

---

[1] Обольститель (франц.).

станутся, если у них должен родиться ребенок? Absurde![1]

— Ребенка жду я, — прошептала она. — Он не просил этого ребенка, ребенок ему не нужен. У него есть дети. От меня он хотел совсем другого.

— Чего же? Могу я спросить?

Она нахмурилась.

— Ты знаешь чего.

Ушаков покраснел так сильно, что слезы навернулись ему на глаза.

— Прости. Ты не должна передо мной отчитываться.

— Митя, — сказала она, вдруг первый раз назвав его по имени. — Люди идут в постель и потом забывают друг о друге. Это случается сплошь и рядом. Не волнуйся так.

Он подошел к ней, и руки его сами легли ей на плечи.

— Ведь ты так не думаешь, правда?

— Откуда ты знаешь, как я думаю?

Она передернула плечами, пытаясь стряхнуть его руки, и отвернулась от него.

— Подожди! — попросил Ушаков. — Он в Вермонте, и ты в любую минуту можешь встретиться с ним... Скажи только: да или нет?

— Ведь я же сказала! — вскрикнула она и вырвалась. — Не надо меня допрашивать, слышишь? Не надо!

У нее сорвался голос, и злые беспомощные слезы затопили лицо.

— Уйди! — мокрой от слез рукой она оттолкнула его. — Дай я побуду одна!

Ушакову стало легче, когда она заплакала. Между ними была странная связь, которую он теперь чувство-

---

[1] Нелепость (*франц.*).

188

вал все сильнее и сильнее. Малейшее проявление равнодушия, покоя и независимости с ее стороны вызывало в нем раздражение, подозрительность и даже желание отомстить ей, но, как только он ощущал ее слабость, беспомощность и досаду на себя саму за эту слабость, душа его переворачивалась от жалости к ней. Главное же, он убеждался в том, что они понимают друг друга с полуслова и быстрота происходящего между ними не зависит ни от нее, ни от него.

ДНЕВНИК
Елизаветы Александровны Ушаковой

Париж, 1959 г.

Сегодня самый в моей жизни страшный день. Я позвонила Медальникову, и мы с ним встретились у St.German — L' Auxerrois. Он сказал мне, от чего умер Леня. У Медальникова остались записи. Мой сын вел наблюдения над своим состоянием и сам увеличивал дозу. Медальников все знал об этом с самого первого дня. Я спросила, как же он мог. Он знал, что Леня может погибнуть, и никого не предупредил об этом. Я сказала, что он убийца. Он чуть не заплакал. Мы сидели в сквере. Он сполз на землю и хотел стать передо мной на колени. Я стала отпихивать его. Люди какие-то обернулись. Потом он сказал:

— Елизавета Александровна, разрешите мне все вам объяснить!

И стал быстро листать Ленины тетради. Потом забормотал, что Леня погиб по ошибке, все должно было завершиться благополучно. Я спросила, читал ли он сам Ленины тетради.

— Нет! — Он схватился за голову обеими руками. — Я не мог. Ведь это так страшно! Ведь я же все знал! Вера тоже знала. Мы оба виноваты перед вами.

Я ушла от него, убежала. Сказать Георгию или Насте — не могу. Вере — тем более. Она все знала. Как же она молчала? Значит, когда Леня умер, она просто скрыла от нас, от чего он умер. Сказала неправду.

Вермонт, наше время

Облако, плывшее над головой Ушакова, было похоже на голову лохматого дворового пса, и широко расставленные глаза его наивно смотрели сверху на то, как Ушаков, оглядываясь на ее окно, быстро идет к стоянке. Солнце почти зашло, но вечер все медлил, все не наступал, и легкий, тревожный, загадочный свет наполнил собою верхушки деревьев.

Бессонным, однако же, местом была эта школа! Соловей притих, но вместо него надрывались цикады, и если бы кто-то захотел вдруг отдохнуть и уткнулся разгоряченным лбом в мягкую подушку, то вряд ли трескучие эти цикады позволили бы уставшему человеку забыться спокойным и сладостным сном.

Мало того, что и ночами не успокаивались птицы внутри свободно шумящих деревьев, а в густой траве надсадно дышали насекомые, и пчелы продолжали вяло гудеть в лоснящихся от луны бутонах, и рыбы — хотя бессловесные по своей природе — так громко плескались в глубоких озерах и так высоко вдруг взлетали на воздух, как будто у них свои игры, веселье, и там, под водою, им тоже не спится. Мало того, что двигалась, не умолкала, не затихала природа Вермонта, но и люди, населившие русскую летнюю школу, оказались до странности неугомонными. Они целовались в кустах и оврагах, листали страницы учебных пособий, подолгу стояли, намылившись, в душе, усердно себя поливая водою, смеялись и пели, плясали и пили, и все выходило так складно, красиво, как будто не для того они родились, чтоб долго, настойчиво мучить друг друга и все на земле быстро съесть и испачкать, но лишь для того, чтобы петь и смеяться, смотреть на беззвучное синее небо, а спать очень мало, почти незаметно, чтоб времени жизни без толку не тратить, служа благородным возвышенным целям.

Ушаков открыл машину и, откинув спинку сиденья, лег, закрыл глаза и начал вспоминать. Ни одна из его женщин не была похожа на нее, но что-то вздрагивало, что-то просвечивало сквозь тугую неподатливую волну времени, которая висела над жизнью или, лучше сказать, внутри которой жизнь несла его — беспомощную песчинку, одну миллиардную человеческого песка, — несла с одного берега к другому, и он — на ходу, на лету, на подъеме шумящей воды и бессонного ветра — пытался сейчас ухватить и понять, как это случилось, что именно она, о существовании которой он и не подозревал три дня назад, вдруг стала близка, словно часть его тела.

Рядом остановилась большая, много раз битая машина, сидящие в которой не заметили Ушакова и громко продолжали взволнованный разговор. Окна в машине были открыты, и Ушаков слышал каждое слово. Два голоса он узнал сразу же: это были Надежда с матерью. Третий голос — глуховатый и словно бы вовсе без возраста — принадлежал, как выяснилось, Анюте Пастернак.

— Любить ты должна прежде всего, Анюта, самое себя, — горячо говорила Надежда. — Телесно любить. Обожать неустанно.

— Что значит себя? — удивлялась Анюта.

— А вот то и значит! Я, например, каждое утро начинаю с того, что раздеваюсь догола и, вот так вот обхвативши себя руками — вот так вот, под мышками, крепко, — подхожу к зеркалу и несколько раз говорю: «Ты прекрасна!» И мне помогает! Поэтому, когда однажды Роже вздумал глазки строить с амвона одной прихожанке, мерзавке из Питера, я заявила: «Не на-до, голуб-чи-ик!»

— Ах, господи, как же так: глазки? Ведь он же священник!

— Священник он, как же! — вздохнула Ангелина. — Не дай бог такому попасться!

— Еще раз услышу — ноги здесь не будет! — быстро отозвалась Надежда.

— Да нужно мне больно! — испугалась Ангелина. — Тебе хорошо? И живи на здоровье.

— Во-первых, переобдумай систему питания, — продолжала Надежда. — Стань микробиотиком. Не пожалеешь. Чай, зерна и суп! И другого — ни крошки!

— У нас тут есть один, — пробормотала в туманные небеса Ангелина, — пишет хокку. По шесть хокку в день. И так лет пятнадцать. «Хожу по воде. Наблюдаю за рыбой. Я счастлив, поскольку родился в деревне». Примерно так. Его наградили японской медалью. За эти вот хокку. Женат на японке. Они вместе целыми днями жуют. Как два грызуна: хруп-хруп-хруп. И все зерна. А спят на полу, завернувшись в попоны.

192

— Ну, это же крайность! — нерешительно возразила Анюта.

— Здоровый как бык, — неохотно согласилась Надежда. — Жутко нравится бабам. Хотел соблазнить даже нашу принцессу.

— Какую принцессу? — спросила Анюта.

— Вот ты меня спроси, что они все в ней находят, и я тебе не отвечу! — со страстной печалью призналась Надежда. — Какой из Парижа приехал! И дня не прошло — уже с ней!

— Откуда ты знаешь?

— А кто что скрывает? — удивилась Надежда.

— Ей есть что скрывать, — возразила Ангелина.

— Ах, это! Ну, да. Об этом она никогда не говорит, но всем все известно.

— О чем?

— У нее своя трагедия. Младший брат, которого она вырастила. Маленький брат, хороший мальчик. Рос без матери, мать у них давно умерла. После школы он приехал сюда учиться. Говорят, был очень блестящий ребенок, его даже приняли в Гарвард. Она жила в Москве с отцом, а он здесь учился. Потом началась история то ли с какой-то девицей, то ли еще что-то — короче, он стал наркоманом. Она бросилась его спасать, ее не впускали в Америку, она обивала пороги, потом все-таки приехала. Но по израильской визе, кажется. То есть прошло немало времени. Она там, в Москве, не поняла, что с ним, просто почувствовала, что он не в порядке. Про наркотики ей даже в голову не пришло. Всем кажется, что такие дела случаются только с другими детьми, с посторонними. А мой, мол, ребенок — другой. Мой-то, мол, знает, что это нехорошо, мы же ему объяснили! И она тоже так думала. А когда приехала и все своими глазами увидела — тут у нее, конечно, был просто шок.

— Досталось, я думаю, — глухим своим, невыразительным голосом сказала Анюта Пастернак.

— Ужасно досталось! — вздохнула Ангелина. — Мы ее с Надей не очень жалуем — и знаем за что, очнь даже мы знаем! Но то, что, конечно, ей очень досталось, — тут чистая правда, тут я умолкаю. Хлебнула по полной. Главное, что у них такая была большая разница в возрасте — чуть ли не восемнадцать лет, — что она к нему относилась как к сыну.

— Он умер? — спросила Анюта.

— Передозировка. Она его сама и нашла. Мертвого.

Ушаков резко поднял откинутое сиденье и включил мотор. Машина рванулась с места, и в зеркальце, где пылко успела мигнуть небольшая звезда, подпрыгнули в страхе их мягкие лица и тут же исчезли, запутались в листьях.

Он выехал на дорогу, которая вела прямо к шоссе, и вдруг, в этих тонких и робких деревьях, которые словно просили о чем-то, зажглась незнакомая русская песня. Кто пел, Ушаков разглядеть не смог, но голос был свежим, печальным и страстным:

А над Тереком ночь тре-ево-о-о-жная,
Свечки ста-а-авятся всем святым,
Эх, казак лихой, отступать не поло-о-ожено,
Так помирать тебе молоды-ым!

Не печалься за нас, атаман,
Лег над Тереком белый тума-а-ан,
За туманом нас ждет, атаман,
Смерть веселая, крест да бурья-а-ан...

ГОЛОД

«Хлеба не было ни грамма. Людей очень много умерло. Пухли сильно. Вот под забором сидит, а потом — все. Самая страшная смерть — от голода. Украинцы приезжали, меняли все. Кофты, платья — все меняли на хлеб. Приходили к нам, прямо под забором умирали. Мы тогда пустой щавель ели. Не было чем забелить. Ели пустой. Щавель рвали и ели, картофли гнилые по полю собирали, толкли и ладки пекли. По лесу ходили, траву собирали, толкли, блины пекли. Верас — такая трава есть. С нее собирали цветы. Не дай бог!» (В.А. Буйновец, год рождения 1924, деревня Слобода.)

«Дорогой брат, уведомляем о том, что отец ваш сильно опух и плох. Также и мама ваша. А телеграмму послать нет денег. Поэтому, пожалуйста, проситесь домой. Ваш отец пока жив, но он без сознания, так что, пожалуйста, проситесь, хотя вы и служите на военной службе, но, пожалуйста, извернитесь домой, может быть, отца еще застанете в живых, но мать и сестру не застанете. Приезжайте и обо всем распорядитесь сами, а то у нас хоронить теперь очень дорого. И ямку рыть — весь трудодень пропадет». (Красноармейцу Космачеву от родных. 12 января 1934 г. Деревня Тихань Климовичского района.)

По свидетельству очевидцев, от голода умирали в первую очередь мальчики до трех лет и мальчики подросткового возраста (11—16 лет). Смертность среди девочек была на 20—30% ниже. Так, в селе Сахновщине Красноградского района в 15 семьях умерло 30 мальчиков и 18 девочек, в селе Маниловке этого же района в 7 семьях умерло 16 мальчиков и 8 девочек, в селе Белики Кобелякского района в 4 семьях умерло 12 мальчиков и 6 девочек, в селе Веремеевке Кременчугского района в 5 семьях умерло 16 мальчиков и 7 девочек.

Дети были наименее защищенной категорией населения. Они погибали как от голода, так и оттого, что становились жертвами эпидемий, морозов, попадали в руки каннибалов. Существует множество свидетельств того, как крестьяне вели своих детей в большие города и на железнодорожные станции и там оставляли в надежде, что дети хоть как-то, но выживут. Весной 1933 года началось массовое уничтожение бездомных детей. В марте на Полтавском вокзале «специальный вагон перевели на боковую колею, а детей, толпящихся вокруг него в поисках еды, количеством до 80 человек, загнали в него силой с намерением везти их в колонию. Но в вагонах истощенные дети быстро умерли, и их закопали неподалеку».

Из свидетельства Грицини Феклы Кондратьевны, жительницы села Жуковка Красноградского района, которая в 1933 году несколько раз ездила в Полтаву, чтобы обменять вещи на хлеб: «Часто по несколько раз в сутки проводились облавы на беспризорных детей. Их ловили десятками, сотнями, закрывали в товарных вагонах. Дети вырывались, кричали, плакали. Вопль стоял на всю Полтаву. Однажды на вокзале сказали, что более полусотни детей закрыли в товарном вагоне, и они все там умерли. Некоторые люди даже утверждали, что их было не меньше чем сто человек».

Вермонт, наши дни

Юноша по имени Матвей Смит с самого начала своей девятнадцатилетней жизни привык, что вся ответственность за его кудрявую, как овца, белокожую и безответную сестру целиком лежит на нем. Первого апреля 1989 года Сесилию Смит в облике небольшого атласного свертка принесли в дом. Был День дураков, все друг друга дурили. Сесилия тоже могла бы быть куклой. Однако она оказалась младенцем. Матвею тогда было ровно два года. Он только-только начал говорить.

— This is your baby-sister, — сказали ему. — You are responsible for her.

Матвей за нее отвечал. «Беби-систер» стала взрослой девушкой, навела искусственный румянец на нежные свои, продолговатые щеки — которые, если не красить, белы, как метель, — просила у матери денег на новую грудь (чтобы сделать побольше!), окончила школу, взялась изучать трудный русский язык, а он за нее — отвечал. Он даже поехал в Вермонт на все лето, хотя у него были совсем другие планы, и ребята, с которыми он дружил, собирались пройти пешком всю Калифорнию, а другие ребята, с которыми он тоже дружил, отправились на Аляску, а третьи... Да что говорить! Он за нее отвечал, и ответственность за это белокурое и кудрявое, как овца, существо с тонким, но сильным голосом и всегда немного потными от волнения розовыми ладонями, спело усыпанное веснушками не только по лицу, поражающему своим глуповатым, как казалось старшему брату, выражением, но также по длинному, хрупкому телу — такому хрупкому, что, если его уронить ненароком, оно бы разбилось, как чайная чашка, — эта ответственность так глубоко вошла в плоть и кровь Матвея Смита, так пропитала все поры души, что сейчас, когда у Сесилии, семнадцатилетней дурочки, появился ухажер, он начал беспокоиться, как будто она ему и не сестра, а дочка, рожденная в адовых муках.

Дело было, однако, не только в Сесилии, ежесекундно вспыхивающей от волнения, которой и в голову не приходило, что́ может случиться из отношений с Бенджаменом Сойером, похожим на Элвиса Пресли столь сильно, как будто душа молодого актера вернулась на землю в своем же обличье. Матвей и сам был не уверен, не ошибся ли он: ведь чем же могла белобрысая «беби» привлечь столь роскошного видного парня? За четыре недели в школе русского языка Бенджамен Сойер успел заморочить головы трем уже девушкам, одна из которых была даже замужем, и муж воевал, между прочим, в Ираке. Теперь, судя по всему, выбор его пал на кроткую веснушчатую Сесилию, певунью, глупышку, беспечнее птички. Сесилия *так* вспыхивала при появлении Бенджамена, что лицо ее становилось ярче розы, когда Бенджамен Сойер своею развинченной, легкой походкой к ней вдруг подходил в той же самой столовой с большим и оранжевым липким подносом. Две недели сердце юноши Матвея Смита сжималось от самолюбивого гнева при виде его полыхающей дуры-сестрицы, которая глаз не сводила с пижона. Учительница пения и русского народного мастерства Надежда Дюбуа — та, напротив, стала отмечать, что у Сесилии все лучше и лучше пошли старинные любовные песни, особенно: «Зачем, зачем ты повстречался-и-и, зачем нару-у-ушил мой покой». А романс «Помню, я ишо-о-о моло-о-одушкой была» Сесилия на последней репетиции спела так, что у несдержанной Дюбуа на синюю блузочку хлынули слезы. Спорить не приходилось: с точки зрения русского народного мастерства, дело шло хорошо, но он не за этим томился в Вермонте, когда все гуляли по дебрям Аляски! А может, Бразилии, впрочем, неважно!

Пока Бенджамен Сойер кружил головы трем остальным девушкам, у одной из которых муж воевал в Ираке, Матвей только тихо страдал, наблюдая нелепое поведение сестры Сесилии, но, когда Бенджамен вдруг начал скалиться при виде ее деревенского платьица, из выреза которого высовывались молочные грудки в своих золотых и невинных веснушках, о, тут он не выдержал! Начал следить. Все бунтовало в его благородном существе против этого полицейского метода. Насколько бы было прекрасней в Аляске! Вместо этого он следил, с кем и куда она отправилась после урока русского народного мастерства, кто сидит рядом с ней в большой комнате, где студенты часто собирались вместе, не удрала ли она купаться на горную речку, в которой вода так прозрачна, что входишь и сразу же видишь любую травинку. Однажды он заметил, что Бенджамен, обменявшись с Сесилией короткими понимающими взглядами, налил ей два сока в большие стаканы. В один — ананасный, в другой — виноградный. И тут же отпил по глотку из обоих.

Сегодня после репетиции в лесу, когда всех поющих спугнула гроза, Матвей, удирая сквозь чащу, вдруг понял, что этой легчайшей сестры его нету! Была ведь, была, ведь летела, как ангел, и волосы намокшим потемневшим облаком летели за ней и цеплялись за сучья, и вот уже — нету! Матвей бросился в одну сторону — но там раскричался разбуженный филин, он бросился в другую — но там засверкало в разорванном мраке (могли быть и волчьи глаза, и медвежьи!), и ничего не оставалось ему, кроме как догнать остальных, добежать до корпуса, ворваться к себе в комнату, вытащить из груды свежепостиранного белья сухую майку, натянуть ее на свое молодое, блестящее от дождя, с белыми лопатками тело и тут же опять побежать сквозь буран — искать ее, дуру, овцу, baby-sister!

ДНЕВНИК
Елизаветы Александровны Ушаковой

Париж, 1959 г.

Всю ночь читала Ленины тетради. Почитаю и отложу, почитаю и спрячу. Как бы не сойти с ума. Я не плачу, слез нет. Как он посмел сделать с нами такое! Где было его сердце, его жалость к нам, к маленькому Мите? Никто не знает его так, как я. Не любовь к науке толкнула его на эти опыты. И не гуманность. Другое. А что — я не знаю. Все это — в тетрадях. Это он со мной сейчас говорит. Я всегда знала — как мне только сообщили, что его нет, — я-то знала, что он со мной. И останется со мной, и никуда не уйдет от меня, и мы еще будем с ним говорить обо всем. И я оказалась права, так и случилось. Я раздеваюсь и смотрю на свой живот. У меня на животе шов от кесарева. Разрезали меня и вынули моего сына. И шов остался. Он большой и уродливый, потому что не зарос как полагается. Было воспаление, шов не срастался, гноился. Его два раза заново разрезали, вычищали гной. Вот он — след моего ребенка.

Сначала Леня уверяет, что готов принести себя в жертву медицине, психологии, психиатрии, но я уже тут чувствую, что начинается ложь. Мне ясно, что он

200

попробовал наркотики, наверное, давно, еще в Сорбонне, и попался. Дьявол поймал его. Я это чувствую.

Вот он пишет:

«Кому же, если не мне, поставить над собой этот опыт? Я знаю, что сумею освободиться от зависимости, я ведь уже однажды сумел. Значит, мне и нужно рискнуть. Ни мыши, ни крысы, на которых мы экспериментируем, не помогут людям понять, что и почему с ними происходит под действием известных препаратов. Важна не только физиология, важна философия. Мы знаем, как разворачиваются в мозгу те процессы, которые вызывает наркотик, но мы должны узнать и другое: оставляет ли Бог человека или Он поддерживает его в такие минуты? Если я задамся сразу несколькими целями, начиная от биохимической и медицинской, и сумею подняться до философской и религиозной, если я не разрешу себе ни единого послабления и шаг за шагом зафиксирую все этапы опыта, все ощущения моей души и тела, я сделаю именно то, что укажет остальным дорогу к освобождению. Мне иногда приходит в голову, что я должен принести себя в жертву и взять на себя испытания, через которые проходят люди только за то, что они не сумели выжить в этом мире без помощи лекарств, которые в естественном виде содержатся внутри самой природы, в ее растениях, семенах, цветах и грибах. Зачем они там? Какой в этом смысл?

Весь прошлый год я изучал шаманизм. Оказалось, что у нас во Франции, в бассейне реки Гаронны, была открыта пещера Трех братьев, на стене которой среди изображений, датируемых верхним палеолитом, то есть сорок тысяч лет до Рождества, находится изображение шамана — пляшущего человека в шкуре, с бубном и конским хвостом на голове. *Значит, и в Западной Европе существовал шаманизм. Мы относимся к этому как к язычеству, но, в сущности, много ли мы понимаем? В душе заложена потребность мистического переживания. Хэмфри Осмонд совершил одно из самых величайших медицинских открытий: он понял, что человека сжигает особый голод по своему собственному, запретному и беспредельному «я». Наше ограниченное сознание стремится быть расширено, раскрыто, обнажено. Это происходит не со всеми и далеко не всегда, но те, с кем это происходит, те, кого жизнь ставит перед подобной необходимостью по той или иной причине, — те находятся в опасности. Противиться своему страстному желанию они не могут, а как потом выйти, вернуться обратно — не знают. Им нужно помочь.*

Я рассчитал, как увеличивать дозы самых распространенных в наше время наркотических препаратов, до какой черты можно доходить, когда именно нужно сворачивать. Мой опыт будет предельно направленным: я займусь только производными триптамина и производными фенэтиламина, не касаясь ни DMT, ни 5 MEO-DMT и не приближаясь к диссоциативам, которые отделяют сознание от тела и, как говорят те, кто испытал их, полностью переворачивают представление о жизни и смерти. Уверен, что со мной ничего катастрофического не случится. Медальников мне поможет. Я назначил себе довольно значительный срок: восемь месяцев от самого начала до самого конца. Скрыть от Веры то, что будет со мной происходить, не удастся. Я вынужден буду посвятить ее в свой план и просить ее поддержать меня. Когда нам с Медальниковым отказали в прави-

тельственных деньгах, я был очень зол, потому что рухнули все мои планы. Но потом, когда я понял, что никаких денег от них мне не нужно, потому что я сам могу справиться, я сразу же повеселел и успокоился.

Вера тут же заметила, как я изменился, и спросила, что произошло. И я ей в шутку сказал, что если уж люди делают самим себе прививки, чтобы проверить ту или иную вакцину, то почему бы не попробовать на себе самом действие наркотических препаратов? Какую неоценимую услугу можно оказать человечеству! Не меньшую, а может быть, и большую, чем Клодт, Пастер, Мечников. Мне кажется, что я очень небрежно и спокойно произнес это, но она вся так изменилась в лице, так побледнела, что я пошел на попятную. Сказал, что, конечно, шучу, но у нее задрожали губы, подбородок, слезы полились — короче, именно та реакция, которой я больше всего и боялся. Она бросилась в детскую, выхватила спящего ребенка из кроватки и с ним на руках прибежала ко мне. Я начал ее успокаивать. От слез она не могла выговорить ничего внятного и в конце концов вдруг попыталась встать передо мной на колени. С ребенком на руках! Ночью она заставила меня дать ей честное слово, что я **никогда не сделаю ничего подобного.**

Теперь я думаю: на самом ли деле я ей так дорог? Сам не знаю, почему эти мысли все время приходят мне в голову. Я почти уверен в том, что она меня любит, но иногда мне вдруг начинает казаться, что это такая же ложь, как была у нас дома».

Я переписывала, сколько хватило сил. Для чего я переписываю? Чтобы пройти через этот кошмар вместе с ним. Ничего не пропустить. Я уже знаю, что будет дальше.

**Анастасия Беккет —
Елизавете Александровне Ушаковой**

Лондон, 1935 г.

Хорошо, что я так тяжело и долго болею. Хорошо, Лиза! Температура спала, но даже представить себе не могу, что поднимусь с постели. Голова кружится, и я вся мокрая как мышь. Не помню даже, что я успела написать тебе прошлый раз. Наверное, что мы живем пока у тетки и мои отношения с Патриком таковы, что я буду перебираться в Париж и искать там работу.

Наш отъезд из Москвы был похож на бегство. После той ночи, которую я провела у Дюранти, мы с Патриком почти не разговаривали. Он не догадался, что я не ночевала дома, потому что сам бродил по улицам почти до полудня. Вернулся и спросил меня, собираюсь ли я возвращаться с ним в Лондон или остаюсь здесь, в России. Он казался почти спокойным, только не смотрел на меня. Я сказала, что еду с ним в Лондон. Мы не обсуждали, будем ли мы вместе или разведемся, не говорили о том, что произошло, мы оба были какими-то словно прибитыми, окоченевшими.

Я заболела уже в дороге, но превозмогала себя и окончательно свалилась на второй день приезда. Лиза, ты не поверишь, но я обрадовалась, когда температура поднялась до сорока и врач сказал, что я перенесла на ногах инфлюэнцу, которая перешла в пневмонию. В жару мне казалось, что я уплываю по какой-то бесконечно длинной огненной реке. Патрику пришлось за мной ухаживать, хотя я повторяла, что мне ничего не нужно, только пить. Но он вставал по ночам, чтобы переодеть меня в сухую сорочку, поил — есть я не могла совсем — и почти на руках доволакивал меня до уборной. Короче, он меня выходил, хотя я его и не просила об этом. Как только температура спала, он начал убегать из дому, ссылаясь на то, что ищет работу. Спит он в гостиной на диване, но тетка, кажется, еще ни о чем не догадалась. Странно, Лиза, но я почти совсем не думаю о том, что меня ждет, не строю никаких планов, зато постоянно вспоминаю Москву, снег, холод, темноту, нашу жизнь там и, конечно, Уолтера. Вернее сказать, он все время со мной, врос в меня, и я уже перестала сопротивляться. Я так и не видела его после ночи, проведенной в его доме, и даже не знаю, сказали ли ему, что мы собираемся уезжать. Наверное, сказали, но он не позвонил мне. Даже не позвонил!

Сейчас почти два часа дня. Я только что проснулась. Смотрю на все вокруг, как будто вижу впервые: вот дерево за окном, еще не позеленевшее, хотя уже наступает весна, и Патрик сказал, что на газонах появились первые крокусы. Из ствола этого дерева во все стороны вылезают толстые ветви, они словно разворотили ствол изнутри, прорвали его кожу и вылезли только для того, чтобы увидеть небо. Все они устремлены вверх, даже самые короткие и кривые. А какое небо, Лиза! Свободное, голубое! Все время хочется плакать. Жалко себя, нашей жизни с Патриком, самого Патрика, которого я, оказывается, совсем не так любила, как нужно любить. Не знаю. Мне казалось, что нам с ним так хорошо вместе, и даже в голову не приходило, что все это неправда, что любят не так, и близость, которая была у нас с Патриком, — совсем не то, что мне нужно. Мне иногда кажется, что судьба перепутала: он должен был быть моим сыном, а не мужем. Вчера я поднялась с постели, пошла на кухню налить себе чаю, тетки дома не было, а он спал в гостиной на диване, коротком и неудобном, на котором ему нужно подгибать под себя ноги, чтобы уместиться. Я стояла над ним и смотрела. У него такое беззащитное лицо во сне, уставшее и немного обиженное, словно у ребенка, который не понимает, за что его наказали. Пока я болела, Лиза, я все время чувствовала, что это — мой самый родной на свете человек. Даже и представить невозможно Уолтера, который бы вставал по ночам, чтобы дать мне напиться и переодеть меня в сухое, не говоря уж о том, чтобы доводить до уборной и ждать, пока я выйду оттуда. Да я и сама ни за что не хотела бы, чтобы Уолтер увидел меня такой: бледной, непричесанной, с растрескавшимися губами. У него бы сразу же прошла вся любовь! Господи, что я говорю! Какая любовь? Это «голод», как он тогда сказал. Да, это голод. И у него, и у меня.

Ты знаешь, чего я боюсь больше всего на свете? Боюсь остаться в пустоте. Без никого. Если Патрик уедет сейчас (о чем он все время говорит!), наступит пустота.

ГОЛОД

А я маленькая была, совсем слабая. В семье двенадцать детишек было, а я последняя. Мне ничего и не досталось. Ножки больные были. Совсем не ходила. Так, ползала только. А тут голод. Сперва дед с бабой умерли, потом мать с отцом. Мы остались. Братья и сестры — кто разбрелись незнамо куда, кто тут же, у нас, рядом с хатой, и померли. Их сразу снежком завалило. А я — маленькая была. Выползла наружу. Вокруг — тишина. Птичка какая-то мне просвистала с кусточка и тоже притихла. И снег везде, снег, от солнышка кое-где желтый, а где почернел уже, видно, подтаял. Легла я на порог, прикрылась дерюжкой, ничего не чувствую: ни жару, ни холоду. Тело у меня было заскорузлое и в струпьях везде, как в рубашечке. Легла и заснула. Много дней проспала. Очень много. Во сне Богородицу видела. Плакала я у Нее на руках. Она меня по головке гладила. Потом я проснулась. Снежок уже стаял. И стала я жить. Ползала по дорогам. Людей-то почти не осталось, и есть совсем нечего. Я и не ела. Найду где какой корешок, ну, и съем. А то просто талой водицы черпну, мне хватало. Господь меня вел, больше некому. А летом уже хорошо. Летом я цветочки ела, травки всякие, из земли ростки выкапывала. В них сок был целебный. И выжила.

Рассказ старицы Макарии,
село Васильевка Полтавской области

Вермонт, наши дни

Что же — если называть вещи своими именами и смотреть на все происходящее вокруг «с холодным вниманьем», как призывал к этому молодой и недальновидный, хотя высокоодаренный писатель, — что же происходило в тот вечер, когда Матвей Смит бегал по лугам, желая поймать и загнать в дом обратно свою безответную дуру-сестрицу? Людям ведь только кажется, что они сами решают, кого им любить, и за что, и насколько. Ничуть не бывало. Вот, например, налетит ураган на ромашечью голову, озарит ее вспышка молнии, и тут чье-то сердце заметит бедняжку и вдруг загорится в бессильном участии. Пускай даже сам человек и забудет, но метка ожога останется, вот что! Не метка скорее, а тень этой метки и отблеск небесной сияющей жалости.

Юноша Матвей Смит не думал ни о каких покалеченных ураганом ромашках, когда, проверив помещение библиотеки и столовой, ворвавшись в спокойные комнатки сестриных сверстниц (где тоже, кстати, никого не оказалось!), он снова застыл под дождем, весь в тревоге. Где она могла быть? Не у Бенджамена Сойера, в конце концов! Она же младенец, ей место в коляске! Вчера только чавкала розовой соской!

Спокойно, размеренно дыша, промокший до белых лопаток Матвей подошел наконец к тому именно корпусу, где жил Сойер-Пресли. Заглянуть в его окно на первом этаже не составило никакого труда. Слегка повертев головой и удостоверившись, что рядом совсем никого, лишь деревья, залитые темной водой дождевою, Матвей привстал на цыпочки, но хлипкие шторки оказались плотно задвинуты. Матвей постучал по стеклу сильным пальцем. Никто не ответил, как будто не слышат. Теряя самообладание, он стукнул громче, потом совсем громко, потом принялся колотить обеими ладонями. Сесилия там и теряет невинность! Он различил ее знакомое прозрачное дыхание, услышал, как с мягким шелестом заскользила пластмассовая заколка, которой Сесилия сдерживала узел своих золотистых волос на затылке, потом она что-то сказала негромко, и Сойер ответил! Закусив нижнюю губу, Матвей, как ослепшая птица, влетел внутрь здания, подбежал к той двери, за которой находилась сейчас сестра его, и навалился на эту дверь своим телом. Надеяться, что Бенджамен Сойер, совративший за свою жизнь множество девушек (к тому же не девушек только, а женщин, к тому же замужних, с мужьями в Ираке!), забудет запереть дверь на ключ, конечно, не стоило, и поэтому, когда эта дверь вдруг легко отворилась, Матвей еле удержался на ногах и не сразу разглядел в темноте сестру Сесилию, сидевшую на кровати со спущенными ногами, которые она как-то особенно робко и целомудренно поджала под свисающую простыню. Сесиль была в мокром и беленьком платьице, обе бретельки которого низко соскользнули на локти, и нежные плечи совсем оголились. Молния осветила комнату, и лицо испуганной грешницы при виде родного законного брата вдруг так покраснело, как если бы только достали его из кипящего масла.

Сделав решительный шаг по направлению к кровати, Матвей вдруг почувствовал на своем плече чью-то руку и, обернувшись — глаза в глаза, — столкнулся с Элвисом Пресли — таким, каким он остался на многочисленных своих фотографических и скульптурных изображениях, включая те, которые делаются на кондитерских фабриках из крема и цукатов. Заметив, что Элвис был цепок как клещ, Матвей Смит не нашел ничего лучше, кроме как заехать негодяю по переносице своею свободною правой рукою.

— Hey, Matthew! You leave us alone![1] — задыхаясь, попросил Бенджамен Пресли.

Не отвечая на нелепую просьбу, Матвей продолжал во все стороны размахивать кулаком и несколько раз рубанул очень ловко по скользким, как мыши, бровям Бенджамена. Сесилия тут же вскочила и, бросившись брату на шею, повисла на ней. Он ощутил на своем подбородке ее очень мокрые от дождя волосы, и тут же по его груди полились слезы, такие родные, как ес-

---

[1] Эй, Мэтью! Оставь нас в покое! *(англ.)*

ли бы сам он заплакал. Тогда он прервал избиенье мерзавца и остановился, тяжело дыша. Сойер же, почувствовав себя вне опасности, немедленно пригладил свои растрепавшиеся волнистые волосы и быстро зажал большим пальцем ноздрю, которая, к счастью, заметно распухла.

— What do you want?[1] — спросил Бенджамен Пресли.

— I want... — пробормотал Матвей. — I'll kill you! You bastard![2]

— But, Matthew, why don't you ask me first? — Сестра оторвалась от его груди. — I' am an adult![3]

— You... what?[4] — оторопел он.

— I love him! — прорыдала Сесилия. — Not you, Matthew, not you, I love *him*![5]

Матвей сначала даже не понял, что такое она сказала. Она была дурой, овцой и ребенком, он никогда и не прислушивался к ней по-настоящему. Потом он поморгал, чтобы перестало все расползаться перед глазами, перестало щипать, и увидел, как Сесилия с вишневым, пылающим, мокрым лицом и телом белее, чем снег на Аляске, приникла, в слезах и кудрях, к Бенджамену, а тот обнимает ее, и ласкает, и что-то ей шепчет в горящее ухо.

---

[1] Что тебе нужно? *(англ.)*

[2] Мне нужно... Я тебя убью! Негодяй! *(англ.)*

[3] Но, Мэтью, почему ты сперва у меня не спросил? Я же совершеннолетняя! *(англ.)*

[4] Ты... что? *(англ.)*

[5] Я его люблю! Не тебя, не тебя, Мэтью, я *его* люблю! *(англ.)*

ДНЕВНИК
Елизаветы Александровны Ушаковой

Париж, 1959 г.

Настя получила письмо от Дюранти, который умер во Флориде два месяца назад. Он написал ей перед самой смертью. Письмо его отправила Насте жена Дюранти, с которой он обвенчался, будучи уже смертельно больным, за несколько недель до своей кончины. В своей приписке она говорит, что он не хотел верить в то, что умирает, и смеялся над прогнозами врачей. Письмо пришло к нам через Китай, шло очень долго. Настя мне его не показывает, да мне и не нужно. Она спряталась в своей комнате. Кажется, плачет. Утешать ее у меня нет сил. Понимаю, что я стала жесткой, и с тех пор, как мы потеряли Леню, чувствую только одно: свою потерю. Но как можно плакать оттого, что где-то, на краю света, умер человек, бывший твоим любовником двадцать лет назад?

Вермонт, наши дни

Матвей Смит смотрел, как сестра его, обвив обеими руками мускулистое тело Пресли, дрожит крупной дрожью. Он слышал, как плачет сестра, как рыдает. Будь это кто-то другой — какая-нибудь посторонняя, ушастая и глазастая девица, — он точно ушел бы и дверью бы хлопнул. Но тут он не мог. От ее слез у преданного Матвея Смита соленые комки начали торопливо подкатывать к самому горлу.

— Leave us alone, you idiot! — сказал Бенджамен Сойер. — We are getting married[1].

Сесилия на секунду оторвалась от своего возлюбленного, взглянула на брата заструившимися голубыми глазами и снова зарылась лицом в шею Пресли.

Матвей точно знал, что ослышался.

— We are getting married, — повторил Сойер, — without your permission[2].

Прямо среди бела дня (поскольку дождь кончился, хлынуло солнце!) Матвею сказали такое, во что было трудно поверить: сестра его будет женой негодяя, и он, этот муж, сможет снять с нее платье и трогать везде, даже рук не помывши.

В небе стояла радуга, и свет ее падал на поле из лютиков, которые своей бесполезной сияющей поверхностью всегда прежде так веселили Матвея: смотрел и смотрел, улыбаясь природе. Все стало другим, даже лютики эти.

Он вышел из комнаты и, не разбирая дороги, зашагал по золотым головкам, которые с милой и кроткой готовностью сникали по мере его решительного передвижения. Вокруг было мокро, и вода хрустально стояла во всех больших и малых чашах: в фиалковых рожках, в гороховых стручках, из которых выпали до срока созревшие спелые зерна, внутри глянцевитых, свернувшихся листьев. Представить себе жизнь после того, как сестра перестанет быть его сестрою, а станет женою проклятого Пресли, было так же невозможно, как вдруг улететь на высокое небо и там зацепиться за

---

[1] Оставь нас в покое, идиот! Мы женимся *(англ.)*.

[2] Мы женимся. Без твоего разрешения *(англ.)*.

радугу. Будучи взрослым, почти двадцатилетним человеком, он знал, что когда-нибудь женится, и будущая невеста, выплывая по ночам из синеватого тумана сновидений, всегда была похожа на Сесилию и даже звучала как та: колокольчиком. Теперь получалось, что, окажись она похожей на Сесилию, она должна будет и поступить как Сесилия, а именно: встретить себе Бенджамена и тут же обвиться вокруг, как лиана.

Матвей Смит покинул территорию школы и медленно шел вдоль дороги, по которой изредка проносились пыльные деревенские машины, чаще всего джипы и «Форды». Из машин ему сигналили, а круглый один и румяный, как персик, но глупый парнишка, высунувшись из окошка, нелепо и долго грозил кулаками. Матвей обратил внимание, что кулаки его были ярко-розовыми, но почему-то разной величины. Он знал, что, если перейти на другую сторону и углубиться в медленно темнеющий лес, то можно будет вскоре увидеть водопад, грохот которого напоминал начало знакомой музыкальной фразы, без устали повторяемой спрятавшимся оркестром. Он шагнул вправо, намереваясь одним махом пересечь вермонтское шоссе, но тут что-то очень тяжелое и, как ему показалось, тут же рассыпавшееся от соприкосновения с далекими облаками внезапно и мощно, хотя и не больно, обрушилось на него, и в голове раздался ширящийся и скрежещущий звук, словно бы водопад, который находился во глубине леса, решил вдруг забраться под кудри Матвея.

ДНЕВНИК
Елизаветы Александровны Ушаковой

Париж, 1959 г.

Переписываю Ленины тетради.

«История медицины знает имена многих врачей, которые решили на себе самих испытать, через что проходят заболевшие тою или иною болезнью люди, и тем самым помочь им. Особенно меня поразили опыты с сифилисом, заболеванием, в причинах которого скрывается «постыдный», с нравственной точки зрения, момент. Именно этот момент нужно было полностью проигнорировать тем, кто испытывал сифилис на себе. Вот некоторые примеры.

Доктор Линдеман взял у больного, на миндалинах которого были папулы (вторая стадия сифилиса), немного выделений, сделал на своей левой руке разрез и внес в него эти выделения. Спустя несколько недель появились симптомы тяжелого заражения, которое распространилось по всему телу. В заключительном докладе Парижской академии от 18 ноября 1851 года говорилось: «Это было зрелище, разрывающее сердце. Представьте себе молодого мужчину с красивым и одухотворенным лицом, все тело которого было разъедено фагеданическими шанкрами и являло собой признаки конституционного сифилиса в его самой тяжелой форме. Он хотел довести опыт до конца и противился всем просьбам лечиться».

Когда наступила эра бактериологии и были открыты возбудители венерических болезней, многие врачи усмотрели в этом новый стимул для опытов на себе. Так, например, для гонореи удалось найти вер-

ное решение, применяя слабый раствор азотнокислого серебра. При сифилисе это было труднее. Французский врач Поль Мезоне в 1906 году попросил Мечникова и Ру, которые работали тогда в нашем Институте Пастера, чтобы они привили ему сифилитический материал в двух местах и смазали это ртутной мазью. Ни один из них не отказался выполнить его просьбу. Сам Мезоне привил себе и четырем обезьянам сифилис еще прежде. Мезоне и первая обезьяна остались здоровы, две обезьяны, которым вовсе не втирали мазь, заболели на семнадцатый день, обезьяна, которой втерли мазь через двадцать часов, заболела на тридцать девятый день.

Я сейчас только заметил, что по-русски сифилис называют «дурной болезнью». Но ни один из врачей, которые ставили на себе эти опасные опыты, не обратил на эту сторону дела ни малейшего внимания! Значит, ими руководило что-то еще, и, кроме чисто медицинского и научного интереса, они испытывали простое человеческое милосердие и желали поставить себя на место тех, от кого общество с презрением отворачивается. В отношении наркоманов мы имеем дело с еще большей жестокостью, чем та, которую проявляют люди к больным венерическими болезнями, калекам и сумасшедшим. Наркоманы рассматриваются на том же уровне, что и преступники. Лечат их, как правило, только по настоянию родственников, да и те очень скоро сдаются и отступают. Тот опыт, который я собираюсь поставить на себе, должен исправить эту картину и вернуть человеческое достоинство тем, кто якобы утратил его, поддавшись «постыдной» слабости. Я буду работать как ученый, буду наблюдать за всем происходящим во мне со стороны, записывать каждый оттенок и каждую мелочь, а потом, выйдя из наркологической зависимости, в чем я ни секунды не сомневаюсь, предложу медицине тот ключ, который подойдет к лечению наркомании не только как физиологического, но в первую очередь нравственного явления».

Нет сил переписывать дальше. Я и так понимаю, чего он добивался: он добивался оправдания. Он думал себя обмануть. Ему нужно было уйти от чего-то, что угнетало его уже давно, но он не знал, как это сделать, и нашел себе лазейку: научные опыты. Он не посмел признаться себе, что ищет просто облегчения собственной боли. А я ничего не понимала, и мне казалось: он все еще маленький мальчик.

Анастасия Беккет — Елизавете Александровне Ушаковой

Лондон, 1935 г.

Лиза, я здорова, не тревожься за меня. Патрик уезжает в Маньчжурию. Но сначала он хочет заехать в Германию, увидеть своими глазами, что там происходит. Знаешь ли ты, что все партии, кроме нацистской, в Германии уже запрещены, а все, кто не согласен с режимом, брошены в тюрьмы? Все это очень похоже на то, что сейчас в России, только в России это называется коммунизмом, а в Германии — нацизмом. Патрик говорит, что Англия стоит на пороге заключения с Германией морского соглашения, которое приведет к такому усилению нацистов, что скоро весь мир затрещит.

Теперь самое главное: вчера я спросила его, что мне делать — уехать в Париж или ждать его в Лондоне. Он сказал, что мне лучше уехать в Париж. Я не ожидала, что он так прямо и грубо ответит мне, и не выдержала, разрыдалась. Потом начала кашлять. Он сначала хотел уйти, но не ушел, а опустился рядом на корточки — я сидела на ковре перед камином — и начал осторожно гладить меня по голове. От этого стало только больнее.

— Зачем тебе оставаться в Лондоне? — спросил он с удивлением. — Ведь там же семья.

Я подумала, что он разлюбил меня и хочет от меня избавиться, а я так долго не догадывалась об этом! И пока он не сказал мне всю правду в лицо, я почему-то была уверена, что он любит меня и будет любить, несмотря ни на что!

— Так лучше, чтобы я уехала, да?

— Я думаю, да, — напряженно сказал он. — Потому что мы уже не можем жить как раньше...

У меня вдруг так ослабели руки и ноги, что я почти перестала их чувствовать, словно они отнялись.

— Давай не будем сейчас! — заторопился он. — Тебе тяжело, ты очень болела. Когда я вернусь, мы подумаем.

— О чем мы подумаем?

— Подумаем, что нам делать дальше.

— Ты сам сказал, что нам делать! Ты сам сказал, что мы не можем быть как раньше!

Он весь побелел:

— А чего ты хотела? Чтобы я сделал вид, что ничего не помню? Или, может быть, ничего и не было?

— Нет, — пробормотала я, — не хочу больше никакой лжи.

— Тогда уезжай в Париж! — Он скрипнул зубами и отвернулся. — Для всех будет лучше.

— Ты совсем не любишь меня? — зачем-то спросила я и сама услышала, как жалко и нелепо это прозвучало.

— Тебе это важно?

— Две недели ты спасал меня, чтобы я потом уехала?

— Я не думал ни о чем, кроме того, что ты можешь умереть, как сказал доктор. Он сказал, что у тебя слабое сердце.

Я чувствовала, что наш разговор ему в тягость. Но остановиться уже не могла. Пусть он сам скажет, что больше не любит меня.

— Мы с тобой чужие теперь? — спросила я. — Ничего не осталось?

— А как ты хотела? — спросил он.

Я легла лицом на ковер, вжалась в сухую шерсть. Шерсть сильно пахла теткиной собакой, которую незадолго до нашего приезда сбила машина.

— Ты не понимаешь, что ты сделала, — сказал Патрик. — Ты не понимаешь, что всякий раз, когда я захочу обнять тебя, я тут же вспомню, как тебя обнимал он...

— Я прокаженная теперь, да?

— Да, ты прокаженная! Потому что я не верю тебе. Я никогда не смогу тебе верить.

До меня вдруг дошло, что, если он сейчас уйдет, это будет конец. Такого откровенного разговора больше не повторится, и последнее слово останется за ним. Патрик не большой любитель чувствительных объяснений. Как же я, оказывается, ничего не понимала!

— Не уходи! — Я заплакала внутрь пыльного ковра, на котором столько лет лежал этот большой рыжий пес, которого больше нет. — Не бросай меня сейчас!

Услышала его дыхание над своим затылком, судорожное и горячее, как будто он долго бежал. Потом он схватил меня за плечи и начал отрывать от пола.

— Откуда я знаю, когда ты притворяешься, а когда говоришь правду? Может быть, ты сейчас притворяешься? Посмотри мне в глаза! Смотри мне в глаза!

— Зачем? Ведь ты мне не веришь!

Я отворачивалась и вырывалась из его рук, но ему наконец удалось развернуть меня лицом к себе. Я зажмурилась.

— Смотри на меня, я сказал! Зачем я тебе?

Я ответила первое, что пришло в голову:

— Я очень боюсь остаться одна.

— Но я не костыль и не палка! — Он резко отпустил меня и встал.

Он ждал другого ответа! Тогда я выдавила, не глядя на него:

— Прости меня.

Он отмахнулся и сморщился. Сел на качалку у камина и закрыл руками лицо. Посидел так несколько секунд и вышел. Он уже неделю ночует в теткиной комнате, она уехала в Ирландию навестить дочку и внуков.

Ночью я почувствовала на лице его ладонь. Он лежал рядом поверх одеяла, одетый. Я повернулась на бок и попробовала обнять его, он стряхнул мои руки.

— Боишься? — прошептал он.

— Чего мне бояться?

— А если я начну сейчас раздевать тебя?

Я прижалась к нему, вдавила себя в его тело. Он весь дрожал крупной тяжелой дрожью, как дрожат лошади.

— Ты во мне все убила, — пробормотал он. — Я даже не знаю, смогу ли я...

Я заплакала, закашлялась. Так жалко стало его! Ведь все это время я думала только о себе, и тогда, в Москве, я думала только о себе!

— Прости меня! Прости! — Я прижималась к нему изо всей силы, чтобы он, не дай бог, не вздумал опять убежать.

Он поцеловал меня в шею, потом в глаза и вдруг удивился, что вкус моих слез стал другим.

Вермонт, наше время

Вернувшись домой после подслушанного разговора, Ушаков начал заново разогревать внутри то, что приносило ему особенно острую боль.

«Манон тоже никогда не говорила мне правды, я даже не знаю, отчего она покончила с собой. Теперь Лиза».

Он ясно увидел перед собой ее лицо в ту минуту, когда она со странной решительностью показала ему фотографию, где был ее любовник.

«Я не стал бы спрашивать, от кого она беременна и почему он не женился на ней, — думал Ушаков, честно забыв, что он спрашивал именно об этом. — Она сама мне все рассказала. Но о брате даже не упомянула. И когда я спросил ее, как она оказалась в Америке, она ушла от ответа. Почему?»

Внезапно он понял почему. Если бы ее брат попал под машину, или умер от какого-то страшного вируса, или его бы зарезали ночью в городском парке, она поделилась бы этим. Но ей стыдно и страшно было признаться, что брат был наркоманом и погиб от наркотиков. Так же, как он сам стыдился рассказывать, что Манон, его молодая жена, выбросилась из окна их квартиры на рю де Пасси, прижимая к себе иконку. Потому что ни в вирусе, ни в том, что человека всегда могут зарезать ночью в городском саду или сбить машиной, нет вины того, кто был близок погибшему и любил его. Двадцать семь лет назад Ушаков не принял заключения медицинской экспертизы, в котором говорилось, что Манон страдала маниакально-депрессивным психозом, и предпочел отказаться от этого плоского и слишком простого обьяснения той боли, которую он угадывал в ее душе, и, похоронив Манон, остался жить с ощущением неизбывной вины перед ней и уверенностью в том, что была какая-то глубокая загадка, горькая тайна в ее жизни, мимо которой он прошел и не сумел ей помочь. Что-то подобное должна была испытывать и Лиза. Она не постыдилась и не побоялась сказать Ушакову о своей беременности, хотя это могло оттолкнуть его, но признаться в том, что восемнадцатилетний мальчик умер от передозировки, было все равно что признаться постороннему человеку в каком-то тяжелом семейном изъяне, поскольку принято думать, что в нормальных семьях дети не спиваются и не становятся наркоманами. Брат был слишком дорог ей, и она не могла поставить его в унизительную зависимость от того, как посторонний человек отреагирует на *такую* смерть. Она не могла *отдать* своего брата чужому человеку и не позволяла никому судить его.

**Анастасия Беккет —
Елизавете Александровне Ушаковой**

Лондон, 1936 г.

Вчера проводила Патрика. Сижу, смотрю на листья. Какие они живые! Из Лондона в Гарвич мы добрались на поезде, это заняло меньше двух часов, потом взяли кеб и поехали в порт. Пароход, на котором Патрик отправился в Гамбург, называется «Пенгуэй». На пристани были толпы народа, такое впечатление, что весь мир сдвинулся с места, люди решили покинуть землю и вернуться обратно в воду, откуда они, как говорят некоторые ученые, и появились. Было утро, тоскливое, дождливое и серое, и морская вода вздувалась изнутри с такой силой, как будто ее выталкивали оттуда какие-то огромные руки. Патрик крепко обнял меня, а я стояла неподвижно, словно окаменев, и опять чувствовала это странное желание заснуть прямо здесь, на пристани. Лечь под ноги всем этим людям, закрыть глаза и провалиться. Ты знаешь, у меня часто это бывает. Помню, как мама читала нам с тобой в детстве рассказ про девочку-няньку, где этой няньке хотелось одного: спать, спать и спать. Так и я. Патрик обнимал меня, повторял, что мы скоро увидимся, а я только хотела, чтобы все это закончилось поскорее и меня отпустили. Потом он сказал:

— Ты не успеешь забыть меня, потому что я очень скоро вернусь. — И обеими руками растрепал мне волосы под шляпой.

Тут я наконец опомнилась и начала плакать. Ничего не смогла произнести, цеплялась за его воротник и плакала в голос. И он тоже замолчал. Стояли, вжавшись друг в друга, и молчали. Потом он сказал:

— Ну, иди. Мы скоро увидимся.

А я не могла оторваться, искала его губы, гладила лицо.

Ночью увидела сон. Как будто мы снова вернулись в Москву, и в Москве тепло, лето, и я иду в церковь, но не знаю адреса, иду наобум. Церковь богатая, в золоте и украшениях, как драгоценная шкатулка. Все было немного размыто и перепрыгивало с одного на другое, но, проснувшись, я все же могла довольно ясно представить себе тех людей, которые прошли передо мной со своими узелками и кошелками. Я даже узнала их запах, который помню по Москве, запах нищеты, плесени. Потом они все встали в длинную очередь к иконам. На одной была изображена Богоматерь с Младенцем, на другой — не знаю кто. Мне кажется, что всех этих людей я когда-то уже видела, особенно двоих: немолодую даму в большой черной шляпе, похожую на тех русских дам, которых мы знали с тобой по Парижу, и дряхлого полумертвого старика в ободранной лисьей накидке. Я тоже встала в очередь, чтобы поцеловать икону, но вдруг какая-то девочка с изуродованным лицом попросила, чтобы я ушла. Лицо у нее все было в белых рубцах, а на голове — маленькая белая шапочка, закрывающая лоб почти до самых глаз, красных и без ресниц. Я спросила, что с ней. И она сказала мне, что ее заперли одну в доме, а дом облили керосином и подожгли, и она обгорела почти до самых костей. Никто и не думал, что она выживет. Я спросила, кто поджег дом, и она вдруг ответила мне по-английски:

— He did it. Walter Durante[1].

Проснулась от ужаса. Патрик уже в Гамбурге, жду телеграмму.

Вермонт, наши дни

Матвей Смит так до конца и не понял, что произошло. Сначала он увидел белое, как мука, круглое лицо и почувствовал запах духов. Потом на него густо, теплым дождем, полились слезы, и он услыхал, как вверху кто-то крикнул:

— Emergency![2]

Конечно же, это и был его ангел.

Матвея охватило блаженство. Первый раз он услышал голос своего ангела, немного стыдливый и хрупкий, но страстный. Сразу после крика наступила прозрачная тишина. Вокруг кто-то двигался, подтаскивал носилки, мерил ему давление, заглядывал в глаза и щупал пульс, сам же Матвей продолжал улыбаться. Улыбающегося, его заботливо прикрыли белым облаком, положили на другое облако, потемнее, и он, задыхаясь от нежного смеха, поплыл по широким взволнованным волнам. Вокруг были люди, но, кажется, с крыльями.

— Вы птицы? — посмеиваясь, спросил Матвей.

Прежде ему никогда не приходило в голову, что в мире все так восхитительно прочно: и люди, и рыбы, и птицы, и звери. Все очень легко заменяли друг друга, все были подобны, болели, рожали, и пух на горячем затылке младенца всегда ровно тот же, что пух на цыпленке.

---

[1] Это сделал он. Уолтер Дюранти *(англ.)*.
[2] «Скорую»!» *(англ.)*

Во всем, о чем сейчас, уютно закутавшись в белое облако, вспоминал раздавленный юноша Матвей Смит, было разлито тепло. Никто никого не хотел убивать, и все согласились с тем, что живут здесь недолго, но нас очень много, и скоро родятся другие — не хуже, — а те, кто помрут, никуда не исчезнут, поскольку исчезнуть нельзя — все в порядке, — и все мы внутри глубочайшего вздоха, а Тот, кто вздохнул, — Он уже не отпустит.

Пока Матвей дремал, радуясь своим легким сияющим мыслям, приводившим его к неторопливому решению какой-то извечно прекрасной задачи, условия которой были предельно просты, а все слагаемые так прочно и верно слагались друг с другом, что было давно окончательно ясно, какая должна быть получена сумма, — пока он дремал, осторожно качаясь, светло улыбаясь спасительным мыслям, его родная младшая сестра Сесилия, высвободившись из объятий любимого ею теперь человека и выскользнув из комнаты этого человека под предлогом того, что ей необходимо разыскать брата и объясниться с ним, лихорадочно набирала и набирала номер мобильного телефона Матвея и губы кусала от скверных предчувствий.

Она побежала в свой корпус, надеясь, что он, может, ждет ее в корпусе, но перед дверью стояли двое полицейских — один помоложе, другой совсем старый, и у того, кто был совсем старым, оказалось такое доброе лицо, что, взглянув на него, Сесилия сразу заплакала. Плачу ее никто почему-то не удивился, словно так было и задумано, что она все поймет, а поняв, заплачет. Старый полицейский, морщась своим очень добрым лицом, осторожно взял Сесилию за локоть и начал объяснять ей, что Матвей находится в больнице и состояние его критическое, но нужно во всем полагаться на Бога, и нужно, наверное, переодеться (Сесилия так и была в своем этом мокром и беленьком платье!), чтоб ехать немедленно к брату в больницу. Всхлипывая и кусая губы, Сесилия схватила свою сумочку, накинула на плечи первую попавшуюся кофту и, как ребенок, уцепившись за руку старого полицейского, такую горячую, словно он только что гладил белье раскаленным утюгом, села в полицейскую машину.

Машина была уже со всех сторон окружена перепуганными учащимися русской школы, которые находились в том общем, на редкость слаженном состоянии, возникающем среди людей, одинаково застигнутых врасплох огромным несчастьем и потому не успевших выработать своего, отдельного ото всех и глубоко личного к нему отношения. Тонкие, как травинки, девочки с растрепанными волосами и крепкие, как молодые деревья, мальчики в веревочных сандалиях стояли беспомощно и обреченно, оборотив к полицейской машине свои молодые, тревожные лица, и тот островок, на котором недавно — минуту назад — все они веселились, тот маленький остров, который был жизнью, а лучше сказать, *представлялся* им жизнью, как будто бы вдруг затопило водою, и он опустился на дно океана.

**Анастасия Беккет —
Елизавете Александровне Ушаковой**

Лондон, 1937 г.

Лиза, прости, долго не писала тебе. Я много работаю, живу по-прежнему у тетки. Еще месяц назад я бы-

226

ла уверена, что Патрик вот-вот позовет меня к себе, но эта надежда оборвалась. Опять он в самом пекле. Я рассказывала тебе, что после Германии он поехал в Маньчжурию, откуда вскоре перебрался в Китай, где идет жестокая и кровавая война. Слава богу, что он пишет мне довольно часто и, кажется, ничего от меня не скрывает. Сейчас он в Нанкине и работает там в составе интернациональной бригады, которая спасает китайцев. Все время молюсь за него и думаю о нем с нежностью и страхом за его жизнь. Я чувствую, что сейчас наступило какое-то особенное время для нас обоих, и Бог вновь соединяет нас. Но при этом я ощущаю, что все мы — не только мы с Патриком, но все мы, все люди, весь мир, — стоим на пороге чего-то ужасного.

**Отрывок из письма
Патрика Беккета Анастасии Беккет**

Нанкин, 1937 г.

Здесь ад. По улицам шляются толпы пьяных японских солдат, которые грабят дома, убивают и насилуют. Все это поощряется японским военным начальством. Полная, немыслимая безнаказанность. Город переполнен мертвыми. Дикое количество изнасилованных и убитых женщин, которые валяются голыми, с отрезанными грудями, на месте которых чернеют глубокие раны. Те, которые были беременными, лежат со вспоротыми животами, младенцы вырезаны изнутри и валяются тут же, со своими страдальческими стариковскими личиками. Этим не успевшим пожить на свете детям повезло, что они погиб-

ли, не родившись, потому что то, что происходит с живыми детьми, невозможно описать. Среди изнасилованных много совсем маленьких девочек, не старше шести-восьми лет, но много и глубоких старух, которым по виду должно быть за восемьдесят. Вчера я спросил у одного японского солдата, почему, изнасиловав, они убивают этих женщин, а не отпускают их. Солдат ответил так: «Когда я вхожу в китайскую женщину и начинаю с ней, я смотрю на нее как на женщину, а когда я убиваю ее, я перестаю смотреть на нее как на женщину, она для меня все равно что мертвая свинья. А кроме того, все эти убитые, включая женщин и детей, это ведь не люди, а наши побежденные враги».

Прости, что пишу тебе все это. Сначала я хотел пощадить тебя, ты и так достаточно насмотрелась, живя со мною в Москве и наслушавшись моих рассказов. Но потом я решил, что это было бы неправильным, что мой долг — делиться с тобою всем, что я вижу и через что я сейчас прохожу. Я хочу, чтобы ты была сильной и выносливой, понимала, что такое жизнь, и, если это возможно, не боялась ее, потому что случиться может все, что угодно. Раньше, когда мы только начали нашу с тобой жизнь, я думал, что моя задача — это уберечь тебя от трудностей и сделать твое существование как можно более праздничным и благополучным. Теперь я понимаю свой долг перед тобою совсем иначе.

Я сейчас работаю вместе с самыми замечательными людьми, которых когда-либо встречал. Наша так называемая «нейтральная зона», которую японское правительство обещало не бомбить, по крайней мере в ближайшие недели, переполнена беженцами. Они все идут и идут. Многие еле двигаются, таких волокут под руки или несут на носилках. Работаем в очень тяжелых условиях. Не хватает ни еды, ни медикаментов. Помощи ждать неоткуда. Не могу передать тебе, как на меня действуют те истории, которые я здесь со всех сторон слышу. Притом что китайская армия почти не оказывает японцам никакого сопротивления — там разброд и хаос, — люди иногда совершают чудеса мужества и благородства. Вчера мне рассказали, как одна монахиня спасала маленькую девочку, спрятав ее под грудой мертвых тел и сама пролежав рядом почти три дня, не открывая глаз и стараясь не двигаться, чтобы ничем не выдать себя. И только на четвертые сутки добралась к нам вместе с ребенком. Я видел обеих: два страшных серых скелета. Мой друг Джон Рабе, немец, который много лет живет в Китае и в доме которого сейчас размещаемся все мы, чуть не заплакал, услышав разговор двух совсем молоденьких девушек, которые чудом выжили, изуродовав свои лица серной кислотой и наголо сбрив волосы. Одна из девушек рассказала, как четверо японских солдат устроили соревнование, показывая друг другу, на какую глубину внутрь женского тела может войти мужская рука. «Там было нас несколько, разных возрастов, начиная от моей старой бабушки и кончая сестренкой. Ей только что исполнилось девять лет. Они раздели всех и заставили лечь на пол. Потом засучили рукава и начали это делать. Их руки были в крови почти по локоть».

Вермонт, наши дни

Счастье, охватившее Мэтью Смита (Матвея по-русски) в минуту, когда его кудрявая и светлая голова стукнулась об асфальт и тут же раздался тот запах духов, который был весь нежно-синим и сладким, — это счастье не только не покидало его, но усиливалось с каждой секундой и выросло в конце концов до немыслимых размеров сияющего океана, в котором Матвей, ставши легче пушинки, сейчас кувыркался, подобно дельфину. Ему так казалось. На самом деле он не кувыркался, а лежал, до подбородка накрытый простыней, в носу были трубки, во рту были трубки, и бесчисленные провода тянулись вдоль его молодого длинного тела, соединяя разные органы этого тела с голубыми, как озера, мониторами. Тут же в палате находилась его младшая сестра Сесилия, которая приехала еще вчера вечером на полицейской машине и ночь просидела под дверью операционной, глядя на эту дверь остановившимися несчастными глазами, кусая до крови губу, но не плача. Операция, перенесенная Матвеем, продолжалась больше шести часов и, как сказал хирург, прошла удачно. Тот же, впрочем, хирург сказал, что Матвей продолжает быть в опасности, поскольку перелом шейных позвонков, разрыв селезенки и тяжелое сотрясение мозга могут привести к любому исходу. Теперь он находился в реанимации, и Сесилия ждала родителей из Вашингтона. Родителей было, как водится, двое: и мать, и отец, но мать увлекалась карьерой, делами, отец же, домашний, заботливый, тихий, был весь до конца растворен в своих детях. Сидя с ногами на кресле и глядя на белое, странно счастливое лицо спящего брата, который не догадывался о том, что с ним произошло, Сесилия машинально прокручивала в памяти те картины детства, когда они ездили с папой на море, а мама моталась по северным штатам. Мама занималась политикой и очень хотела пробиться в Сенат, а папа был с ними, и однажды, когда девятилетний Мэтью, продетый в спасательный круг, валял дурака очень близко от берега, какой-то верзила вдруг крикнул «акула!», и папа поплыл в чем стоял. Все смеялись.

Сейчас, по быстрым тяжелым шагам в коридоре узнав отца, Сесилия захлебнулась слезами, выскочила из палаты и тут же уткнулась в отцовскую шею. Отец был высок, но одышлив. В молодости он много занимался спортом и даже поднимал штангу. Но вскоре родился Матвей, очень хрупкий, а вслед за Матвеем Сесилия. О спорте пришлось позабыть. В семье была нянька, индуска, но нянька ленилась. Жена пробивалась в Сенат безуспешно. Джордж Смит, работающий большим начальником в Департаменте иммиграционной службы, где в основном разбирались дела нелегальных беглецов из стран третьего мира, приходил домой, снимал свою куртку, пиджак, тесный галстук и весь замирал от блаженства. Блаженством и были они, эти дети. Когда он прижимал их к себе, казалось, что внутри сердца лопается пузырек, из которого начинает вытекать любовь.

Не отпуская локтя своей плачущей навзрыд девочки, одышливый Смит потянулся к мальчику, счастливо спящему внутри проводов и трубок под тихое жужжание мониторов, и быстро — большой, неуклюжею, белой рукою — погладил его по лицу. Потом засопел и начал торопливо протирать очки пальцами. Его жена, тоже уже немолодая, но очень старательно напоминающая саму себя в молодости, с высоким фарфоровым лбом, голубыми глазами и родинкой прямо на выпуклом веке, присела на корточки рядом с кроватью и стала дышать, как подбитая птица.

— Nice to meet you, guys[1], — сказал вошедший в палату доктор, скорее всего и не догадываясь, насколько нелепа сейчас его фраза.

Корделия Смит, пятьдесят один год назад названная матерью в честь младшей дочери короля Лира, вскочила с пола, и все трое устремили на вошедшего испуганные глаза. Поглаживая висящий на груди стетоскоп, плечистый и жгуче прекрасный лицом своим доктор еще раз повторил то, что Сесилия уже слышала на рассвете, когда неподвижного Мэтью везли в отделение реанимации.

— Надеяться надо на лучшее, — сказал этот доктор, похожий слегка на пирата из книжки. — Здоровое сердце. Проблемы возможны, но я подождал бы с прогнозами. Рано.

— Какие проблемы? — хрипло спросила Корделия.

— Давайте пока подождем, — мягким и неожиданным в таком крупном мужском теле голосом ответил доктор. — Он должен, я думаю, скоро проснуться. Тогда очень многое станет понятным.

Пока в этом летнем и радостном мире, одурманенном запахами дикого шиповника и сирени, со вспыхивающим повсюду, особенно в темном высоком лесу, в пышных кронах деревьев, полуденным солнцем, где люди беспечно плескались в озерах, и все были счастливы, ели клубнику, а шляпы с полями теснили затылки, пока во всем мире царило веселье, и даже русалки притихли по рекам (поскольку истома, жара и шиповник!), пока во всем мире так было спокойно, здесь, в

---

[1] Рад с вами познакомиться, друзья *(англ.)*.

отделении реанимации, отец и мать Смиты с Сесилией, дочкой, не сводя глаз с белого лица Матвея, сидели и ждали, когда он проснется.

А он не спешил просыпаться. Ему нужно было восстановить в памяти тот очень далекий день, первое апреля, когда в самом разгаре наступившей весны вдруг повалил снег. Да как повалил! Все стало непроницаемым и словно собою само удивленным, и странный был свет: свет сплошной белизны, какой-то удушливый, резкий, холодный. Осталась одна белизна, наважденье, и в доме погасли огни, отключились. Тогда затопили камин. Мэтью попытался вспомнить, как выглядит камин. Ничего не получилось. На секунду вырос гудящий в темноте оранжевый блеск, запахло смолою, но тут же пропало. Папа с мамой уехали в больницу, где ждали какую-то девочку, беби, а Мэтью остался с индуской и кошкой. Индуска щипала под бровью пинцетом, а кошка уютно спала на кровати. Опять он сбивался! Нужно было восстановить в памяти этот день и правильно расположить огонь, чтобы он вырывался из камина, а не из окна, где все было белым. Камин, от которого осталось только красноватое слово, а самого существа уже не было, ибо Мэтью так и не вспомнил, как оно выглядит, между тем оборотился деревом и подставил снегу свой ствол, чтобы снег бинтовал его раны бинтами. Камин заболел, он был в ранах весь, в ранках.

Внезапно Матвей испугался, что и его захотят бинтовать. Он тоже был теплым, горячим, оранжевым с красным. В нем бился огонь. В нем, внутри, а не в небе. Огонь озлоблялся, и кошка дрожала. А ей полагалось дремать на подушке. Огню полагалось жить только в камине. Индуске — щипать свои брови пинцетом. И ждать всем Сесиль. Во всем нужен порядок!

Наконец Мэтью не выдержал и раздвинул занавески в спальне. Беззвучное, грозное все еще было. Оно не устало валить, задыхаться. Внутри белого появился бугорок, и медленно, с огромным трудом одолевающая горку, на которой стоял их дом, подползла знакомая машина. Она остановилась, из нее вылез отец и принялся доставать что-то из глубины. Не успел раздавленный юноша Мэтью своей непослушной ослабленной памятью наткнуться на то, *что* достал тогда папа, все мысли его подхватило потоком — воды океанской, горячего ветра, — и мысли, как чайки, рванулись, сияя. Почуяли рыбу.

Не открывая глаз, он тоже почуял рядом с собой Сесилию, маму и папу. Они были близко, живые и в страхе. Сесиль стала красной от слез и распухла. Вытирая лицо руками, она сковырнула прыщик на крыле носа, и он кровоточил. А мама (поскольку она не привыкла к несчастьям, а только к карьере и ловким коллегам!) все время держала в руках его руку. Как будто руками кого-то удержишь!

Глаза Мэтью перекатывались под тонкой кожей век, обжигая собой эту почти прозрачную кожу, и успевали поймать любое движение близких по комнате: и то, как мама взяла полотенце, висевшее на спинке кровати, чтобы вытереть лоб, и то, как папа снял пиджак и бросил его прямо на пол, и то, как Сесилия, щелкнув заколкой, туго-натуго стиснула волосы, и белое все, что в ней было, исчезло, остались одни только красные слезы.

Нужно было сказать им, что он все уже видит. Но веки не открывались, они были склеены. И рот был похож на крыло стрекозы: он вздрагивал, мелко, неловко, беззвучно, как будто готовясь взлететь прямо в небо.

234

ДНЕВНИК
Елизаветы Александровны Ушаковой

Париж, 1959 г.

Вчера Мите исполнилось четыре года. Втроем ходили к Вере: Георгий, Настя и я. Настя привезла из Китая чудесную игрушку: механический кораблик, точную копию традиционного прогулочного судна восемнадцатого века. Я такой красоты никогда не видела. Корпус кораблика сделан из дерева и обшит слоновой костью и жестью, на палубе — фигурки двух слуг, трех музыкантов и танцовщицы, которые прислуживают богатому путешественнику и развлекают его. Повыше, на носу корабля, фигурка божества-покровителя, сделанная из янтаря. Настя сказала, что в китайских легендах часто говорится о небесных ладьях, в которых веселые небожители путешествуют по земным морям и океанам. Потом она поправилась: «бессмертные небожители». Я не могу слышать слово «смерть», не могу.

Митя еще больше напоминает отца. Вера похудела, в ее лице проступили какие-то грузинские черты, и даже эти узкие глаза, которые так любил мой Ленечка, уже не кажутся такими узкими, их словно растянули изнутри. Всю прошедшую неделю — нет, даже больше — я продолжала мучиться с его тетрадями. Настя сидела в одной комнате, я в другой. Мы с ней почти и не разговаривали. Вчера вечером после Митиного дня рождения она сказала, что уезжает обратно в Китай. Теперь я поняла, как много неразрешенного и запутанного в ее жизни. Она, как и я, любила двоих: и своего покойного мужа, и этого дьявола Дюранти, который тоже недавно умер. Настя во многом похожа на меня, мы не живем просто, как остальные женщины, но постоянно *продумываем* свою жизнь, и это только со стороны кажется, что мы с ней такие легкомысленные. Я все думала, сказать ли ей о том, что я прочитала в Лениных тетрадях? И чувствую: не могу. Не могу открыть даже Насте. У нее ведь не было детей, не было сына, и она не знает, что это такое, какая это боль.

Он был еще совсем маленьким, лет двух, не больше, и я принялась брать его с собой в церковь. Подносила его к Иверской Богоматери, и мы подолгу стояли с ним, смотрели. Когда он немного подрос, он спросил у меня: все ли матери на свете такие же добрые, как Она?

И я ответила: «Все».

Вчера прочитала в его тетрадке:

«Помню, как мы с мамой поехали в Тулузу. Мне было, если не ошибаюсь, лет пять. До этого дня, о котором я сейчас говорю, я был совершенно счастливым ребенком, но с этого дня я понял, что моему счастью все время будет что-то мешать, и нужно сделать так, чтобы забыть о том, что мне мешает, и снова любить мою маму по-прежнему».

В Тулузу мы с ним поехали ранней весною на две недели. Ему было не пять, а шесть лет, он перепутал. Туда же должен был приехать Коля и поселиться на старом постоялом дворе, переделанном в гостиницу. Мы уже несколько раз так поступали: я брала маленького Леню и уезжала, потом туда же, где были мы, приезжал Коля, останавливался неподалеку, и мы с ним встречались. Но прежде, до Тулузы, Леня был совсем крошечным и ничего не понимал, а тут он впервые заподозрил меня, потому что услышал наш с мамой разговор. Господи, я же все помню.

Я тогда готова была расстаться с Георгием, развестись, и если бы Коля был немного настойчивее, может быть, так бы оно и случилось. Уж очень мы плохо тогда, нервно жили. Теперь понимаю, что Георгий чувствовал все, что во мне бушевало, и был весь раздавлен, не знал сам, что делать. Я ехала к родителям не только для того, чтобы отдохнуть от наших скандалов, но втайне надеялась, что наконец-то познакомлю их с Колей, перетяну их на свою сторону, и все это сразу решится. Но когда я попала в свой дом, увидела маму и папу, таких постаревших, уставших ото всего, что им выпало в жизни, любящих нас и радующихся тому, что у меня все в порядке, есть муж и ребенок, — я сразу обмякла, поняла, что ничего не скажу, нет у меня ни сил, ни решимости причинить им еще одно горе, и сразу наступило душевное отрезвление. Я даже хотела дать тогда Коле телеграмму, чтобы он оставался в Париже, но потом не сделала и этого, просто махнула на все рукой: будь что будет.

В первый же вечер и произошел мой с мамой разговор сразу после чая, когда папа отправился на свою обычную прогулку, а Леня, набегавшись, спал на качалке. Я помню этот разговор так, как если бы он был вчера. Мы сидели на террасе, и мама — я помню — перитирала чайные чашки. Потом она спросила, что со мной, почему я такая грустная. И я ей тогда рассказала про Колю. Мама вскочила, стала шарить по всем карманам в поисках папирос, потом исступленно зашептала:

— Не смей! Не смей этого делать! Ты живешь с благородным человеком!

А я запальчиво ответила, что, кроме благородства, нужны и другие причины для того, чтобы жить вместе, а я вышла замуж за Георгия только потому, что они с папой все уши мне прожужжали, что он благородный человек.

Мама наконец закурила трясущимися пальцами, закашлялась и заплакала. Я и сейчас слышу, как она тогда

237

сильно и горько плакала, и у нее тряслась голова, как у старухи. Потом она сказала, что они с папой прожили жизнь и хлебнули в ней, а я все готова сломать, никого не жалею. Я опять попыталась объяснить, что мой с Георгием брак — ошибка, которую можно исправить.

— Что значит — исправить? Как это — ошибка? Георгий — твой муж.

Открыла Священное Писание и прочитала:

— «Как ты не знаешь путей ветра и того, как образуются кости во чреве беременной, так не можешь знать дело Бога, Который делает все»[1].

Я помню, что после этого сразу замолчала, и мама тоже притихла. Догадалась, что я наконец ее услышала. Мы с Настей часто поражались тому, как она умеет ошеломить, оглоушить, сломать, а потом вдруг мягко, тактично отступить, отхлынуть, как волна, подобравшая свою пену и уступившая место другой волне.

— Сама все решай. Все сама. Не молодка. Вон мальчик какой! Ты о мальчике думай.

Она взяла на руки спящего Леню и понесла его в спальню. Я была уверена, что он ничего не слышал, а даже если бы и слышал, то что он мог понять, шестилетний? А он все услышал, запомнил и понял.

**Анастасия Беккет—
Елизавете Александровне Ушаковой**

Лондон, 1937 г.

От Патрика уже три недели нет никаких известий. В последнем письме из Нанкина он написал, что между

---

[1] Екклесиаст, 11:5.

японскими солдатами происходят соревнования: кто за день обезглавит мечом большее число китайцев. Японцы жалуются, что к вечеру рука еле поднимается, до того тяжело делать одно и то же движение: рубить головы. Все это снимается на пленку. Патрик говорит, что постепенно все окружающие его люди — и даже он сам — привыкают к тому, что происходит, и становятся все менее и менее чувствительными.

**Отрывок из письма
Патрика Беккета Анастасии Беккет**

Нанкин, 1937 г.

«Я постоянно вижу эти отрубленные руки, ноги, головы, изувеченные тела, вижу детей, потерявших родителей, и родителей, воющих над трупами детей, и чувствую, что тот запас сострадания, который есть во мне, постепенно сжимается и сплющивается под тяжестью всего, что на него ложится. В первые дни, когда это только началось, я страдал так, что мне все время хотелось или стонать, громко, в голос, или напиться до бесчувствия, уйти ото всего этого. А сейчас я почти привык. Мы очень здесь много работаем. Отыскиваем живых среди трупов, перетаскиваем, лечим, кормим, перевязываем, устраиваем на ночлег, добываем еду и медикаменты. Кроме этого, я еще успеваю поставлять в газеты свои репортажи, которые принимаются плохо и проходят только частично. Никто в окружающем мире не хочет ничего знать. Людям наплевать на других людей, пока их самих не коснется.

Поздно ночью возвращаюсь домой и валюсь с ног. Раньше я почти не мог спать. Теперь засыпаю, прежде чем голова касается подушки. Странное дело: почти каждую ночь мне снится огонь. Сегодня, например, снилось, что я вытащил из реки какую-то девушку, немного похожую на тебя, которая хотела утопиться. Я нес ее, и вода доходила мне до плеч. При этом я чувствовал, как во мне нарастает желание, и все время целовал ее, торопился добраться скорее до берега, хотя понимал, что я не посмею овладеть ею, если она сама не захочет этого. Но только я ступил на берег с ней на руках, как увидел, что на берегу все горит. И тут же руки мои стали свободны от тяжести, потому что девушки уже не было, она за секунду превратилась в пепел. Жуткое какое-то видение, а не сон!

Жизнь, правда, ничем не лучше. Японские солдаты часто поджигают по ночам дома, где люди спят целыми семьями, и развлекаются тем, что закрывают двери и никому не дают выйти. Таких случаев здесь — великое множество. Я часто задаю себе вопрос: если мы выживем (то есть какая-то часть из нас!), и на свете по-прежнему будут существовать Китай и Япония, то как станут смотреть друг на друга те, кто пережил это время? И даже их дети? Может быть, потеря чувствительности, которую я сейчас ощущаю в себе, и есть доказательство того, что человеческая психика намного крепче, чем должна была бы быть?»

Вермонт, наши дни

Ушаков спал на террасе в том старом плетеном кресле, которое было слегка продавлено тяжелым телом его покойного деда. Дед тоже любил это кресло и тоже частенько в нем спал, о чем, разумеется, не подозревал его внук, недавно прибывший из Парижа и тут же вступивший во владение всем, что этот сонливый, загадочный дед оставил ему, не спросив ни разу, каков он собой, дальний внук и наследник. Судя по всему, деду было важно с помощью запущенного дома и дорогих картин пробиться к тому, что останется на свете после него, — вот тут и возник Ушаков. Кровному внуку нужно было тоже лежать и дремать в этом кресле, воскрешая тепло его старого тела, поскольку нигде и ни в чем, кроме как тоже в теле этого внука, не должны были содержаться особенности и тайные свойства его собственного организма, переданные кровно близкому существу столь прямо и столь же естественно, как это бывает у птиц, у цветов и у прочей природы.

Сквозь сон Ушаков слышал, как в доме звонит телефон, и даже подумал, что это может быть Лиза, но не вскочил и не бросился в комнату, а только еще плотнее закрыл глаза, словно досадуя на то, что громкий и весь серебристый звонок разбудил его. Он прекрасно понимал, что хитрит с самим собой, потому что Лиза не покидала его мысли, а все, что он узнавал о ней, только усиливало ревнивый и жгучий интерес. Именно жгучий, потому что в основе его лежало телесное желание, которое он, скорее всего, и мог бы победить, если бы не одновременно вспыхнувшее в нем требование счастья, ни разу со смерти Манон не испытанного. Казалось, что кто-то играет по нему, как по нотам. Он был весь открыт, беспощадно и страшно. Если бы она вошла сейчас на террасу в своем этом длинном, простом, шевелящемся платье, он сразу бы обнял ее, потому что быть рядом с ее телом, ее волосами, руками, губами и не дотрагиваться до них, не целовать, не дышать всеми этими запахами, такими отдельными, поскольку он уже знал, как пахнут по отдельности ее волосы, ладони, грудь, живот, лопатки, шея, не упиваться этими запахами — то слабых цветов, то воды, то июльского солнца, — не присваивать всю ее себе, не подчинять ее своему желанию было так же невозможно, как не пить воды в самый раскаленный день или не притрагиваться к пище после здоровой работы на свежем воздухе. Ушаков чувствовал себя в ловушке, и чем больше радости приносила ему каждая ее черта, которую память с готовностью вырабатывала и поставляла ему так же, как пчелы вырабатывают и поставляют мед, муравьи — кислоту, березы — густой, светлый сок и так далее, тем настойчивее становилось подозрение, что если сейчас не попробовать вырваться, то ходу обратно, к свободе, не будет, и то, что она уже сделала с ним, есть только начало смертельного рабства.

Опять зазвонил телефон, и он поднялся, потревожив уютное кресло, которое издало глубокий и плотный звук, похожий на собачий зевок.

Звонила Надежда.

— Димитрий! Димитрий! У нас тут несчастье!

Он понял, что несчастье случилось с Лизой, и руки его похолодели.

— Студент наш! Матюша! Ну, Мэтью, ну, Смит же! Попал под машину. Ах, господи, боже!

У него отлегло от сердца. Он вспомнил этого Смита, выбрав из нескольких возникших перед глазами примет особенно поразившую его белизну и кудрявость, к которым тут же присоединился ломкий голос и напрягшееся от пения тонкое горло. Он понял, что с этим мальчиком случилось несчастье, но то, что она, его Лиза, жива и звонок не имеет к ней никакого отно-

242

шения, наполнили тут же таким облегченьем, что стало неловко.

— Он жив, я надеюсь?

— Пока что, пока что! Лежит под приборами! Уроков сегодня не будет! Какие уроки! У нас тут как траур! Но вы приезжайте! Ведь мы породнились! Давайте держаться! Давайте все вместе! Что вам одному-то?

Ушаков не стал возражать.

— Сидим тут, в столовой, — всхлипнув, пояснила Надежда. — Все ждем, что нам скажут. Ребята поели, а нам кусок в горло... Какой там обед! Так, травы пощипали...

Он хотел спросить, все ли педагоги собрались в столовой и там ли Лиза, но не спросил. Почему-то ему показалось, что она должна быть огорчена больше других, и мальчик Мэтью Смит, лежащий сейчас между смертью и жизнью, ей ближе, чем им. По дороге в летнюю школу Ушакову пришла та же мысль, которая уже и прежде приходила ему в голову: как это случилось, что еще неделю назад полностью погруженный в себя, в свою особенно сильно «забуксовавшую» после потери матери жизнь, он не только отвлекся ото всего, что составляло эту жизнь, но даже начал смотреть на нее со стороны, как будто она его и не касалась. Так, наверное, человек, ночью углядевший на небе огромную, налитую тревожным сияньем луну, не узнает ее днем в образе легкого белого облачка и не понимает, чем это облачко могло так разволновать его.

В столовой не было ни Лизы, ни Надежды, зато была растрепанная от волнения Ангелина Баренблат, которая шептала что-то на ухо красивой и полной армянке по имени Саския, засунувшей большой палец правой руки в вырез своего сарафана и слегка оттянувшей его, как будто этот глубокий и свободный вырез не давал ей дышать.

— Как мальчик? — спросил Ушаков.

Ангелина слегка покачнулась сначала налево, потом — осторожно — направо и ответила, что ничего не изменилось: в себя не приходит, и весь переломан.

— Раздавлены органы, — сказала красивая и полная Саския, испуганно улыбнувшись Ушакову вместо приветствия. — Была операция, очень тяжелая.

— Как это случилось? — спросил он не потому, что теперь ему для чего-то было важно узнать, как именно это случилось, а потому, что принято задавать эти никому не нужные вопросы.

И тут же в окне увидел Лизу, которая шла мимо по тропинке с двумя длинноволосыми молоденькими девушками.

— Попал под машину, — с той многозначительной миной, которая была уже знакома Ушакову по лицу ее дочери, ответила Ангелина. — Не бросился, нет! Очень просто попал. — И вдруг спросила невпопад: — Когда вы в Нью-Йорк-то?

— Я думаю, скоро, — ответил он. — Пора за ум браться, а то я все в отпуске, разве так можно?

— Пока молодой, отдыхайте, гуляйте! — плаксиво попросила Ангелина. — Вы видите, что происходит?

Красивая Саския положила обе руки на стол и вытянула их, слегка сжав кулаки, так что эти короткие и полные руки с упавшим на них золотым заоконным светом напомнили Ушакову широкие лапы бульдога.

— Ребята хотели поехать в больницу, — сказала Саския очень мягким и матовым голосом, которому ее армянский акцент придавал особую прелесть. — Им, может быть, скажут...

Ушаков кивнул и вышел из столовой. Лиза и девочки стояли неподалеку. Он замялся, не зная, как поступить. Но она уже увидела его и слегка помахала рукой.

244

Опустив головы, девочки побрели дальше — легкие и голоногие, со своими распущенными, доходящими до самых ягодиц волосами, и, глядя на них со стороны или сверху, было нетрудно представить и их раздавленными машинами или каким-то другим способом сметенными с лица земли.

— Ты знаешь уже? — спросила она, перекусывая травинку.

Он смотрел и не узнавал ее. Она была в той же накинутой белой кофточке, в какой была вчера, и даже полотняные туфли с коричневой шнуровкой были теми же самыми, но вся она изменилась. Ее лицо показалось Ушакову разворошенным, как бывает разворошена комната или небо перед грозой, и в глазах стояла та еле заметная мутная белизна, которую Ушаков изредка замечал у людей в момент острой физической боли.

— Всегда так бывает, — вдруг сказала она, — думаешь, что все хорошо. Потом вдруг звонят, говорят...

Он понял, что дело не только в Мэтью, она вспоминала свое.

— Где его родители? — спросил Ушаков.

— В больнице. И с ними Сесиль.

— Сестра?

Она вздрогнула и не ответила.

— Откуда брать силы? — вдруг так же, не объясняя ничего, прошептала она. — Откуда?

— На что?

— Да на всё!

Ушаков остановился на ходу. Это «всё», на которое она тяжело надавила горлом посреди шепота, испугало его.

— Мы можем жениться, быть вместе, — неожиданно сказал он.

Она всплеснула руками и сильно покраснела.

— Нет, я не ошиблась! — И то ли засмеялась, то ли всхлипнула. — Я так и почувствовала сразу, что ты ни на кого не похож.

— Скажи лучше: «да», — пробормотал он.

— Нет, что ты! Конечно же: «нет»!

Его обожгло стыдом.

— Ты хочешь помочь, — быстро добавила она. — При чем здесь «жениться»?

Ушаков промолчал. В том, что она произнесла сейчас, была своя житейская логика, которая годилась для остальных людей, и, может быть, даже для большинства этих людей, но не для них.

— А ведь мне никто не делал предложения! — помолчав, сказала она. — Один только ты.

— А этот... твой?

— Но он ведь женат.

— Даже когда узнал, что будет ребенок? — стыдясь своего обжигающего изнутри любопытства, пробормотал Ушаков.

Она наклонилась, сорвала травинку и перекусила ее, глядя на него исподлобья темными, налитыми стыдом глазами.

— Он не знает. Я ему не сказала.

ДНЕВНИК
Елизаветы Александровны Ушаковой

Париж, 1959 г.

Настя улетела в Китай, и мне стало легче. Никак не могла сначала понять, почему. Сейчас поняла. Она отвлекала мое внимание на себя, а у меня и так мало времени, чтобы тратить силы на что-то, кроме Лени.

Читаю тетради.

«Помню, как мы с папой часами ждали маму с обедом. Я тогда еще учился в школе. Серж Голицын, с которым я дружил и с которым мы каждое лето были вместе в разведческом лагере, как-то сказал про мою маму, что у нее cette jupe[1]. Я дал ему по морде. С тех пор мы больше не разговаривали. Когда я был подростком, я начал замечать эти взгляды на нее. На нее смотрели мужчины. Даже когда она шла со мной и я держался за ее руку. Мы с ней долго ходили за руку, лет до одиннадцати, наверное. Я всегда чувствовал, что когда мы втроем — то есть мама, папа и я, — нам сразу становится плохо. А когда мы вдвоем с папой или вдвоем с мамой, тогда все хорошо. Что-то в нашем семейном соединении всегда меня ранило.

Я помню, как много лет назад, когда я еще был в Сорбонне, папа мне позвонил и попросил приехать. Я приехал домой и увидел его совсем больным. Его знобило, рвало, он не выходил из уборной. Потом наконец вышел, совсем обессиленный, белый, свалился на кровать и просил меня сказать маме, если она позвонит, что он заболел. Я спросил, где мама. Он сказал, что мама уехала с подругой в Шартр и должна вернуться через два дня. У него было измученное и совсем больное лицо. Я хотел вызвать амбуланс, но папа просил одного: дождаться маминого звонка и попросить ее вернуться. Я понял, что между ними что-то произошло, и это-то и есть причина его неожиданной болезни.

Я не располагал никакими фактами, я ничего не

---

[1] Бешеный успех *(франц.).*

знал о маминой жизни, кроме того, что на нее всегда смотрели мужчины и у нее cette jupe. Тот разговор мамы с бабушкой, который я случайно услышал, когда мне было пять лет, не растворился в памяти, но я запер его в клетку, как дикое злобное чудовище, и никогда не подходил к этой клетке, хотя знал, что чудовище по-прежнему там. Иногда я боялся, что начну ненавидеть маму за то, что она сделала с папой, хотя я не знал, как называется то, что она сделала с ним. Когда я был совсем маленьким, я часто просыпался по ночам от страха, что мама нас бросила, а однажды увидел сон, как к нам в квартиру пришла какая-то китаянка, очень красивая, вся розовая и фарфоровая, которая расположилась на нашем диване, раскинула по нему складки своего пестрого шелкового одеянья, и стало казаться, что она не человек, а птица в длинных экзотических перьях с маленькой вертлявой головкой, которую она прижимала то к одному, то к другому плечу. Я до сих пор помню тот страх, который я испытал, глядя на эту страшную розовую китаянку, потому что я чувствовал, что она пришла за моей мамой и, как только мама выйдет из ванной, она заберет ее у нас. Теперь понимаю, что на мою жизнь слишком сильно повлияло то наивное религиозное чувство, которым меня переполнили в детстве. У нас дома всегда было много икон, и я любил их, восхищался ими, особенно Богоматерью с младенцем. Мне всегда казалось, что и мы с мамой похожи на Них. Я трепетал перед этими изображениями и одновременно чувствовал себя по-домашнему близко к ним.

Теперь, когда я приступил к своему медицинскому эксперименту, мне нужно попытаться понять: было *ли в моем детстве то, что могло бы привести меня — среднеблагополучного юношу — к приему наркотиков? То есть ставлю на свое место кого-то другого, кто в тех же самых обстоятельствах оказался бы чуть-чуть слабее, чем я. Думаю, что да, это могло случиться, потому что те подозрения, которые разъедали меня и о которых я старался не думать, загоняя их в самую глубину и пряча от себя самого, — этих подозрений с лихвой хватило бы на то, чтобы, став взрослым, почувствовать, что вся моя жизнь продолжает быть тяжело отравлена ложью, и отрава проникла именно туда, в ту самую точку, в которой и содержится все мое «я».*

Птенчик мой. Зачем ты молчал?

Патрик Беккет — Анастасии Беккет

Шанхай, 1937 г.

Помнишь, я как-то упомянул тебе об одном человеке, с которым я познакомился в Германии? Его зовут Ивар Лисснер, он считает себя немцем, но его отец еврей, а мать русская. Он родился в Риге, и поэтому русский — его родной язык. Потом они переехали во Францию, и там он получил юридическое образование. Свое полуеврейское происхождение он очень тщательно скрывает и с тридцать третьего года стал членом нацистской партии. Я тогда, в Германии, обратил внимание на его политические статьи в газете «Angriff» и поразился их сходству со статьями Уолтера Дюранти. Прости, но хочу все же дописать сейчас свою мысль. Я подумал тогда, что подлость имеет один и тот же почерк, о чём бы ни шла речь. Это её алгебраический корень, её константа. Но ты не можешь представить себе ещё одного обстоятельства: Лисснер даже внешне похож на Дюранти. И сильно похож! Если бы ты увидела его (не дай бог, конечно!), ты бы меня поняла. Наше знакомство в Берлине было очень коротким, но я понял, что этот человек — открыто циничный, хотя, наверное, по-своему умный. Вернее, по-своему подлый. Больше всего он боится того, что откроется правда о его еврейском происхождении, я слышал, что гестапо уже начинало дело против его отца, который подделал метрику, но дело было прекращено за недостатком доказательств.

В субботу я приехал в Шанхай и нос к носу столкнулся с Лисснером в ресторане. Он сидел за столиком с молоденькой китаянкой, но она тотчас же выскользнула, а он пересел ко мне. Мы говорили по-английски, но он всё время вставлял русские слова, пока я не попросил его не делать этого. Он тут же засмеялся и сказал, что это привычка, потому что в Маньчжурии ему пришлось принять участие в допросах одного высокопоставленного советского перебежчика. Тогда я прямо спросил его, на кого он сейчас работает. Он, разумеется, отшутился. У меня есть все основания предполагать, что он работает не на одну разведку, а по крайней мере на две или даже на три: абвер, НКВД и японскую. Это не такая редкость в наши времена.

Лисснер вёл себя очень расслабленно, казался беспечным, немного рассеянным, но я этих людей хорошо знаю: эта их расслабленная беспечность — почти семейная черта, которая связывает политических подонков всех национальностей, от бледных немецких палачей с их склонностью к туманному мистицизму до грубых мордастых славянских погромщиков. На самом деле эти люди всегда напряжены и очень следят за собой. Наверное, поэтому среди них много алкоголиков: такое постоянное напряжение нелегко выдержать. В самом конце нашего разговора (причем я молчал, а он говорил без умолку!) Лисснер сказал, что у него есть ко мне одно «интересное предложение», и, кстати, поинтересовался, не нуждаюсь ли я в деньгах. Эта циничная откровенность поразила меня настолько, что я даже не сразу нашел, что ответить на это, а он, нисколько не смутившись, спросил, не хочу ли я познакомиться с одним «отличным человеком» — работником советского консульства в Харбине. Я подозвал официанта, расплатился и, не говоря ни слова, направился к выходу. У самой двери меня догнала его китаянка и на ломаном английском языке попросила принять от нее розу на память. Вынула розу из складок своего темно-синего шелкового кимоно и отдала мне.

Отвратительный тяжелый осадок на душе. Снова стало казаться, что кто-то за мною следит, почти так, как было в Москве.

**Анастасия Беккет —
Елизавете Александровне Ушаковой**

Лондон, 1938 г.

Я вдова. Патрика больше нет. Просыпаюсь ночью, говорю себе: «Патрика убили. Я вдова». Днем хочется забиться куда-нибудь, спрятаться от всех, а ночью наступает страх. Ты пишешь, чтобы я поскорее приехала к вам в Париж. Что мне делать в Париже, Лиза? Я думаю, что с работой там ненамного легче, чем в Лондоне. В одном из своих писем Патрик написал мне, что река

Янцзы покрыта телами мертвых и вода в ней красна от крови. Теперь каждый раз, когда я закрываю глаза, передо мной одна и та же картина: бандиты снимают его тело с веревки и бросают в эту красную реку. Мне было бы легче, если бы я хоть что-то знала! А так он словно бы растворился. То ли в воде, то ли в земле. Иногда мне приходит в голову, что он спрятался от меня.

Тетка вчера сказала:

— Может быть, тебе съездить туда? Узнаешь хоть что-то!

Она права. В Париже я вряд ли найду работу, даже такую малооплачиваемую, как здесь. Мне лучше поехать в Китай, пойти по его следам. Люди, с которыми он сталкивался, наверное, все еще там. Должны же они что-то знать о нем. Я, кстати, уже справлялась: можно присоединиться к одной из христианских миссий, которая находится сейчас в провинции Чжэцзян. Это не очень далеко от Шанхая.

Вермонт, наши дни

Очень много было синего, такого густого, словно в комнату вошло море. Слышал он плохо и тоже как будто сквозь воду. Однако внутри синевы можно было различить голос Сесиль, который блеснул, как осколок. Родители склонились над ним одинаково низко, и головы их, которые он угадывал сквозь свои неплотно прикрытые горячие веки, казались плодами, свесившимися с одной и той же ветки. Большими плодами, тяжелыми, с листьями. Сесиль он узнал очень быстро. Сесиль лила слезы, дробясь в ярко-синем и размазывая саму себя по синему, как дети размазывают по бумаге непросохшую акварель. Всем телом своим она стала крупнее, и волосы были немного темнее. Ему пришло в

252

голову, что волосы тоже бывают съедобны. Они ведь такие скользящие, сладкие! Хотелось смеяться, и только по-русски. Он помнил, что все нужно делать по-русски. Девушки выходили к нему из красноватой синевы в своих тяжелых народных сарафанах. Самая большая из них, с выпуклыми, обветренными губами, шептала с испугом: «Выходим! Выходим!»

Он чувствовал, как его вытаскивают из тепла дрожащей воды, из беззвучного марева. Его вытаскивали медленно, причиняя ему несильную, немного даже приятную, тянущую боль и что-то при этом ломая внутри с таким незначительным слабеньким хрустом, как будто ломали прозрачные раковины.

— Он, что, *умирает?* — вдруг прямо над ухом спросила Сесиль.

Последнее слово было уж слишком горячим. Настолько горячим, что его температура оказалась достаточной для разрушения той комбинации душевных и телесных элементов, которая устремляла его к смерти. Комбинация смерти, не выдержав, распалась, и освободившиеся элементы сгруппировались в новом порядке.

Мэтью Смит постарался как можно шире открыть глаза, стараясь убедить всех, кого можно, в том, что он *не умирает.*

**Анастасия Беккет —
Елизавете Александровне Ушаковой**

Лондон, 1938 г.

На прошлой неделе Мэгги, которая вместе с мужем уже три месяца как вернулась из России, сказала, что Уолтер Дюранти в Лондоне и разыскивает меня. Я запретила ей даже произносить при мне это имя. Она согласилась насмешливо и, кажется, не поверила тому ужасу, с которым я приняла ее новость. Утром в субботу после долгих дождей и тумана проглянуло солнце, и я вышла немного подышать. Иду по Пикадилли, прохожу мимо Академии художеств, и вдруг кто-то хватает меня за локоть. Лиза, я поняла, что это он, я почувствовала. Да я и гулять-то пошла, надеясь, что он меня где-нибудь выследит, только не сознавалась себе в этом до последней минуты. Он сильно похудел и, как говорила наша мама, «пожух». Под глазами прокуренная чернота. Одет, как обычно, с иголочки. Сколько же мы не виделись? Почти три года.

— Прошу тебя, — сказала я, — оставь меня в покое.

— Я скучал, — ответил он и провел рукой по моей шляпе, как будто погладил меня по голове. — Я сильно скучал, моя девочка.

— Оставь меня! — закричала я.

На нас начали оглядываться.

— У меня умер муж.

— Я знаю. Пойдем посидим где-нибудь.

Он подозвал кеб, и я покорно пошла за ним, как овечка. Водитель спросил, не хотим ли мы откинуть крышу, потому что стало совсем тепло. Уолтер сказал, что не надо. Потом назвал какой-то адрес. В машине он, не говоря ни слова, притиснул меня к себе, и я услышала знакомый бешеный стук его сердца. За всю дорогу ни он, ни я не сказали ни одного слова.

Живет он довольно далеко от центра в гостинице «Флемингс Мэйфер», дорогой и очень комфортабельной — он любит такие, — и занимает там две комнаты с просторной кухней. Лиза, я должна рассказать тебе все. Я расскажу. Мне очень хочется разорвать это письмо, но я не разорву и допишу его. Уолтер сел на кресло у кровати и посадил меня к себе на колени. Я попыталась вырваться, но он меня не отпустил.

— Прежде чем я возьму тебя, — сказал он очень просто, — я должен поверить в то, что ты мне не снишься.

И тут же начал медленно раздевать меня. Он стащил с меня жакет и бросил его на пол, туда же полетели шляпа и шарф. Обеими ладонями он обхватил мое лицо и натянул кожу к вискам. Потом он сильно, до боли, поцеловал меня в грудь через платье. Меня как будто парализовало. Я чувствовала, что нужно вскочить и бежать. Даже показалось, что я уже вскочила, уже убегаю. На самом деле я не двигалась, только ловила воздух открытым ртом, хотя в комнате было прохладно. Когда я осталась в одном белье, он вдруг повернулся вместе с креслом, не выпуская меня, и мы отразились в зеркале. В зеркале я увидела, какой он белый, как будто лицо его осыпали зубным порошком, с блестящими расширенными глазами. Он слегка улыбался. Я знаю эту его улыбку, и радостную, и одновременно больную. При этом он словно бы и в самом деле проверял, не снюсь ли я ему: проводил пальцами по моему лицу и внимательно смотрел на то, как каждое его движение отражалось в зеркале. Потом обхватил меня обеими руками и вместе со мною рухнул на кровать.

— Ты знаешь, что сейчас будет? — спросил он. Руки его стали очень холодными. — Молчи и не рыпайся!

Тут же я почувствовала его внутри, и через секунду меня охватил тот веселый покой, который я так помню. Мне опять захотелось смеяться от счастья, нет, не от счастья, а от восторга, который я не могу объяснить. Мне хотелось смеяться, но я спохватилась, испугалась того, что делаю, и начала плакать. А он ведь всегда любил, когда я плачу в постели: говорил, что ему становится только теплее.

— Ну, вот, моя детка! Да что ты вцепилась в свою рубашонку! Ты что, от меня прячешься?

Он скомкал, отбросил в сторону мою рубашку и начал покрывать все мое тело не поцелуями, а быстрыми яростными укусами, от которых я, не переставая плакать, в голос захохотала.

Дальше не помню. Может быть, я даже потеряла сознание на какие-то секунды. Не помню. Не знаю. Помню, что он лежал рядом, уткнувшись в мое плечо, и спал, громко всхрапывая. Он и раньше часто засыпал так. Я отодрала его от себя, он даже не почувствовал этого, и встала. Все пылало во мне: грудь, живот, ноги, руки. Я не шла, я летала по комнате, все время натыкаясь на предметы, как будто меня ослепили. Потом все-таки нащупала дверь в ванную и приняла душ, который был еле теплым. Завернулась в огромный халат, пахнущий его телом, и вернулась в комнату. Он спал, открыв рот. Я вспомнила Патрика, которого больше нет, и мне пришло в голову, что первый раз за все время нашей с Уолтером связи я могу не опасаться, что Патрик узнает, где я была и с кем. Эта мысль показалась мне такой дикой, что я застонала вслух, и тут он проснулся.

— Иди ко мне, — сказал он хрипло.

Как я все помню! И этот его хриплый заспанный голос, и то, как он приказывает: «Иди ко мне!»

— Довольно истерик, — добавил он.

Я прижалась к стене, замотала головой, тогда он легко вскочил и, очень худой, со своим пристегнутым к колену протезом, забегал, хромая, по комнате.

— Я приехал забрать тебя к себе. Ты станешь миссис Уолтер Дюранти.

Я и слышала, и не слышала его. Он, может быть, бредил.

— Жена умерла, я свободен. С Москвой тоже кончено.

— Большевики выгнали тебя? — пробормотала я.

Он покачал головой, лег поверх одеяла, накинул на ноги простыню и закурил.

— Большевики! — весь скривился от отвращения. — Стадо мародеров! Я терпел их, пока мне было удобно. Они платили мне. Да, я лгал. А твой Беккет не лгал. Он что, изменил этот мир?

Я начала одеваться. Он опять вскочил, обхватил меня обеими руками и опять бросил на кровать.

— Я ревную. Ты была хорошей женой своему парню. На Страшном суде повторю. Ты была ему хорошей женой. Ты старалась. Он тебя не заслуживал. Тебя нужно много любить, понимаешь? Не так, как твой Беккет, а много, подолгу. И часто. Почаще, почаще!

— Отпусти! — попросила я.

— Тебя отпустить? Ни за что. А с чем я останусь? Ты не забыла, что я одинок, как Иов?

— У тебя же есть сын, — вдруг вспомнила я, — ты мне сам говорил...

— А кто мне докажет, что это мой сын? — дернулся он. — Ведь ты ее видела?

Я промолчала.

— Она меня съела.

Я вспомнила, что эта московская домработница всегда вызывала в нем какой-то суеверный страх.

— Я удрал оттуда, а она приходит ко мне по ночам и пьет мою кровь. Сегодня мне снился полный таз крови, в который она бросает подушечки моих пальцев. Я чувствовал, как их отрезали. А ты говоришь, чтобы я тебя отпустил! Мне однажды сказали, что она погибла. Но я не поверил. Она вернулась через месяц и сказала, что это она так пошутила со мной. А потом приехала ее мать, совсем без зубов и вся серая. Катерина не впустила ее в комнаты, чтобы мать не испачкала там. Я дал ей денег, а через два дня Катерина сказала мне, что соседи ограбили мать из-за этих моих денег и задушили ее. Я не поверил. Я не верю ни одному ее слову. Когда из Парижа пришла телеграмма, что Клер умирает, я удрал. Но она пригрозила мне. Она сказала, что *они* все равно не оставят меня в покое.

— *Они?* Коммунисты?

— И коммунисты тоже.

Страх его сильно передавался мне, хотя я не до конца понимала, о чем он говорит.

— Чего ты боишься?

— Я ведь рассказывал тебе. Тогда, после войны, я приехал в Париж, и мы устроили общество сатанистов. Я тебе это говорил. Нас было много. Мы все повторяли, что не хотим жить, но мы боялись смерти. Поэтому мы стали поклоняться *ему*. Просили у *него* защиты. У нас были оргии, дикие пьянки... *Он* сильно помог.

Я быстро оделась и побежала к двери. Уолтер не удерживал меня, не шевелился: он пристально смотрел в угол. Мне показалось, что он видит там кого-то. Дверь была заперта, я начала возиться с замком.

— Мы женимся, да? Ты согласна? — глухо спросил он.

Я все не могла открыть этот проклятый замок!

— Мы можем венчаться в твоей русской церкви. Поедем в Париж, обвенчаемся там.

Наконец я открыла дверь и бросилась бежать по

узкому темному коридору. Как добралась до дома, почти не помню. Я не смею даже думать о нем. Тем более жалеть или тосковать по нему.

Вермонт, наши дни

Через неделю Матвея Смита, чудом выжившего, очень больного молодого человека, перевели из реанимации в палату. Лежать в гипсе безотрадно для любого, но лучше лежать все же в гипсе, чем в тесном гробу под землею и слушать густые подземные звуки: то лавы, желавшей извергнуться с треском, то разных ископаемых. Впрочем, никто ведь не знает и самого главного: молчат ли там люди? А может быть, тоже вопят беспрестанно? Лежи там и слушай их грустные вопли. Нет, лучше уж в гипсе.

Беда была в том, что Матвей вдруг напрочь забыл, через что он прошел, чего избежал волей чуда, и начал терзать всю семью. Во-первых, он выгнал Сесиль, которая плакала. Хотел было выгнать и мать, но она так испуганно глядела на него своими преданными глазами, что Мэтью сказал: «Оставайся». Короче, остались и мать, и отец, а Сесиль, похудевшая за последнюю неделю, вошла в свою комнату, которую она делила с Бетси — влюбленной в театр, но скучной девицей, — и тут же заснула.

Во сне она увидела, как доктор, похожий на пирата, у которого оливковая кожа немного блестела, как будто ее чем-то смазали, явился, чтоб снять с ее брата каркас. Сесиль стояла рядом с кроватью, и тут же стояли родители. Сам Мэтью был виден расплывчато, смутно: истаял за время болезни. Доктор долго возился, но, когда он наконец расколол гипс и в руках у него остались два больших белых куска, сохранившие форму юношеского тела, Сесиль закричала от страха. Самого тела на кровати не было, была пустота. Их всех обманули, он умер.

Длинная и прямая Бетси, которую за ее рост часто приглашали сниматься в массовках, где просили ничего не делать, а только открыть слегка рот, как будто она удивилась, щипала Сесиль за плечо.

— Сесиль, ты кричишь! Ты кричала, Сесиль!

Сесиль рывком села на кровати. Вокруг была звенящая, полная света тишина. Но Мэтью был жив! Она сразу же вспомнила это. И тут же со жгучей радостью, залившей ее яркой краской, вспомнила еще одного человека. Поскольку он тоже был жив и был очень ей дорог. Ей стало и стыдно, и горько, и нежно. Стыдно, потому что Мэтью лежал в гипсе, а нежно и горько — от силы любви, которая (так с парусами бывает, когда налетает взволнованный ветер!) тотчас же раздула собой ее душу, и эта душа заиграла, забилась.

— Сойер спрашивал, не вернулась ли ты, — осторожно сказала Бетси.

— Когда?

— Все время, все время! Раз пять меня спрашивал!

— А где он сейчас?

— Откуда я знаю? Возьми позвони.

Сесиль покачала головой. Она до сих пор не была уверена в том, какие отношения связывают ее с красавцем и общим любимчиком Сойером-Пресли. За день до того, как бедный Мэтью попал под машину «Лендровер», Сесиль ночевала у Сойера и там же лишилась невинности. Во всей русской школе она одна лишилась невинности так поздно: почти в восемнадцать. Но в том, что так поздно, повинен был Мэтью, который следил, доносил тут же папе и вечно готов был убить всех бойфрендов. Их было немного, но все-таки были.

Бенджамен Сойер покорил сердце Сесиль в самом начале учебы, когда все пришли на костер и там начали петь. Мэтью и Сесиль спели тогда романс «Отвори потихоньку калитку», Бетси — знаменитую русскую колыбельную «Спят усталые игрушки, книжки спят», Надежда и мать ее пели частушки. Короче, все шло как по маслу, и всем было весело. Бенджамен Сойер опоздал и пришел уже к концу. Костер осветил его с радостным шумом. Сесиль почувствовала, что такая красота, которой располагал Сойер, должна вызывать страдания и зависть других людей, и ей стало жаль Бенджамена. Одной из душевных особенностей Сесиль были своеобразно понимаемые ею человеческие переживания. Она, например, честно думала, что если один человек вдруг обидит другого, то жалко того, кто обидел, поскольку ему предстоят муки сердца: время ведь не разворачивается обратно, и возможность *не* обидеть того, кого ты *обидел*, уже позади. Взглянув тогда на золотого от огня Бенджамена, Сесиль ужаснулась тому, как жить ему дальше с его красотою и как он, наверное, всех раздражает.

Несчастного красавца между тем усадили на траву поближе к огню и в руки ему опустили гитару. Похожий на Элвиса Пресли столь сильно, что мать не сумела бы их различить (случись бедный Элвис живой и здесь, в школе!), Бенджамен Сойер исполнил русскую народную песню про Анну Каренину:

Тут Вронский явился, подлец и пройдоха
И белый к тому ж офицер,
Его породила другая эпоха,
И не жил он в СССР!

261

А бедная Анна пошла до вокзалу
И робко легла на пути.
Ее в те ужасные дни капиталу
Никто не подумал спасти!

Подайте ж, братишки, подайте, сестренки!
Подайте хоть хлеба кусок!
Поскольку у той, у Карениной Анны,
Остался сиротка-сынок!

Он бродит по свету, он просит прокорму,
Страдая от грубых людей!
Подайте, братишки, подайте, сестренки,
Вас просит Каренин Сергей!

Ему долго хлопали, а впечатлительная Надежда, хохоча, не удержалась и прямо в переносицу расцеловала артиста. С этого вечера Сесиль потеряла покой. Ее глаза, в которых голубизна стояла, как вода растаявшего на солнце сугроба стоит иногда в затаенной ложбинке и слушает пение птиц в поднебесье, — ее глаза следили за Элвисом Пресли с такой неподдельной и чистой любовью, как будто он был не земным человеком, но ангелом, вестником светлого чуда.

И вскоре была эта ночь, эта радость. Сесиль почти и не помнила, как она оказалась в комнате Бенджамена между одиннадцатью и двенадцатью часами после захода солнца. Но солнце зашло, и Сесиль оказалась. А Бенджамен потом долго не спал, а рассматривал ее, крепко спящую, с таким удивлением, как будто это была первая девушка, которая заснула на его плече с такой безмятежной доверчивой радостью.

Сесиль, правда, вскоре проснулась, и Бенджамен вдруг поцеловал у нее руку. И крови-то было всего ничего, а ей говорили, что может быть больше. Она приняла душ, заплела косу, ни разу не взглянув в зеркало, поскольку смотрела на Бенджи. Лицо его было порывистым, нежным и лучше намного, чем даже у Пресли. Потом они шли по росе к ее корпусу, но Бенджи молчал, и душа ее ныла. В прошлом году в школе ставили спектакль «Юджин Онегин», и ей поручили Татьяну. Сейчас бы она ее лучше сыграла, ей все стало очень понятным про жизнь. Проводив ее до двери, Бенджамен Сойер дотронулся до ее плеча и сразу убежал. Причем не к себе, в пятый корпус, а может быть, в лес или, может быть, в горы. Короче, умчался, следа не оставил. А днем на уроках почти не смотрел. Потом была спевка и яростный ливень. И Мэтью, который следил в оба глаза. Потом все бежали, спасаясь от ливня. И Бенджи, догнав ее, обнял с разбегу. Их руки сплелись, их дыхания спились. Вокруг было столько воды, все бурлило.

Прошла целая неделя с того вечера. Там, в больнице, она ни разу не вспомнила о Сойере. Там был только Мэтью, он чудом не умер. Теперь ему лучше, и он ее выгнал. Сесиль не сердилась и не обижалась. Ах, выгнал и выгнал! Но что делать с Бенджи? Она даже подумала о том, что, может быть, стоит написать ему письмо. Дождаться полуночи, лунного света и все написать, как писала Татьяна.

Длинная и прямая Бетси разбила поток ее мыслей вопросом:

— Ты есть-то хоть будешь?

Сесиль вспомнила, что очень голодна. Бетси смотрела с тем самым удивлением, которого добивались от нее операторы на массовках.

— Пойдем кофе выпьем, — сказала Бетси.

Сойер стоял с тарелкой, полной яичницы, в правой руке и двумя бананами — в левой. А вдруг он не хочет ее больше знать? Сойер поставил яичницу на чей-то столик, а бананы просто бросил на пол. И сам подошел к ней. Всей кожей спины Сесиль почувствовала, как на них смотрят. Глаза ее видели мало, поскольку он был слишком близко, почти что касался ее подбородком. Дыхание оба сдержали.

Патрик Беккет — Анастасии Беккет

**Последнее письмо, недописанное.
Нанкин, 1937 г.**
Они говорят, что не собираются нас убивать. Но я им не верю. Хорст ведет себя малодушно, один раз даже бросился целовать руки у главного бандита. Сейчас их осталось только четверо, куда исчезли двое, я не знаю. Содержат нас в сносных условиях: мы живем в подвале, но здесь не холодно, и еды почти хватает. Нас захватили всего неделю назад, а мне кажется, что прошла целая вечность. Сидим на своих подстилках и тупо ждем. Слава богу, что нам разрешают писать письма.

Знаешь, какое у меня сейчас самое любимое занятие? Вспоминать тебя. Память моя стала похожа на рака-отшельника, который тянет за собой каждую новую ракушку. Так и я: достаточно любой мелочи, чтобы я снова и снова чувствовал тебя, слышал твой голос. Иногда мне кажется, что ты находишься внутри меня, как преступник в свинцовом мешке. Были такие наглухо закрытые свинцовые мешки в средневековой Венеции, в них держали преступников. Веселое у меня воображение, правда? Помнишь, как мы отдыхали в Бре-

264

тони, и соседка учила тебя варить марципан? Радость моя! Сегодня ночью я долго вспоминал это. Сначала пошел мелкий дождь, небо было затянуто, и мы не смогли пойти купаться. Ты забралась с ногами на кресло и сказала, что это ничего, что дождь, ведь нам так уютно вдвоем в этом старом доме, который мы сняли на пару недель, перед тем как уехать в Ригу и оттуда — в Москву. В открытые окна просачивалось море с его крикливыми чайками и лодками вдалеке, и казалось, что все это — прямо здесь, в нашей комнате. На тебе было клетчатое платье с черным бантиком на шее, и, когда я развязал этот бантик, кожа твоего горла показалась мне такой шелковистой и горячей, как будто это была кожа только что народившегося птенца, которых мы, мальчишками, иногда находили в траве. Пришла соседская девочка лет тринадцати и спросила, хочешь ли ты научиться варить марципан, потому что мать ее собирается печь для гостей пироги с марципаном. И ты вскочила, обрадовалась развлечению. На кухне, куда и я пошел вместе с тобой, миндаль уже был аккуратно разложен на деревянном столе, топилась печь, и соседка, такая рыжеволосая, словно ее голову окунули в мед, с засученными рукавами белой рубахи, начала объяснять, как сначала нужно прокалить орехи, чтобы они, не дай бог, не обгорели, потом толочь их до тех пор, пока орехи не превратятся в легкую золотистую пыль.

Милая моя! Мне страшно, что меня убьют и ты останешься одна в таком жестоком мире. В Москве было время, когда я почти ненавидел тебя, но это время прошло. Оно прошло совсем. Мне не нужно было делать над собой никаких усилий, чтобы простить тебя. Это случилось само собой, когда ты заболела. У тебя была высоченная температура, и ты слегка бредила, плакала во сне. Доктор предупредил меня, что тебе нужно много пить, и я не спал, сидел рядом с тобой и все время поил тебя холодной водой из кувшинчика. У тебя стучали зубы, вода проливалась через край, ночная сорочка и простыня были мокрыми. На третий день мне пришлось ненадолго уйти, я оставил тебя одну, ты спала, но, когда я вернулся и снимал пальто в прихожей, ты вышла ко мне из своей комнаты, белая, без кровинки, держась за стену. Я разозлился, что ты встала, прикрикнул: «Иди ложись!», а ты так жалобно посмотрела на меня, хотела что-то мне объяснить, и вдруг у тебя закатились глаза, и ты упала, потеряла сознание.

Видишь, какая жгучая вещь — воспоминания? Что бы я ни делал сейчас — переворачивал бы страницу письма, ерошил волосы на своей голове, закрывал глаза, — я все равно вспоминаю тебя, хотя бы потому, что и тогда, когда ты была рядом, я точно так же переворачивал страницу, ерошил волосы, закрывал глаза. Теперь о другом. Я должен написать тебе все, что думаю, и прошу тебя: дай мне слово, что ты никогда не соединишься с Уолтером Дюранти. Это моя единственная к тебе просьба. В Библии сказано, что человека оскверняет не то, что входит в него, а то, что из него выходит. Дюранти любит смаковать все, что ему выпало пережить. Он полагает, что это его оправдывает. Я думаю не так: не время своею жестокостью и грязью оскверняет человека, а человек, подобный Уолтеру Дюранти, оскверняет свое время. Дюранти — подлец. На таких людях, как он, держится зло. Я часто задавался вопросом: откуда на свете так много зла и почему сила его столь велика? Думаю, что причина одна: каждое поколение выбрасывает из себя необходимое число людей, которые не дают этому злу хотя бы немного уменьшиться.

Я не знаю, правда ли то, что Уолтер рассказывал нам с Юджином: как сатанисты, среди которых было много разных знаменитостей, пили кровь только что убитых на бойне ягнят, как девятилетние девочки, проданные родителями в притон, проводили с ними ночи, и ничего не было слаще, чем после всего посадить такую девочку себе на колени и начать ее убаюкивать. Думаю, что многое он, наверное, и преувеличил, потому что в нем есть «болезнь лжи», но я знаю доподлинно одно: он был в тех же местах, где был я, он увидел все это еще раньше, чем это увидел я, и он не только не попытался помочь людям, которые голодали, но были еще живы и их можно было спасти, но он объявил этих людей несуществующими и подключил к своей подлости весь остальной мир. А миру на все наплевать, это я тоже понял.

Не думай, что я разочарован или обозлен. Я видел негодяев, подобных Дюранти, но видел и праведников. Один из них — Джон Рабе, немец, член нацистской партии, который основал здесь, в Нанкине, нейтральную зону. Мы много работали вместе. Когда я осторожно спросил его, понимает ли он, к какой партии принадлежит на своей родине, Джон Рабе сказал, что он принадлежит к партии социалистов. Сначала его ответ удивил меня своей наивностью, но после я понял, что он много лет живет не в Германии, а в Китае, и те события, которым мы в Европе уже стали свидетелями, и те идеи, которые несет миру нацизм, остались вне его понимания. Человек он исключительно добрый, чистый и самоотверженный. Так что, видишь, мир не делится на либералов и консерваторов, на белых и черных, на протестантов и католиков. Он делится на добрых и злых людей, и вся борьба, которая, как нам кажется, происходит между разными народами, странами и партиями, есть на самом деле борьба между добром и злом внутри самих людей.

Милая! Если бы ты только знала, как...

Вермонт, наши дни

Ушаков несколько дней провел, разбирая прибывшие из Парижа книги, бумаги, вещи и устраивая дом таким образом, как будто он и в самом деле намерен был жить в нем всегда. Он вспомнил, как в самом начале знакомства Надежда и мать ее Ангелина очень были озабочены тем, как он, холостой, одинокий мужчина, заброшенный в дебри вермонтской природы, устроится с бытом.

— Вы знаете Вайля и Гениса? — спросила тогда доброжелательная и заботливая Ангелина. — Прекрасную книгу о пище они написали. Вот с первого взгляда посмотришь: мужчины! А как ведь готовят! Любую хозяйку утрут! Да, любую. И так же вот Юз Алешковский. Вы знаете Юза? Ах, господи боже, да кто же вас так офранцузил? Не знаете Юза! И песен не знаете? Даже вот эту? Какое там, Надя, начало? Товарищ Сталин, вы такой ученый... как дальше там, Надя? Философ, поэт и прекрасно готовит. Его, говорят, даже Бродский любил за эти прекрасные русские блюда. Так Юз сообщил, что он сам каждый год за абсолютно живыми поросятами ездит в дальнюю деревню (здесь тоже, в Вермонте!), и их ему лично там режут. Зарежут, обмоют — и в ледник. Вот так. И сыты всю зиму. Вот это хозяин! А вы пропадете без женской заботы, и даже не спорьте: как перст пропадете!

Теперь Ушаков пропадал. Но не от отсутствия женской заботы, а от раздиравшей его изнутри потребности быть любимым, которая, казалось, была вся исчерпана его прошлой жизнью и вновь, неизвестно зачем, разгорелась. Он понимал, что влюблен, но не верил Лизе. Он и тянулся к ней, и отталкивался. Пытаясь докопаться до истины и перелистывая в памяти немногие разговоры, бывшие между ними, как перелистывают свидетельские показания, он всякий раз убеждался в том, что ничего не понимает и ни за что не может поручиться. Когда он неожиданно для себя самого сделал ей предложение и она отказала, Ушакову пришло в голову, что она не говорит ему всей правды о своих отношениях с прежним любовником и, что еще важнее, не говорит и самому любовнику о ребенке только потому, что выгадывает время. Он чувствовал, что в рассуждениях такого рода есть гадкий запашок подозрительности, но ничего не мог с собой поделать. Почему она, кстати, до сих пор не замужем при ее красоте?

Он вспомнил, как мать однажды сказала, что нынешние русские люди совсем не те, что были прежде. Прежних русских людей Ушаков знал по книгам, и ими — особенно по книгам Толстого — можно было любоваться. Его дед, как рассказывала мать, был уверен, что Россия осталась в душе только одним: летним вечером на веранде усадьбы. Но даже он плохо представлял себе Россию, начавшуюся тогда, когда на верандах погасло закатное солнце и задымили пожары, которые смели с лица земли и сами веранды, и тех, кто пил чай на верандах, и тех, кто потом вспоминал об этом. Новые русские эмигранты, с которыми Ушаков изредка сталкивался в Париже, нисколько не походили на людей из поколения его деда и бабушки. В том поколении была какая-то особая нравственная взволнованность, вызванная, скорее всего, масштабами пережитого. Они помнили то, что потеряли, и эти потери обогатили их душевно, как обогащает человека любое большое несчастье. Поколение людей, пришедших им на смену, заменило «трагедию», как это однажды очень точно сформулировала мать, «бытовыми трудностями», и с этими людьми ни у матери, ни у самого Ушакова не было ничего общего, если не считать того, что несколько раз в году они сталкивались в церкви на рю Дарю. Теперь, когда его только что зародившаяся и, казалось бы, еще бесформенная любовь, похожая на набросок к ненаписанной картине, вдруг начала разрастаться, как сумасшедшая, и мучить его, Ушаков принимался нарочно думать, что, может быть, Лиза, выросшая в совсем другой среде и получившая совсем другое, «советское» воспитание, окажется вовсе не так близка ему, как это показалось поначалу.

От Надежды он уже знал, что мальчик Матвей Смит выжил, но будет еще очень долго в больнице, и будут еще операции. Мама его ненадолго отлучилась в Вашингтон, а папа остался, живет тут, в гостинице. Сестричка все время сидит у больного. Все в школе по-прежнему. Скоро спектакль. Ушаков не был там почти две недели. Правда, они с Лизой разговаривали по телефону, но бегло и тускло. Лиза обмолвилась, что у нее сильно болит голова и все время хочется спать. Спать и есть. То есть еще раз напомнила ему о будущем ребенке.

Сегодня суббота и будет спектакль. Какой-то опять режиссер из московских.

«Поеду, а там уж как бог даст, — подумал Ушаков, и тут же дикая, детская радость от возможности увидеть ее обожгла его. — Почему я должен всегда tout prendre au critique?»[1]

---

[1] Воспринимать все трагически *(франц.)*.

ДНЕВНИК
Елизаветы Александровны Ушаковой

Париж, 1959 г.

Наступило лето, дни стали длинными, и вчера было первый раз по-настоящему жарко. Я помню, как Леня готовился к выпускным экзаменам и уходил со своими учебниками под яблоню в парк — это было его самое любимое место. Однажды я пошла посмотреть, как он там, и увидела, что он спит. Лежит на траве и крепко спит с открытым ртом. Я села рядом тихо, чтобы не будить его, потом положила его голову себе на колени, и он только чуть-чуть приоткрыл глаза, увидел, что это я, и почему-то смутился, огненно покраснел. Я не поняла тогда почему. Теперь понимаю: он все время был настороже, все время боялся, что паутина, в которой мы барахтаемся втроем — я, его отец и он сам, — неожиданно прорвется, и то, что наступит потом, та глухая дыра, в которую мы втроем тотчас же и провалимся, будет хуже, чем если бы мы все умерли, и все это может произойти в любой момент. Не проснувшись до конца и не контролируя себя, он испугался тогда, что я, может быть, и пришла сообщить ему, что это уже случилось.

Сейчас, когда его нет, я даже не понимаю, как он мог так долго притворяться, что ни о чем не догадывается, как он сумел так обмануть меня. Иногда вдруг спохватываюсь, и приходит в голову, что я, наверное, все преувеличиваю, и это действительно были медицинские опыты, поставленные им на себе самом из упрямства и желания испытать что-то, что испытывают только люди, находящиеся под действием наркотика.

Он был фантазером, мой сын. Эти мысли ненадолго успокаивают меня, и я даже вспомнила, как кто-то сказал, что интерес к смерти и страх перед ней является одним из самых мощных двигателей жизни. Он ведь не хотел умирать. Он всего-навсего *пробовал.*

Ведь вот же он пишет:

«Вера стала часто задерживаться на работе. Я думаю, что она многого недоговаривает. Проснулся ровно в полночь с диким стуком сердца. Сначала даже не понял, что со мной, потом вспомнил, что вчера вечером я первый раз испытал действие LSD. Дозировка минимальная: 200 миллиграмм, обычно даже начинающие принимают больше. Я ожидал мощного душевного подъема, прозрения, нового видения, но ничего такого со мной не произошло. Я чувствовал неуверенность и беспокойство, тело не подчинялось мне. Потом наступил невероятно радостный момент: вокруг начала звучать изумительная музыка, в которую я весь влился, как маленькая река вливается в большую. Со звуками этой музыки я ощущал полное единство, словно и сам был одним из них. Но это мое наслаждение скоро закончилось. Опять появились тревога и страхи. Я начал спрашивать себя, чего же так боюсь, но ответа не было, только все время почему-то крутились перед глазами два лица: мамы и Веры, и помню, что я отмахивался от них, как от пчел. Действие LSD не выявляет глубоких уровней подсознания, но я ожидал, что в моем случае произойдет так называемая «оргия зрения», то есть яркая, магическая трансформация зрения и слуха, когда меняются и становятся необычайно яркими все окружающие краски, и человек словно бы улетает куда-то. Я хотел, наконец, почувствовать себя полностью свобод-

ным и счастливым, счастливым до конца, без всяких оговорок и натяжек, потому что сейчас я понимаю, что ощущение полного и абсолютного счастья не было мною ни разу в жизни испытано. Я убежден, что большинство людей, ставших наркоманами, когда-то переживают ту же самую, что и я, острую необходимость счастья, но если я — в отличие от них — ставлю на себе медицинский эксперимент, чтобы понять не только химическое, но и метафизическое действие наркотиков, и твердо знаю, что, достигнув завершения своего эксперимента, выйду из зависимости, то у остальных людей просто не остается никакого стимула для того, чтобы добровольно лишить себя этого, наконец-то достигнутого ими состояния. Именно поэтому наркомана так же трудно заставить отказаться от наркотика, как остальных людей — от идеи рая.

Мне, однако, не нравится, что мама и Вера стали сливаться в моем сознании, словно все то, что я знаю или, лучше сказать, подозреваю в отношении мамы, распространяется и на мою жену. Отчего, например, она стала постоянно задерживаться на работе? Я, конечно, могу в любой момент проверить, на работе ли она, но мне стыдно подвергать нас обоих такому унижению. Не знаю, что хуже. Вчера, когда я принял LSD, я сильно «настроился» на своего отца и действительно ненадолго погрузился во глубину его сознания. Я вдруг почувствовал то, что чувствовал мой отец все эти годы, ощутил его гнев против мамы, его обозленное сознание своего бессилия, всю его неправоту по отношению к ней и даже жестокость, за которыми было целое море бессмысленно страстной и не нужной маме любви.

Завтра я могу немного увеличить дозу, но нужно, наверное, предупредить Веру, чтобы она не испугалась, а, напротив, очень внимательно наблюдала за мной и, если я буду совсем плох, позвонила бы Медальникову».

Вермонт, наши дни

На берегу озера паслись белые, как молоко, коровы. Над ними блистало веселое солнце. Коровы казались почти что святыми от этой сияющей солнечной дрожи, как будто бы вся их душа вдруг раскрылась, как только цветы раскрываются утром. Людей рядом не было. Странное дело: отчего людям кажется, что они важнее всего остального — хотя бы вот этой спокойной коровы? А что они знают о жизни и смерти? Ни часа рожденья, ни часа кончины, ни даже того, что их ждет на дороге, когда они просто гуляют беспечно.

Подобные странные мысли мелькали в голове Ушакова, разгоряченной любовью и истерзанной воспоминаниями о ее теле и голосе. Да, голосе тоже. То тихом, то детском, а то очень женском, похожем на голос Манон в телефоне, когда та, как шелком, шуршала по уху и вдруг неожиданно вешала трубку. Он боялся напоминаний о Манон, боялся ее неостывающих прикосновений, и ему самому себе не хотелось признаваться, что в Лизе скользили черты сходства с нею: привычка наматывать волосы на указательный палец, хмуриться и улыбаться одновременно, смотреть исподлобья с веселым укором.

Он подошел к ее двери и постучал. Комната была, как всегда, не заперта. Те же туфли с коричневыми лентами у кровати, та же книга, которую она, скорее всего, уже не читала, тот же слабый, слегка дымный запах ее духов, который он уже знал и который сразу же вызвал в нем непреодолимое желание увидеть ее. На вырванном из записной книжки листке было написано: «Ну, где же ты??? Где ты?» Листок валялся на полу. Ушаков остановился в недоумении: кто мог написать ей так требовательно, перед кем она должна отчитываться? Стало неловко, что он прочел что-то, не рассчитанное на посторонних, и он поспешно вышел, плотно прикрыв за собой дверь.

Надежда с выражением досады на своем круглом румяном лице оттаскивала от стула Коржавина, который пытался сесть на чью-то сумку, не заметив ее по причине своего плохого зрения, но бросила все: и сумку, и, с полным подносом, слепого Коржавина, когда Ушаков появился в столовой.

— Куда же вы делись? — тревожно спросила Надежда, посмотрев на Ушакова так, что он немедленно почувствовал себя виноватым. — Кого-нибудь ищете?

Он слегка пожал плечами.

— У нас тут та-а-акие де-е-е-ла! — низко и влажно протянула Надежда. — Матвеюшка плох, спит под трубкой, в спектакле его заменили на Пола. Вы видели Пола, ну, Пашу? С усами? Вон он, макароны себе набирает! Но Паша и роли-то толком не знает, и роль не его! А что делать, скажите? Ведь съехались все: весь Нью-Йорк, вся Канада! Из Баффало даже приехали трое! Вермонт наш — весь тут, плюс, конечно, Нью-Хэмпшир! Я вас познакомлю, хотите? Со всеми!

Ушаков вежливо улыбнулся. Надежда поправила вспотевшие от волнения короткие колечки волос на лбу.

— Смотрите, смотрите! В углу, там, где лимонад, видите? Маленькая такая? Видите?

Ушаков увидел очень маленького роста женщину с нагловатыми глазами.

— Вот ангел так ангел! — вздохнула Надежда, как будто ей самой хотелось бы стать ангелом, но она не умеет. — Она строит хосписы! Такое ее дело жизни. Приехала к нам из Москвы, вышла замуж. Здесь есть адвокат один русский, Порфирий. Он сам из семьи композитора Мусоргского. И носит фамилию Мусоргский. Проша. Женился на ней там, в Москве. Безрассудно. Влюбился, все бросил. Она — Евдокия, он — Проша. Красиво? А хосписы? Это ведь важное дело! У нас и в Париже их так не хватает!

— Откуда вы знаете?

— А где их хватает? — справедливо удивилась Надежда. — На все нужны деньги.

— И что? Адвокат дает деньги?

— Какой адвокат? И откуда там деньги? Он пьющий, Порфирий. Дают коммерсанты.

— Американские коммерсанты?

— Не только, не только! Свои тоже есть, патриоты. Здесь новые русские обосновались. Они и дают свои деньги Дуняше. Мы с мамой считаем, что так даже лучше.

— Чем как?

— Чем чужие. Чужие дадут и тотчас же забудут. Чужим я не верю.

— А эти — свои?

— Ну, вы — прямо Коржавин! Он тоже не верит. Конечно, свои! Из России ребята.

— Зачем же они поселились в Вермонте?

— Зачем? Так им лучше. Они очищаются здесь, ходят в церковь. Церковными стали. С Дуняшей и Прошей. Постятся, говеют. Ну, в общем, как надо. Но главное — хосписы.

— А бизнес их как же? — не вытерпел Ушаков.

— Что бизнес? — протянула Надежда. — Вам не рассказывали про атамана Кудеяра?

Ушаков отрицательно покачал головой.

— Пусть это легенда, но чистая правда! — заторопилась Надежда. — И сам Кудеяр был во много раз хуже! Пойдемте, я с Дунечкой вас познакомлю.

Благородная Дунечка заскользила по Ушакову бесстыжими глазами. Ушаков поежился.

— А эта старушка откуда? — спросил он у Надежды, чтобы отвлечь ее от Дунечки.

Грустная, аккуратно подстриженная старушка с ласково-бессмысленным, когда-то, наверное, миловидным лицом одиноко сидела в углу столовой и медленно допивала морковный сок, отчего весь подбородок ее и кончик маленького хрупкого носа стали яркооранжевыми.

— Ах, это вдова! — Надежда перехватила взгляд Дунечки и с силой отвела его от Ушакова своими вспыхнувшими, как у кошки, зрачками. — Она тут, у нас, все равно что в России. Ей так говорят: «Ты поедешь в Россию». Привозят сюда.

— А зачем ей в Россию?

— Ну, это длинная история! Сначала она была критик. В России, в Союзе. Вообще — литератор. Потом эмиграция. Выросли дети. Она не работала, только писала. Ну, очень глубокие корни! Культура! Дружила с Ахматовой. Все с ней дружили. Потом дети все разбрелись, разженились. Большая семья, всех не пересчитаешь. Осталась при ней только дочка, буддистка. Жила постоянно в ашраме, муж тоже. Потом муж поехал в Италию. Вроде по делу. А может быть, так: на курорт, я не знаю. Увидел там дом и купил. С виноградом. Вокруг виноградники — на километры! Все в ягодах, в гроздьях. Короче, Италия! Стал виноделом. Семью всю — в Тоскану, на винодельню. Хотя от семьи мало что уцелело, рассеяны по миру хуже евреев. Осталась буддистка-жена да вот теща. Еще взяли гуру себе из России. Сначала у них были гуру индусы, но те невозможно капризные люди: одно им не так и другое не эдак. Пришлось из России везти, из Саранска. Там тоже есть гуру, хотя их там меньше.

— В Саранске? — удивился Ушаков.

— Конечно. А где же? А вы что, не знали?

— Не знал, извините.

Надежда вздохнула:

— Она в Тоскании вся, бедная, извелась! Девяносто четыре года. Ни книг, ни общенья. Привыкла к дискуссиям, к спору, к азарту. А там? Виноград и вокруг итальянцы. Конечно, ей было бы лучше в России. Но как тут уедешь? Своя винодельня!

Ушаков тоскливо посмотрел на открытую дверь столовой, в которой тихо стояла тропинка к реке и далекое небо.

— Вы есть не хотите? — догадалась Надежда. — Совсем не хотите? Но вы на спектакль останетесь, верно?

— Останусь, я думаю.

— Пойдемте тогда погуляем.

Навстречу им медленно шла Лиза с тем самым человеком, которого Ушаков уже видел на фотографии. Это было так неожиданно, что в первую секунду Ушаков застыл на месте, и, если бы не Надежда, вспыхнувшая жадной краской, он, скорее всего, развернулся бы обратно в столовую, но было уже поздно. Надежда устремилась вперед и даже слегка прихватила Ушакова за рукав, словно испугавшись, что он вырвется. Женщина, о которой Ушаков столько думал, низко опустила голову. У ее спутника был чувственный, старательно вылепленный рот и седые волосы, которыми торопливо распоряжался ветер. Ушаков вдруг подумал, что отвращение, которое внушает ему этот человек, настолько сильно, что не сможет продолжаться долго, и эта ясная, как вспышка, мысль принесла ему внезапное облегчение. Он ненавидел этого человека и от ненависти не мог даже рассмотреть его как следует.

На Лизу он не взглянул, она перестала существовать для него. Вместо нее шло синее, неприятно яркое пятно, потому что Лиза была не в своем, обычно светлом или белом одеянии, а в большом синем сарафане, настолько длинном, что смятый его и намокший подол скользил по траве, поспевая за нею.

— Ну, вот, — задыхаясь, сказала Надежда, — вот я вас сейчас познакомлю!

— Оставьте! — злобно оборвал ее Ушаков. — Оставьте меня, я сейчас уезжаю!

Надежда открыла рот, чтобы возразить, но Ушаков, обгоняя ее, пошел прямо на них, на синее пятно сарафана, поравнялся с ними и, не приостанавливаясь, большими, но скованными шагами двинулся дальше по направлению к лесу.

**Анастасия Беккет —
Елизавете Александровне Ушаковой**

Лондон, 1938 г.

Я взяла с Мэгги честное слово, что она не даст Уолтеру ни моего адреса, ни телефона. Больше ему не удастся меня подкараулить. Я остаюсь в Лондоне еще на неделю. Могла бы уехать в среду, но мне нужно встретиться здесь с одной женщиной. Тетка недавно видела Патрика во сне, который так разволновал ее, что она пошла на спиритический сеанс знаменитой здесь, в Лондоне, Хелен Дункан, которая может в определенном состоянии полусна-полуяви видеть умерших и говорить с ними. Про нее много ходит сплетен и слухов. Говорят, что спиритические сеансы Хелен Дункан посещают многие видные политические деятели, включая Черчилля, потому что она предсказывает ход будущих военных действий в Европе. Тетка сама видела, как изо рта Хелен выходил какой-то белый пар, похожий на марлю, который постепенно все больше и больше сгущался, двигаясь из стороны в сторону, пока не принял форму большого человеческого тела, и тут же одна из присутствующих на сеансе женщин закричала, что это ее только что умершая родами младшая дочь. Во все это, конечно, трудно поверить, но я хочу пойти к миссис Дункан и попросить ее соединить меня с душой Патрика, которого я все время чувствую рядом. Я понимаю, что ни ты, ни мама никогда бы не стали обращаться к «ведьмам», как многие называют здесь Хелен Дункан, и прибегать к этим непонятным для нас силам. Наверное, это даже запрещено религией, я не знаю.

ДНЕВНИК
Елизаветы Александровны Ушаковой

Париж, 1959 г.

Вчера я почти целый день провела со своим внуком, Вера плохо себя чувствовала. Ходила с ним гулять по тем же самым улицам, по которым гуляла когда-то с его отцом. Возвращаюсь домой — Георгий протягивает мне конверт: пришло письмо от Насти из Китая. Первое после ее отъезда. Она пишет, что была рада вернуться к своим обязанностям и своей прежней жизни, и просит меня не сердиться на нее за то, что она столько лет скрывала от меня свою переписку с Уолтером Дюранти. Теперь его нет в живых, и она может быть со мной откровенной. Они и в самом деле ни разу не встретились после его приезда к ней в Лондон в тридцать восьмом году, но все эти годы он регулярно писал ей письма, и она ему отвечала. Дюранти много раз порывался приехать к ней в Китай или просил ее встретиться с ним в Европе, но на это она так и не согласилась. Кто знает, может быть, они и в самом деле любили друг друга? Совсем недавно он написал ей, что встретил во Флориде совсем молодую девушку, слегка напомнившую ему мою Настю, и собирается сделать ей предложение. Вскоре они поженились, и ночью, после свадьбы, Дюранти умер. Настя пишет, что вся его жизнь была только подготовкой к этой шутовской смерти. Письмо ее полно ревности. Я чувствую, что в глубине души она рада, что именно так закончилась его попытка соединить свою жизнь с другой женщиной.

Вермонт, наши дни

Утро начиналось с того, что приходила медсестра и помогала ему умыться и почистить зубы. Левая рука была в гипсе, а правая висела плетью, и нужно было, чтобы кто-нибудь ею как следует подвигал, прежде чем она слегка приподнималась. Потом приносили завтрак на подносике. У Матвея Смита обнаружился неслыханный аппетит, и теперь любая ерунда, вроде вкуса яичного желтка и скрипа зеленого яблока, возвращала его из того мира, куда он чуть было не перелетел и где ни варенья, ни слив и ни яблок, в родной, переполненный памятью мир. Память была чем-то вроде корабля, на котором он приближался к знакомому берегу. На корабле, кроме ставшей еще моложе и чище за время болезни души Мэтью Смита, находилось и его переломанное, покалеченное тело, которое сильно мешало и злило.

Ведь прежде все было понятно и просто: есть дом, есть семья, есть учеба. Случаются девушки. Все было просто! Он выходил из дому на собственных ногах и перепрыгивал через ступеньки. Девушку, если только она не сопротивлялась, можно было обнять обеими руками и жадно притиснуть к груди. Все было так просто! Теперь никто не мог пообещать ему, что всю оставшуюся жизнь он не будет прикован к постели или сможет обходиться без палки. Стало быть, все это останется ликовать без него: и девушки с их золотыми ресницами, и радость объятий, и все *эти* вещи.

Он будет просыпаться один, и снег за окном — первое, что бросится в глаза! — размашисто напишет поперек небесной синевы слово «Christmas»[1]. А может быть, голос совсем незаметной, малиновой, с сереньким клювиком птички, которая заводит в сырой, еле высвободившейся из почек листве свои «у-ух, юх, у-ух», напомнит шутливо, что май, что тепло — ни снега, ни ветра! — и все так прекрасно. Ах, господи боже мой, что теперь делать! Чем ненасытнее, чем жаднее стре-

---

[1] Рождество *(англ.)*.

мились к жизни его искалеченные руки, ноги, позвоночник и грудная клетка, тем больнее ныла душа, и часто он плакал, проснувшись средь ночи. Отец пробовал читать ему вслух, Матвей Смит прислушивался из вежливости и вскоре делал вид, что засыпает. Отец откладывал книгу и заботливо поправлял на нем одеяло. Ласковые прикосновения отцовских рук напоминали ему, что больше никто, никогда — ни одна женщина — не захочет до него дотронуться.

В среду после завтрака его усадили на инвалидное кресло и научили, как им пользоваться. Это было чуть сложнее, чем водить машину, поскольку совсем непривычно. Он выехал на аллею, огибавшую больницу, и вскоре увидел, как из старого «Мерседеса» вылезает Бенджамен Сойер. Бенджамен Сойер выглядел растерянным и словно не знал даже, что ему делать. Матвей Смит начал разворачиваться на своем кресле, но кресло пыхтело и не поддавалось. Тогда Бенджамен Сойер замахал руками и подбежал к нему.

— Hi, — сказал Бенджамен Сойер. — How are you?[1]

— Fine, — ответил Матвей Смит. — I'm fine[2].

— Listen, — сказал Сойер и сильно покраснел лицом и широкой шеей. — I know you don't like me, right?[3]

Матвей Смит покраснел еще даже гуще и ярче, чем Сойер.

— But I'm in love with your sister, — испуганно сказал Сойер. — I came to propose[4].

---

[1] Привет, ты как? *(англ.)*.

[2] Замечательно *(англ.)*.

[3] Слушай, я знаю, что ты меня недолюбливаешь, да? *(англ.)*.

[4] Но я люблю твою сестру, я приехал, чтобы сделать предложение *(англ.)*.

— You came to propose?[1] — в ужасе повторил Матвей.

И Сойер кивнул, не сводя с него глаз.

— And where is my sister?[2] — упавшим голосом спросил Матвей.

— Your sister was scared to come, — ответил Сойер. — She told me to ask you. You have to decide[3].

Совсем маленькое облако с загнувшимся набок пушистым подбородком своего сияющего, ласкового лица остановилось над ними и прислушалось к тому, что он ответит. Матвей хотел одного: чтобы его оставили в покое, он хотел, чтобы проклятое кресло перестало скрежетать и пыжиться, а вдруг развернулось бы и улетело! Совсем улетело бы, скрылось из виду! Но Сойер придвинулся еще ближе и вдруг произвел непохожее на него, нерешительное движение плечом — совсем слабое, покорное, еле заметное движение, — словно он был готов к тому, что Мэтью его оскорбит и отвергнет, но намеревался стерпеть даже это.

— О'кей, — пробормотал Мэтью. — She loves you?[4] О'кей.

Тут Сойер обеими руками схватил и сжал его правую, висевшую плетью кисть, и Мэтью вдруг весь содрогнулся от боли.

— I'm sorry! — перепугался Бенджамен. — Are you all right? I'm sorry![5]

---

[1] Ты приехал, чтобы сделать предложение? *(англ.)*

[2] А где моя сестра? *(англ.)*.

[3] Твоя сестра побоялась прийти. Она просила меня поговорить с тобой. Это ты решаешь *(англ.)*.

[4] Хорошо. Она тебя любит? *(англ.)*.

[5] Прости! Ты в порядке? Прости! *(англ.)*

Маленькое облако, сияющее пушистым своим, очень светлым лицом, вдруг стало совсем ярко-желтым от солнца, как будто хотело бы вслух засмеяться. И тут на дороге возникла Сесиль.

Сесиль, как догадался Матвей, пряталась на заднем сиденье того самого старого «Мерседеса», на котором и подкатил Бенджамен Сойер с одной только целью — просить у Матвея ее очень белой и худенькой ручки.

Сесиль приближалась к ним, слегка зависая в воздухе: столько страха было в ее белокуром и безобидном облике. Матвей вдруг почувствовал жалость и торопливо улыбнулся. Он смотрел на сестру, на то, как она медленно бредет по траве, по-прежнему похожая на овцу, но этой своею несчастной походкой напоминающая еще и собаку, которая провинилась перед хозяином и, не смея ослушаться, подчиняется его взгляду, тянется к нему, хотя могут быть и побои, и крики, — он смотрел на сестру и любил ее так сильно, как не любил даже в детстве, когда они жили у деда в Беркширах, и он заболел воспалением легких, а маленькая, прозрачная, очень худенькая Сесиль вдруг твердо сказала, что вовсе не выйдет к друзьям и подружкам, пока ее брат не поправится. Точка.

Анастасия Беккет — Елизавете Александровне Ушаковой

Лондон, 1938 г.

Вчера я ходила к Хелен Дункан. В пять часов, как мне было назначено, я постучала к ней в дверь, ожидая, что откроет какая-то необычная женщина с одухотворенными и загадочными чертами, а открыла худая невзрачная старуха — седая и согнутая, с выпяченной нижней губой и большим носом. Когда она сняла очки, я заметила, что у нее странные глаза, словно бы она смотрит в себя саму, не замечая окружающих. Старуха провела меня в очень скромную комнату, где не было ничего, что отличало бы ее от тысячи таких же скромных комнат в небогатых английских домах.

— Вы просите о встрече с мужем? — спросила она.

И голос у нее был какой-то странный, замученный и совсем тихий. У меня так колотилось сердце, что я боялась, что сейчас потеряю сознание. Я кивнула и положила перед нею фотографический портрет Патрика, тот, где он стоит, опираясь на теннисную ракетку, и улыбается. Она посмотрела на портрет бегло и сразу же отвернулась. Потом села на кресло лицом ко мне и закрыла глаза. В руках у нее оказался какой-то шарик, который она сначала очень быстро вертела в руках, но постепенно движения ее стали медленными и одновременно судорожными. Она словно бы и засыпала, и тут же просыпалась. Меня вдруг тоже начало клонить в сон, ноги и руки стали свинцовыми, но я все видела и слышала. Через минуту тело миссис Дункан стало дергаться, лицо покраснело. Она с шумом всасывала в себя воздух и толчками его выдыхала. Что-то словно бы пыталось вырваться из ее живота и щуплой груди, причиняя очень сильную боль. Белого пара, похожего на марлю, о котором говорила тетка, я не увидела. Передо мной корчилась вся покрывшаяся потом старая женщина, судороги ее становились длительнее, страшнее, пена выступила на губах. Не знаю, сколько времени это продолжалось. Постепенно она затихла, сникла в своем кресле, стала намного меньше, как будто от нее отрезали половину, и, кажется, крепко заснула или даже потеряла сознание. Потом, не открывая глаз, сказала, что Патрик не смог «уйти оттуда», потому что у него нет сил, он еще ребенок. Я не могла даже ни о чем ее расспросить, потому что она уже крепко спала, вскрикивая и постанывая. Потом тяжело захрапела, и я ушла. Положила ей на стол деньги. Тетка сказала, что у Хелен есть муж, очень больной и старый, и шестеро детей. Они тоже все какие-то больные, так что она одна содержит семью.

Я вернулась домой чуть живая и сразу же легла. Заснула очень быстро и сразу проснулась во сне: рядом стоял Патрик, только не взрослый человек, а мальчик лет семи-восьми. Я стала обнимать его, плакать, и все говорила, чтобы он простил меня, потому что я ведь не знала, что была его матерью, и от этого все наши несчастья. Хотела стать перед ним на колени, но мне было неловко вылези из кровати, чтобы он увидел меня в почти прозрачной ночной сорочке, и поэтому я натягивала на себя одеяло, которое все время сползало. При этом я чувствовала, что нельзя отпустить его, нельзя дать ему опять уйти. Тетка услышала мои крики, прибежала и разбудила меня. Я ей рассказала, что во сне увидела Патрика ребенком, моим собственным родным ребенком, сыном.

ДНЕВНИК
Елизаветы Александровны Ушаковой

Париж, 1959 г.

Вчера проснулась посреди ночи и чуть было не разбудила Георгия, чтобы показать ему Ленины тетради. Опомнилась, не разбудила. Георгий неважно выглядит, у него землистое лицо. Спросила недавно, как его печень, он часто раньше жаловался. Ответил, что все в порядке. Удивляется, что я так редко бываю у внука. Митя становится все милее и милее, у него густые темные ресницы — у Лени никогда не было таких густых ресниц — и очень лукавая мордочка. Он веселый мальчик, но неспокойный, часто просыпается по ночам, начал даже рассказывать Вере свои сны. Снятся ему все время какие-то корабли, и иногда утром, совсем еще заспанный, он подбегает к окну и смотрит с удивлением на полную машин улицу. Однажды сказал Вере: «Ça me manqué beaucoup»[1]. Вера спросила: «По чему?» Оказывается, он скучает по морю, которое видел один раз в жизни, когда ему было восемь месяцев!

Сейчас, пока писала, вернулся Георгий и сказал, что был у доктора Пера с визитом. Ничего особенного, просто проверка. Что-то он хитрит: не в его характере ходить к докторам проверяться. Спросила, как доктор Пера. Несколько лет назад у него случилось несчастье: жена и дети-близнецы, мальчик и девочка, погибли в автомобильной катастрофе. Он несколько месяцев не работал, никого к себе не подпускал, не подходил к телефону. Мы только слышали краем уха, что его лечил какой-то китаец.

Георгий ответил, что доктор Пера выглядит намного лучше, после визита они вместе вышли на улицу, и, когда попрощались, доктор Пера торопливо бросился к своей машине, облокотившись на которую стояла женщина в синем пальто и махала ему рукой.

---

[1] Я очень по этому скучаю (*франц.*).

Анастасия Беккет —
Елизавете Александровне Ушаковой

Нанкин, 1938 г.

Вчера мы долго разговаривали с доктором Рабе. Он поделился со мной своими наблюдениями: люди не могут долго выдержать тех испытаний, которые выпадают им на долю, они ломаются. В его миссии работала одна американка, Эва Талботс, работала самоотверженно, особенно в первые недели оккупации, вытаскивала на себе больных и раненых, разыскивала живых под грудами мертвых и обломками зданий, но потом будто почувствовала бессмысленность всего, что вокруг, и у нее опустились руки. Доктор Рабе сказал мне, что она стала «каким-то маньяком Бога, который везде замечал Его отсутствие».

Я спросила его:

— Почему вы говорите об этом именно мне?

— Потому что я боюсь, что именно вы тоже можете сломаться. Тем более что вы сюда приехали не для того, чтобы помочь этим несчастным китайцам. Вы приехали, чтобы выйти на след тех, кто убил вашего мужа.

— И что здесь такого? — пробормотала я.

— Здесь все очень плохо, — грустно сказал Рабе и опустил голову. Нос у него весь пронизан розовыми кровеносными сосудами, а глаза — голубые и чистые, как цветы ириса. — Вы хотите не сохранить себя, а разрушиться окончательно. Вам сейчас кажется, что главное — это выяснить, как он погиб, почему выбрали именно его и что можно сделать, чтобы наказать этих людей, которые виноваты в его гибели. Ведь я все правильно понимаю?

— Однако это не мешает мне помогать...

— Ах, что вы! — воскликнул он. — Нет, это сильно мешает! Ведь мы помогаем не только людям, мы стараемся помочь и Богу, а вы полны ненависти. В вашей душе сейчас много зла. Pour un coeur qui s'écoeuré, à le chant de la pluie...[1]

Я не дала ему договорить.

— Какая вам разница, *что* я испытываю?

Он промолчал, и тогда я спросила его, что известно об Иваре Лисснере, о котором мне писал Патрик. Рабе снова уклонился от ответа, сказал, что видел Лисснера всего пару раз и воздерживается от каких бы то ни было суждений, потому что мы живем в такое время, когда проще всего заподозрить любого человека в любом зле. Люди сошли с ума, и никто никому не верит. Мне недавно рассказала одна русская женщина, из простых, Маша (они с мужем попали в Китай еще в двадцатых годах), что среди белоэмигрантской молодежи начали формировать антисоветские подразделения, которыми управляет то ли японская, то ли немецкая разведка. Я спросила у нее: зачем нужны эти белоэмигрантские части? Против кого они направлены? Оказывается, что из Китая и Маньчжурии забрасывают в Советскую Россию шпионов, а русские со своей стороны забрасывают людей сюда, в Китай и в Маньчжурию, так что теперь весь Дальний Восток наводнен шпионами и доносчиками. У Маши двое мальчиков десяти и четырнадцати лет. Она только руками всплескивает:

---

[1] Сердцу, испытывающему отвращение *(франц.)*.

— Люди-то до чего стали страшные! Куда мне детей от них прятать?

— Вот, — говорю я вчера доктору Рабе, — а вы меня убеждаете в том, что я не должна искать убийцу, потому что это мешает Богу «делать свое доброе дело». Вы ведь так говорите?

— Зачем вам его искать? Разве можно опираться на ненависть?

— На что же тогда опираться? На убеждения?

— Нет! Люди твердых убеждений ни на что не годны, вы разве не знали? Они не живут, не чувствуют, а замирают с открытым ртом и поднятыми руками, как в остановившемся фильме!

Ушам своим не верю. Это говорит человек, принадлежащий к нацистской партии! Какая путаница, господи. Ушла после разговора с ним полностью разбитая. О чем мы все спорим? Неужели никто на свете, кроме меня, не чувствует, как быстро приближается наша общая страшная ночь?

Вермонт, наши дни

Поскольку Ушаков так резко оборвал свою дружбу с приветливой русской школой, он не знал и последних событий в этой школе, случившихся совсем уже перед закрытием, когда августовская жара достигла своего пика и все на земле стало казаться не светло- и темно-зеленым, как раньше, а словно бы вдруг помутившимся, вязким, и белого стало значительно больше.

Началось с того, что свободолюбивая Саския, размлев от жары, отправилась одна на речку, когда все дремали и спали, закончив обед свой в просторной столовой. В такое время, то есть после полудня, вообще

291

не рекомендуется купаться. Во-первых, опасно на сытый желудок, и, кроме того, слишком жаркое солнце. Но Саския все же отправилась. Мягко переступая по сочной траве своими веревочными, принятыми в здешних местах сандалиями, в которых покрашенные в яркий цвет ногти на полных ногах ее краснели в траве, будто сочные ягоды, Саския добралась до речки, негромко позвякивающей в тишине. Все снявши с себя и в воде отразившись, сомлевшая Саския в позе Данаи легла прямо в речку, у самого берега. Постепенно сладкий сон навалился на ее скульптурные тяжелые веки, закрылись влажно блистающие глаза, и вся голова с волнистыми бронзовыми косами, удобно пристроив себя на коряге, совсем отключилась от внешнего мира.

Проснулась же Саския от того, что незнакомая рука очень нежно поглаживала ее грудь, а к воздуху, медовому и сладкому от цветений, примешался резкий запах спиртного. Над Саскией, покрасневшей от недолгого сна на речном берегу, как абрикос, стоял мускулистый, но голый мужчина, по виду не старый, славянского типа.

— Ай, вах! — в ужасе вскричала Саския, порываясь сделать сразу многое: во-первых, вскочить, во-вторых, убежать, а в-третьих, хотя бы немного прикрыться.

Вскочить ей не удалось, потому что, безобразно опустившись на корточки, незнакомый сатир обеими руками надавил на ее мягкие плечи так, что Саския не могла и шевельнуться. Куда же бежать? Да и как? Невозможно! Прикрыться же было решительно нечем, так как сатиновый, в зеленый горошек, сарафанчик Саскии невинно лежал среди пестренькой травки, сливаясь с ее шелковистым узором.

— Хэллоу, русалка! — прорычал сатир и вдруг откровенно лег рядом с корягой, не выпуская, однако, Саскию из своего плена.

От ужаса Саския заговорила по-английски.

— Да я не фурычу, кончай свои трели, — сказал славянин. А сам между тем притиснул Саскию крепче, и руки пошли безобразничать сразу. — Хорошая телка! Понравилась, вот что.

— А ну, уходи! — крикнула Саския, вспомнив русский язык, и начала яростно царапаться. — Сказала кому: уходи, безобразник!

— Какая, однако! — усмехнулся сатир, не ослабляя объятий. — А я, может, честный? Я, может, женюся?

— А-а-а-а! Помогите! — хрипло и страшно заорала Саския, и в ту же минуту из негустого лесочка возникли три прекрасных юных американских кадета в летней кадетской форме, а именно в белых рубашках и синих широких штанах.

Пользуясь тем, что в американской кадетской школе, расположенной неподалеку от русской культурной школы, тоже была жара, трое юных кадетов самого первого года обучения (однако же сильных и, главное, смелых) пошли искупаться на сельскую речку. Они-то и услышали похожий на предсмертный крик оскорбленной Саскии и, сучья ломая, рванулись на помощь. Дикая картина представилась глазам их. У самого берега подле коряги боролись мужчина и женщина. Совсем обнаженные, в страшном волнении. Мужчина при этом легонько смеялся, а женщине было совсем не до смеху. Молодые и отчаянно смелые кадеты, которым, наверное, придется в Ираке когда-нибудь тоже весьма отличиться, оттащили голого от коряги, заломили назад его покрытые желтым цыплячьим пухом огромные ручищи и, стараясь не глядеть на то, как отползшая к своему сарафанчику женщина лихорадочно одевается, вызвали полицию сразу по трем своим мобильным телефонам.

Тяжелая, в общем, история. Очень! Особенно тяжелая оттого, что предыдущий месяц, то есть июль, был объявлен в государстве США «Месяцем особого национального внимания по отношению к случаям сексуального домогательства и сексуальным оскорблениям».

Вот так и сказал президент:

— I urge all Americans to respond to sexual assault by creating policies at work and school, by engaging in discussions with family and friend, and by making the prevention of sexual assault a priority in their communities[1].

Представители названного государства приехали на место происшествия отнюдь не в составе одной только машины с двумя заспанными милиционерами, как к этому привык заросший цыплячьим пушком нарушитель, а вовсе иначе: одних полицейских машин было три, а к ним — две пожарные и «Скорая помощь».

Короче, «базар». Именно это слово начерталось поперек большого, добродушного, хотя и вспотевшего сильно лица оскорбителя Саскии, когда на него, как горох из пакета, посыпались все эти люди. Дальше события происходили со сказочной быстротой: на преступника, прикрыв наготу его белой простынкой, надели наручники и уволокли в полицейскую машину, хотя он

---

[1] Я призываю всех американских граждан с особой ответственностью отнестись к случаям сексуальных оскорблений на работе и в школе, обсуждать эти случаи в семье и с друзьями и сделать все, чтобы избежать подобных нарушений в нашем обществе *(англ.)*.

кричал: «Всех порву вас, уроды!», к пылающей от стыда Саскии подбежали два медика, заботливо с нею вступили в беседу, а пожарные, выпрыгнувшие из кузова в своих огромных резиновых сапогах, скафандрах и в крагах красивого желтого цвета, застенчиво ждали приказов начальства. Саскии предложили сразу же пройти медицинский осмотр в больнице и всячески уговаривали ее немедленно обратиться к психологу.

— Ай, нет! Все в порядке! — объясняла растроганная мужским государственным вниманием Саския. — Он только меня обнимал! Все в порядке!

Тяжелая, дикая просто история! Машины уехали, и Саския, вся еще растерзанная, заваленная бронзовыми своими, рассыпавшимися волосами, прибежала в мирно дремлющую культурную русскую школу. Что тут началось! Сперва Ангелина, у которой еще с правозащитных времен сохранился особый нюх на скандалы, увидев в окошко своей комнаты возвращение оскорбленной Саскии, немедленно ей побежала навстречу и криком своим разбудила всю школу. Мама незамужней Саскии, каждое лето приезжающая к дочери из Еревана и помогающая американским студентам в русской разговорной практике (очень хорошо помогающая, с приятным армянским акцентом!), услышала крик Ангелины и, чутким сердцем угадав, что он имеет отношение к ее единственному ребенку, ковыляя своими подагрическими, натруженными ногами в ручной работы расшитых туфлях, одолела бесконечный коридор и тут же припала к груди бедной дочки, осыпав ее испуганными материнскими поцелуями.

Вечером, как только за мирные горы ушло это страстное яркое солнце, обитатели русской школы собрались в актовом зале, где стоял рояль с таким покорным выражением на своем черном лице, словно он приготовился к казни. Из посторонних в зале находилось двое полицейских и супруги Мусоргские, поскольку Порфирий (родной, кровный внук знаменитого Мусоргского!) играл сейчас роль адвоката преступника. Три юных кадета пришли с опозданьем, сославшись на строгость армейских законов. Они сообщили о том, чему были свидетелями. Тут попросил слова защитник негодяя адвокат Порфирий Мусоргский. Объявив всем собравшимся, что от их объективности и непредвзятости зависит жизнь человека, Порфирий особенно надавил на то, что его подзащитный вчера только прибыл в Америку и вовсе не знал языка коренных ее жителей.

— Не вижу икскьюза! — твердо возразила Ангелина, вспомнив, как люди ведут себя на процессах. — Он не языком ее лапал!

Слова ее тут же были переведены на английский, и взволнованные студенты захлопали в ладоши.

— Поймите же вы ситуацию! — брызгая слюной, объяснял Порфирий. — Ведь мой подзащитный не знает законов.

— Каких же законов он, бедный, не знает? — перебила его Ангелина. — У них что, в Рязани, насиловать можно?

— Простите, но мой подзащитный из Томска, — побагровел Порфирий.

— А хоть бы из Омска! — подпрыгнула Надежда Дюбуа, педагог по русской культуре, народным частушкам и свадебным песням. — Они что же думают? Наворовали там, и на них теперь законы не действуют?

— Дорогая Саския! — сказал вдруг по-русски Порфирий, и полицейские, переглянувшись, удивленно нахмурились. — Ведь он ничего вам не сделал, и стоит ли, право...

— Ай, вах! — закричала принарядившаяся к ответственному разбирательству мать оскорбленной Саскии. — Ты что говоришь! Где такого набрался? Тебя чему в школе учили, бездельник! Тебе, значит, мало того, что он делал?

Порфирий перешел на английский:

— От того, что потерпевшая признает сейчас, что мой подзащитный не только не совершил, но и не собирался совершить акт сексуального насилия, а просто шутил, хотя и неудачно, зависит не только свобода моего подзащитного, но жизнь и здоровье тех тысяч людей, которых ждут хосписы, построенные исключительно на средства моего подзащитного в городе Томске и городе Орле.

— Оп-па-а! — удивленно воскликнул кто-то из студентов.

Молчаливая Евдокия, жена Порфирия Мусоргского, наконец вмешалась.

— Не губить же благого дела из-за такой ерунды! — гневно раздувая ноздри, сказала Евдокия Мусоргская. — В русской стране нету хосписов. Людям негде умереть по-человечески! А здесь человек собирается большие средства вложить!

— Откуда же все эти средства? — вдруг тихим и ядовитым голосом спросил осмелевший Коржавин.

— Вот именно: средства откуда? — вскрикнула Анна Пастернак, отталкивая от себя удерживающую ее руку Надежды Дюбуа. — Если бы не такие, как ваш подзащитный, мы бы давно жили в России: и мама, и папа, и я! Все бы жили! Они развалили страну, всю, до нитки! Вернуться — и то уже некуда! Разве что в хоспис!

— Так хоспис сначала же нужно *построить*! — скользким голосом возразила Евдокия. — А так, если ставить всем палки в колеса...

Обсуждение продолжалось до ночи. Порфирий Мусоргский настаивал на том, чтобы Саския удовлетворилась значительной денежной компенсацией за пережитое, но сняла обвинения в сексуальном домогательстве и не передавала дела в суд, поскольку его подзащитный «шутил» и «ведь ничего не случилось». Супруга его Евдокия, сменившая свой прежний задиристый тон на бесхитростную открытость, особенно напирала на то, что приезжий из Томска собирался открыть здесь, в Вермонте, небольшую лабораторию по переработке драгоценных лекарственных трав, собираемых совместными усилиями в обеих странах, и на вырученные деньги строить в России хосписы. Студенты и трое кадетов почувствовали себя запутавшимися и усталыми.

— Они отмывают у нас свои деньги, — сквозь зубы сказал наконец Бенджамен Сойер своему соседу. — А Мусоргский их прикрывает, они ему платят. Devil's advocate![1]

В конце концов Саския разрыдалась, согласилась не доводить дело до суда, и на этом все кончилось. Расходились мрачными. И преподаватели, и студенты чувствовали, что на их глазах совершилось какое-то очень нечистое дело, и им ничего не осталось другого, как только признаться в своем поражении.

---

[1] Адвокат дьявола *(англ.)*.

Нью-Йорк, наши дни

Стояли первые дни нового года. Ушаков жил теперь в Нью-Йорке, в квартире, которую он снимал в самом центре Манхэттена, поскольку вермонтский дом был уже продан и делать в Вермонте совсем стало нечего.

Одиннадцатого января ему предстояло важное событие — доклад на международной антропологической конференции, посвященной фундаментальным качествам биологической ценности человека. Все эти месяцы, прошедшие с июля, Ушаков старался заниматься исключительно практическими делами: продажей дедовского дома, упаковкой картин и книг, поиском квартиры в Нью-Йорке, восстановлением профессиональных контактов. И все вроде вдруг начало получаться. Он в значительной степени перекрыл кислород, идущий к душе, и душа начала задыхаться. Но поскольку это ее состояние плохо сказывается на жизни всего организма, Ушаков обманывал себя тем, что был вечно в делах, которые поддерживали его телесную жизнь настолько интенсивно, что даже болезнь души шла почти не замеченной. На двери его рабочего кабинета висела табличка «Doctor Ushakoff». Табличка эта ненавязчиво дополняла достойный облик пятидесяти с небольшим, весьма привлекательной наружности, задумчивого человека, выросшего в Париже, в семье белых эмигрантов. (История, значит, в наличии тоже!) А сам он — в прекрасном пальто, белоснежной рубашке.

Именно таким — в прекрасном широком пальто, с шарфом, небрежно засунутым в карман этого пальто и оттопырившим его, — ровно в девять часов утра

Doctor Ushakoff вошел в зал, где столы были сервированы к завтраку, кипел в серебристых кофейниках кофе и оживленно-сдержанный гул разговоров, теплом и приветом разлившийся в воздухе, казалось, имел тот же вкус, что и сливки. Ушакова тотчас же окликнули, и тотчас же, привычно улыбаясь уголками губ, он бросил свое пальто на спинку стула, подсел к знакомым, намазал хрустящую булочку маслом. Он вел себя так, как будто содержание доклада, который он собирался произнести сразу же после того, как закончится завтрак и все перейдут в другой зал с расставленными стульями и большой грифельной доской, — содержание, стоившее ему много сил и истерзавшее его, не имеет к нему самому, спокойному, слегка задумчивому и в меру приветливому человеку, никакого отношения. Но именно это и было неправдой. То, что Ушаков собирался сейчас, дожевав свою булочку и вытерев салфеткой губы, произнести, не только имело к нему самое прямое отношение, но, более того, появилось исключительно благодаря тем переживаниям, которые жили внутри самого Ушакова, как рыбы живут подо льдом водоема. Тема сегодняшнего выступления его на конференции была обозначена следующим образом: «Личностный статус покаяния как проблема философской антропологии». На каждый доклад полагалось от двадцати пяти до тридцати минут, и Ушаков понимал, что он ни за что в этот срок не уложится.

— Философия, — сказал он, надевая очки и раскрывая лежащие перед ним листы напечатанного текста, — это интеллектуальная авантюра, которая набирает материал за пределами индивидуального человеческого «я» и вроде бы не связана с ним напрямую. Но это только кажется. Наличие этого «я» и есть непременное условие любого философского вывода и положения.

...он снял очки и почувствовал себя так, как это бывало в детстве, в летнем разведческом лагере, где они с Иллариошей Воронцовым соревновались в храбрости: нужно было с максимальной скоростью домчаться на велосипеде к самому краю обрыва и успеть остановиться на самом краю так резко, что вокруг начинала немного дымиться трава.

— Аристотель, — продолжал Ушаков, надевая очки, — считал, что только «удивление побуждает людей философствовать». При этом Декарт уверял, что это удивление вызывается только «исключительно редкими вещами». Насколько же «редкой вещью» является человек? И, более того, не является ли именно человек массовым и типовым существом, а философия, находясь по другую сторону так называемого «здравого смысла», свойственного этому существу, стремится иметь дело не с ним и не с его серийностью, а взрывает эту серийность, ломает устойчивые тождества и, стремясь освободиться от навязанного ему «здравого смысла», переступает и через него, и через любую обыденность.

...перед глазами Ушакова вспыхнула Лиза, которая спиною к нему стояла в воде озера и быстрыми, розовыми от солнца пальцами закалывала волосы на затылке. Когда это было? В июле? Он ощутил вкус нагретой солнцем воды на своих губах и даже увидел ее яркий цвет: сиренево-синий с крупицами золота.

— Обращаясь к феномену покаяния, — продолжал Ушаков, — я должен заметить, что именно этот феномен особенно останавливает на себе уважительное внимание философии, как острый и чрезвычайно редкий момент душевной жизни человека, и доказывает глубоко личное отношение носителя этого душевного проявления к окружающей его вечности. Поскольку покаяние не возникает произвольно, а всегда бывает следствием пережитого и перечувствованного отдельным человеком, мы не имеем права, говоря об этом явлении как об объекте философского осмысления, проигнорировать телесные аспекты обыкновенной человеческой жизни, такие, как смерть, болезнь, аффект и так далее.

Он увидел, как знакомый профессор из Гарварда в белой рубашке и в бабочке победоносно оглядел зал и приосанился, словно все, что говорил Ушаков, было давно им замечено и он совершенно согласен с оратором. Одновременно с приосанившимся профессором появилось несколько молодых и скучающих лиц, которые вдруг выделились на фоне остальных, словно бы их осветили фонариком.

— К сожалению для многих, находящихся сейчас в этом зале, — сказал Ушаков, испытывая острое, как зуд, желание перейти на французский, — я в своем выступлении вынужден буду свести к минимуму словарь общепринятой научной терминологии и прибегнуть к ключевым понятиям религиозной — христианской в основном! — мысли. Таким, например, как понятие совести. Должен заметить, что решение главного для меня вопроса философской антропологии «кто и что есть человек?» определяется исключительно моим отношением не к абстрактному человеку, а к моим близким людям и главным образом к самому себе.

Он сделал вид, что читает написанное, но в разложенных перед ним листах не было ни одного слова из тех, которые он произносил. Широкие лбы скучающих молодых людей напряглись и неприятно покраснели.

...Илларioша Воронцов хотел стать православным священником, поступил в духовную семинарию, но его соблазнила мать Петьки Поспелова, и он бросил семинарию, уехал куда-то. Много лет о нем ничего не слышали. Потом он опять появился в Париже, худой и обросший, жил уроками, случайными заработками и, кажется, пил. Десять лет назад отмечали восьмидесятилетие учителя отечественной словесности князя Андрея Андреевича Апраксина, пришли очень многие, и в том числе Илларioша Воронцов. Он был чисто и бедно одет, ни с кем не заговаривал, держался в стороне. Потом вдруг рассказал, как однажды ему пришлось съесть ежа. Думали, что это шутка. Но Илларioша вдруг прошептал, что никто из нас ни разу не испытывал настоящего голода, а все наши трудности и проблемы — не более чем алиби пошлых эгоистов. От него шарахнулись, как от зачумленного. А через десять минут, когда Ушаков начал искать его глазами, Илларioши уже не было в комнате.

— Personne ne se connate, c'est cela qu'il y a d'exaltant, c'est de dire que tout homme est complètement inconnu, et qu'il suffira de telle ou telle circonstance pour faire sortir des dons don't on no's pas idée, — сказал Ушаков, невольно обращаясь к сочувствующему гарвардскому профессору, и тут же перевел на английский: — Никто не знает себя, и в этом-то и заключается самый волнующий момент, что человек непредсказуем и что достаточно тех или иных обстоятельств, чтобы проявились те или иные способности, о которых никто не имел никакого понятия.

Он поднял глаза и сразу увидел ее. Она вошла тяжелой и неуклюжей походкой беременной — гладко причесанная, грузная, но с сильно похудевшим и подурневшим лицом, на котором вместо прелестных, запомнившихся Ушакову летних веснушек темнели большие пигментные пятна. Первая мысль, которая пожаром охватила его, была та, что это не она, что это не может быть она, и не потому, что ей, живущей в другом городе, нечего делать на нью-йоркской конференции антропологов, а потому, что эта тяжелая и некрасивая женщина не могла быть ею.

Анастасия Беккет —
Елизавете Александровне Ушаковой

Нанкин, 1938 г.

Я хочу найти Хорста Райзенштофа, который попал в плен вместе с Патриком, но потом был выпущен на свободу и тоже исчез. Доктор Рабе говорит, что с помощью этого Хорста НКВД замело следы. Но я ведь не уверена, что смерть моего мужа — это дело рук НКВД. Как я ненавижу их всех! НКВД, японскую разведку, немецкую, белогвардейские эти соединения! Все одним миром мазаны, все постарались! Наша мама каждый день, ложась спать, молилась за своих врагов. Однажды ты спросила у нее, что значат эти слова: «Да погибнут все ненавидящие Тебя», и мама сказала, что речь — не о *людях*. Я тоже пыталась молиться, и не могу. Вскакиваю посреди ночи, иду на улицу. В Нанкине сейчас холодно, зима, идет мелкий снег, на улицах — ни души. Хожу и хожу. Смотрю на звезды. И ничего не понимаю! Лиза! Кто я? Зачем я здесь? Где Патрик? Иногда мне кажется, что и Патрика никогда не было, и никакой нашей с ним жизни не было, только эта ночь, эти жуткие, подмигивающие мне звезды! Уолтера вижу во сне очень часто, чувствую его холодные руки, которые постепенно становятся горячими и ласкают мое тело. И так хорошо! Успокаиваюсь, не хочу просыпаться.

ДНЕВНИК
Елизаветы Александровны Ушаковой

Париж, 1960 г.

Получила сегодня письмо от Насти. Милое, ласковое. Спрашивает, как Митя. Пишет, что вся ее жизнь сложилась бы иначе, если бы у нее был ребенок. Бедная! Она думает, что ребенок спасает ото всех бед. Совсем наоборот: с такой жгучей болью, которую испытываешь со своим ребенком, ничего на свете не сравнится.

Лежу без сна, смотрю на небо в приоткрытой форточке, прислушиваюсь к дыханию мужа. Думаю иногда: нужно бы нам с ним поговорить. Леня любил его. Нехорошо скрывать правду от отца: он верит, что Леня ставил на себе медицинские эксперименты, проверял действия наркотиков. А потом мне приходит в голову, что правда, которую я могла бы ему сообщить, Леню не вернет, а Георгию прибавит боли. Чего я добьюсь своей правдой? Сына своего я не сужу: как смог, так и прожил. А то, что он нас не пощадил... А разве он был обязан щадить нас? А я? Я кого пощадила?

Настя хотела ребенка. Я помню, как маленькой девочкой, когда ее спрашивали, чего она хочет, она отвечала: «Я хочу дочку».

У нее было много мужчин. Я сохранила письмо, в котором она пишет, что после смерти Патрика в Китае не жила монашкой. Сперва хотела выбросить это письмо, оно было жестоким и обидело меня, но так почему-то и не выбросила. Я много раз слышала от своей сестры, что мужчины, кроме Уолтера Дюранти, ее никогда не интересовали. Она хотела ребенка. Что бы ни говорили медики, но ребенка посылает Бог, и не человек решает, будет у него ребенок или не будет. Не могу этого объяснить и знаю, что немногие в современном мире разделяют такие мысли, но я вот так чувствую. Другие избавляются от плода, кислоту какую-то пьют, глотают таблетки — в Америке уже появились специальные таблетки, чтобы совсем не беременеть, — и все напрасно. А Настеньке не повезло. За всю жизнь — ни одной беременности. Она как-то обмолвилась: «Меня прокляли».

Вчера позвонил Медальников. «Елизавета Александровна! Не проклинайте меня!» Три почти года прошло, я не могу слышать его голос.

Нью-Йорк, наши дни

Скомкав свое и без того сбивчивое выступление, Ушаков покинул зал вслед за поднявшейся Лизой и, не говоря ни слова, пошел за нею по направлению к лифту. Со стороны нельзя было даже понять, знакомы ли эти двое, которые, не глядя друг на друга, не разговаривая, дождались лифта, вошли в него, и, как только закрылась дверца, Ушаков притиснул к себе ее голову обеими руками и через плотную ткань костюма почув-

306

ствовал теплую и, как ему показалось, безмятежно-сонную тяжесть ее живота. Лифт остановился. Поехали вниз, потом снова наверх. Наконец вышли на третьем этаже. Запахло едой из маленького кафетерия.

— Зайдем, может быть, поедим? — спросил Ушаков.

— Я есть не хочу. Чаю только.

Сели за столик.

— Странно, — сказала она, оглянувшись, — почти обеденное время, а пусто.

— Здесь на каждом этаже какая-то еда, — пробормотал Ушаков. — Тебя не тошнит от запахов?

— Уже не тошнит, ведь неделя осталась.

— Неделя?

— Чуть больше.

— Девочка?

— Да, девочка. Все, как хотелось.

— Ты здесь не случайно?

Она покачала головой. Они сидели друг напротив друга, и Ушаков видел ее лицо с той отчетливостью, которая прежде так привлекала его, а теперь могла бы оттолкнуть, поскольку теперь лицо ее в этом близком рассмотрении было гораздо менее привлекательным, — но наряду с утратой привлекательности он видел в нем то, чего не замечал раньше, что всегда было заслонено привлекательностью, а сейчас оказалось гораздо важнее ее. Вот эта, например, пыльная темнота под глазами, увеличивающая их и изменяющая взгляд, который на ее фоне казался особенно голубым, светлым и сосредоточенным, или торопливый веер из мелких морщин на висках, то складывающийся, то раскрывающийся, причем, когда он раскрывался, морщин оказывалось намного больше, чем должно быть, словно в каждой впадинке их было по нескольку, белесых и тонких, как волосы куклы.

— Что смотришь? Уродливой стала? — засмеялась она.

Он покачал головой и, взяв обеими руками ее руку, провел ею по своему лбу и щекам.

— Я подумала-подумала, да и приехала. Если ты — это ты, так все будет хорошо, а если — не ты, так какая разница.

— Все верно, — пробормотал он.

Она заглянула ему в глаза:

— Сегодня еще ко всему такой день... Три года, как Федорка... Ты знаешь? Тебе говорили, наверное...

— Твой брат?

Она кивнула и, вся покраснев, выдернула руку из его ладоней. Он увидел, как исказилось ее лицо от усилия удержать поднявшееся рыдание, и отвернулся.

— Не отворачивайся, — дрожащим всхлипывающим голосом прошептала она. — Нужно было тебе еще тогда все рассказать. А я побоялась. Сама не знаю чего. Мне все кажется, что если *и я* буду говорить о нем как о мертвом, он...

Она замолчала.

Ушаков опять взял ее руку и провел ею по своему лицу.

— Ты работаешь сейчас или уже нет?

— Уже две недели, как не работаю.

Вытерла мокрые глаза и тяжело поднялась со стула.

— Я сегодня уезжаю, мой поезд в четыре.

— Ты не на машине?

— На поезде. Очень мешает живот. Водить стало трудно.

— Поедем ко мне, — сказал Ушаков.

308

— А вдруг я рожать там начну? — усмехнулась она. — И что будем делать?

Он промолчал.

— Я рада, что увидела тебя. Я хотела еще раньше приехать, сразу после того, что тогда... Ну, когда ты убежал... Опять побоялась. А сейчас-то уже что терять? С таким животом вряд ли выгонишь. Правда?

— Не надо! — Ушаков замотал головой. — Не говори!

— Не буду, не буду! — И запнулась на полуслове, словно решившись на что-то. Яркий, белый свет с силой полился из ее глаз: — Это так гадко было! То, что у нас с тобой тогда...

— Гадко? — вспыхнул Ушаков.

— Да, гадко, нечисто. Зачем я заманила тебя тогда?

— Заманила! — усмехнулся он.

— Кто знает, что будет? Увидимся ли мы еще, не увидимся? А если бы я сейчас не прибежала, грязь эта осталась бы между нами. И даже если бы ты и думать забыл про меня — летнее приключение, подумаешь! — все равно это бы осталось между нами, как все остается между людьми, все остается, даже то, что кажется совсем забытым... И вся эта гадость... А так — мне хотелось, чтоб ты меня понял, простил, если можешь...

Он смотрел на ее лицо и не узнавал ее. Дело было не в том, что оно, почти до конца утратившее яркую миловидность, пополневшее и обезображенное пигментными пятнами, уже не могло привлечь его, а в том, что он вдруг до жжения в груди ощутил, что не может оторваться именно от этого, подурневшего лица, не может жить без него, и удивлялся, как же он не понял этого сразу, отпустил ее и потерял столько драгоценного времени.

Он вслушивался в то, что она говорила, потому что

каждое слово заново подтверждало ему, что это и в самом деле *она*, и произносилось неповторимо ее, *особенным* голосом, но дело было не в значении того, что она произносила, а в той все сильнее и сильнее разгорающейся радости, которая внезапно наполнила его так, как будто он первый раз вышел в весенний, расцветший последней былинкою сад после долгой болезни.

ДНЕВНИК
Елизаветы Александровны Ушаковой

Париж, 1960 г.

Пишу наспех. Только что пришли домой. Сегодня доктор Пера подтвердил нам диагноз. У Георгия рак левой почки с метастазами в легкое. Надежд на выздоровление никаких.

— Русский человек, — сказал ему на это Георгий, — привык надеяться на Бога, а не на таблетки.

Доктор Пера только пожал ему руку обеими руками. Мы вышли с мужем на улицу, пошли по бульварам в сторону Ситэ. Сначала говорили о каких-то пустяках, быстро говорили, себя не слышали. По дороге остановились в аптеке, взяли лекарство для инъекций на случай сильных болей. Доктор Пера спросил, можно ли рассчитывать на Верину помощь, она ведь госпитальная медсестра и живет недалеко от нас. Я сказала, что, разумеется, можно. У нас, кстати, огромная квартира, нам двоим и не нужна такая, и мы с Георгием много раз предлагали ей переехать к нам вместе с мальчиком после Ленечкиной смерти, она бы экономила в этом случае большие деньги. Но Вера — это Вера. Зачем мы ей!

Господи, что я пишу? Муж мой помирает, а я забочусь об отношениях с невесткой! С ума я, что ли, сошла? У самого входа в аптеку — огромное желтое зеркало. Увидела нас с Георгием в этом зеркале и почувствовала, что вот и закончилась жизнь. Страшно мне? Мне страшно. Смотрю на своего мужа и думаю: бедный мой! Прожили тридцать восемь лет вместе, спали на одной кровати, ели за одним столом, а у каждого на уме было что-то свое, и каждый смотрел на другого с тоскою, словно мы чего-то каждую минуту ждали, да так и не дождались.

Покормила его обедом сейчас, прилег отдохнуть. Похудел, половина осталась. После того как он поспит, пойдем к Верочке. Нужно уговорить ее пожить с нами. Завтра обещали сильный дождь, а то бы нужно поехать на кладбище и мальчика взять с собой. Вера его возит на могилу только дважды в год — на Пасху и на Рождество, а это неправильно. И нужно с ребенком говорить об отце почаще, рассказывать ему, каким он был, какие игры любил, как заботился о животных. Георгий, кстати, уверяет меня, что Митенька наш — больше русский, чем Леня. Он говорит: «Вот ты увидишь, он у нас как Пьер Безухов будет, я в нем это чувствую. А в Лене много было разболтанного, европейского, не нашего». Но Митя ведь еще дальше от России на целое поколение! Откуда же в нем это «наше»? Георгий, конечно, про другую Россию говорит, я его понимаю. Та Россия, которую он в Мите хочет увидеть, только в книжках осталась. Что-то я опять не то пишу.

Главное — правильно Георгия кормить сейчас, и чтобы он гулял побольше. Курить он уже бросил, значит, на легкие будет меньше нагрузки. В церкви нужно бывать. Я всегда говорила, что мы мало стали в церкви бывать. Горе нас переломило. Что я пишу. Я о другом должна думать. О другом. Если бы я Георгию не лгала, как проклятая, было бы у него больше сил? Мне теперь кажется, что это я у него силы отнимала. Мне прибавлялось, у него отнималось. А вдруг он от этого, от отнятого, заболел сейчас, кто знает? Когда людей не любят или им кажется, что их не любят, они ведь болеют, а многие даже умирают, мне всегда так казалось.

Как он похудел, господи. Родной мой. Родной мой! Родной мой. Пера сказал, что сейчас какое-то есть новое лечение, но в нашем случае оно не годится. Откуда же он может знать, что оно не годится?

Анастасия Беккет — Елизавете Александровне Ушаковой

Шанхай, 1938 г.

Мы с доктором Рабе в Шанхае. Кругом война, столько горя, а здесь работают все рестораны и магазины, шум, автомобильные гудки, огни, вспышки рекламы, сверкают витрины. Идет дождь почти непрерывно. Рикши на велосипедах похожи на только что слепленные из мокрой глины фигурки. Шанхай показался мне еще экзотичнее, чем я представляла его себе по письмам Патрика. Город наводнен русскими, многие из них живут богато и работают по своим специальностям, но многие бедствуют, особенно женщины и молодые девушки, которые приезжают сюда в целях заработка из Харбина, где они воспитывались в тихих и богобоязненных семьях. Здесь им приходится идти официантками в рестораны и даже торговать собой. Русская колония кажется очень на первый взгляд сплоченной, но мне уже объяснили, что это не так. Сплошные доносы и сплетни, как всегда и везде. Есть русские, которые хотят вернуться обратно в Россию и создали даже Союз возвращения на Родину, но их меньшинство. Два других союза — Союз монархистов и Союз русских инвалидов, наоборот, настроены очень лояльно по отношению к Германии и раздувают антисоветскую пропаганду. Город поделен на английскую и французскую зоны, попадая в которые чувствуешь себя словно в Европе, только еще более многолюдной, красочной и шумной. Соединение ужасов войны с тем, что многие люди так роскошно живут здесь и закрыли глаза на то, что одновременно с их роскошной жизнью рядом льется кровь, напоминает мне Москву, где женщины приезжали в Большой театр на автомобилях с шоферами, закутанные в песцы и чернобурки, а город был весь наводнен бездомными детьми и нищими.

Доктор Рабе не очень многословен, поэтому мне приходится по крупицам вытягивать из него факты. Он, например, рассказал мне, что похищения с целью выкупа или получения важной информации — самое обычное дело в Китае, и знаменитый Чан Кайши, о котором я столько уже слышала, тоже был похищен несколько лет назад военными заговорщиками, которые требовали от него прекратить войну с коммунистами и вместо этого создать вместе с ними антияпонскую оппозицию. Но Чан Кайши был вскоре освобожден, а моего Патрика, похищенного неизвестно с какой целью, убили на девятнадцатый день.

— Китайская цивилизация сильно отличается от европейской, хотя и значительно старше ее. Она не облагородила, а только еще больше ожесточила их азиатские головы, — сказал доктор Рабе.

Я чуть было не спросила его, так ли он уверен, что цивилизация облагораживает европейские головы и сможт удержать людей от окончательной катастрофы. Но я не спросила. Когда я однажды попробовала рассказать ему о России, он меня оборвал. Доктор Рабе не считает Россию Европой, и у него к ней такое же снисходительное отношение, как у образованного белого человека к безграмотному черному или желтому. Он все еще верит в чистоплотность и порядочность Германии и хочет скорее вернуться туда и увидеть все своими глазами.

— Позор, грязь и мерзость всегда шли с Востока! Только на Востоке могло расплодиться такое количество двойных и даже тройных агентов. Люди окончательно перестают понимать, кому они служат и чьи задания выполняют. Если вы даже встретите Лисснера и напрямую спросите его о вашем муже, я не уверен, что он сразу вспомнит, по чьему приказу был похищен ваш муж и зачем его, в конце концов, уничтожили. На его совести слишком много всего, не может же он все запомнить!

Пообещал мне, что попробует выяснить, в каком именно ресторане легче всего встретить Лисснера. Мест, где собираются *эти* люди, всего два-три. Я не уеду из Шанхая, пока не добьюсь хоть какого-нибудь результата.

Нью-Йорк, наши дни

Главное: не расставаться с ней надолго, не отпускать ее. Летом, в Вермонте, он не был уверен, что страсть к ее телу, которая так обожгла его, могла со временем стать чем-то большим, чем страсть. Судя по отвращению, с которым он убежал, увидев ее идущей навстречу в длинном, нелепом синем платье, подол которого волочился по траве, а рядом шел *лысый мужик* (Ушаков всякий раз называл его про себя *лысым мужиком!*), — судя по этому отвращению, в котором телесное и душевное так соединилось, что захотелось одного: навсегда выдернуть ее из памяти, — судя по этому отвращению, от которого его до сих пор начинало трясти, как только он вспоминал это утро, Ушаков понимал, что теперь, встретив ее с огромным животом, в котором толкалось и плавало беззвучное неизвестное существо, связывающее ее не с ним, а с тем *мужиком*, который, крича и содрогаясь, девять месяцев назад залил ее своим семенем, — теперь нельзя было ни в коем случае отпускать ее, потому что *без нее* все его сомнения поднимутся заново.

Выйдя из гостиницы «Хилтон», в которой продолжалась конференция, посвященная фундаментальным качествам биологической ценности человека, они покружили по сверкающим улицам, в которых, несмотря на сверкание, чувствовалась болезненная опустошенность, всегда наступающая в больших городах и счастливых семьях после Рождества, когда разъезжаются друзья и родные, а елки с обрывками золота в крепких ветвях увозят на свалки и там поджигают, кремируя, словно актрис и актеров.

Побродив по центральным улицам, они в конце концов оказались на Амстердам-авеню, потому что Лизе нужно было захватить свою сумку из дома знакомой, у которой она вчера остановилась. Дом был шагах в двадцати от кафедрального собора Святого Иоанна, в котором сейчас шло венчание. Как всегда бывает при венчании, перед собором стояла небольшая кучка любопытных, жаждущих увидеть невесту и обсудить ее. Двери в собор были раскрыты, и мягкое, но настойчивое мерцание больших белых свечей предупреждало шумную улицу, по которой бежали люди и катились автомобили, что здесь, в мерцающей тишине, готовится большее, чем они знают, и много прекраснее, чем им всем кажется.

— Зайдем? — спросил Ушаков.

Лиза взяла его под руку, и он вдруг остро почувствовал таинственную близость этого ребенка, который испуганно вздрогнул внутри ее тела и дотронулся до их соединившихся локтей в тот момент, когда они входили в собор.

Гостей было немного. Несколько женщин, нарядных, худых, с прижатыми к губам платочками, растроганных звуком своих влажных вздохов, вторили словам священника:

— ...from the beginning of creation God made them male and female. For this reason a man shall leave his father and mother and be joined to his wife, and the two shall become one flesh[1].

Голос священника был слабым, добрым и дрожащим, что придавало особую сердечную убедительность произносимому, и казалось, что именно ему, старому человеку, доверили открыть самое важное этим застывшим перед ним со склоненными головами мужчине и женщине. Лиц их не было видно, но по

---

[1] ...В начале же создания Бог сотворил мужчину и женщину. Посему оставит человек отца своего и мать и прилепится к жене своей, и будут они два одною плотью, так что они уже не двое, но одна плоть (Евангелие от Марка, 10:6-8 (*англ.*).

очень худеньким косточкам голых локтей невесты, трогательно торчавших из-под белого облака расстилавшейся по всему проходу фаты, — по этим голым и беспомощным косточкам можно было понять, как страшна будет ее жизнь, если мужчина, стоящий сейчас рядом с нею, забудет о смысле торжественных слов, которые им доверяет священник. Она еще ниже наклонила голову, и тут ее хрупкая спина быстро задвигалась под прозрачной тканью фаты, так что все находящиеся внутри церкви поняли, что невеста заплакала. Священник замолчал, словно предлагая жениху возможность самому справиться с ситуацией, и мужественно-красивый жених, повернувшись профилем к собравшимся, обеими руками обхватил белое облако, из-под которого высовывались голые косточки локтей, притиснул его к себе, давая понять, что и впрямь «прилепился», и тут с высоты нарисованных облаков, со сборчатых крыльев внимательных ангелов пошла, словно дождь, очень громкая музыка.

— ...but Ruth said: do not urge me to leave you or turn back from following you, for where you go, I will go and where you lodge, I will lodge. Your people shall be my people and your God. Where you die, I will die and there I will be buried. Thus may the Lord do to me, and worse if anything but death parts you and me[1].

---

[1] ...но Руфь сказала: не принуждай меня оставить тебя и возвратиться от тебя, но куда ты пойдешь, туда и я пойду, и где ты жить будешь, там и я буду жить, народ твой будет моим народом, и твой Бог моим Богом. И где ты умрешь, там и я умру и погребена буду; пусть то и то сделает мне Господь, и еще больше сделает, смерть одна разлучит меня с тобою (книга Руфи, 1:16-17 (англ.).

И Лиза, и Ушаков узнали и жениха, и невесту. Бестолковое кружение по нью-йоркским улицам, в конце концов втолкнувшее их прямо в церковь, где белокурая Сесиль венчалась с высоким и крепким Бенджаменом Сойером, не могло быть случайностью. Оно могло быть лишь простым доказательством того, что все, что было с ними летом, не только не исчезло, но приобрело новое, гораздо более серьезное значение. Произошло что-то похожее на то, как в цирке показывают фокус: сперва гасят свет и становится темно, потом раздается выстрел, а когда рассеивается пороховой дым и лампы снова загораются, зрители с удивлением видят, что хотя на первый взгляд ничего не изменилось, однако под купол взмыл вспыхнувший голубь, а фокусник — в смокинге, в белых перчатках — уже приподнял над затылком цилиндр.

**Анастасия Беккет —
Елизавете Александровне Ушаковой**

Шанхай, 1939 г.
Лиза, вчера я была на концерте Александра Вертинского в «Ренессансе». Лисснера там не оказалось, но доктор Рабе говорит, что завтра Вертинский опять будет петь в этом ресторане, и завтра Лисснер уж точно появится, потому что завтра суббота. По субботам и воскресеньям здесь, в «Ренессансе», собирается исключительно русская публика, а Лисснер дружит с белыми эмигрантами, говорит по-русски и большой поклонник Вертинского. Про самого Вертинского здесь тоже ходят сплетни, и некоторые считают, что он советский шпион. Я так волновалась, что сейчас, может быть,

встречу Лисснера, что самого Вертинского поначалу видела как в тумане. На сцену вышел очень высокий, худощавый, густо напудренный, в ослепительной рубашке и смокинге, по-прежнему манерный, но очень постаревший человек. В Париже он был совсем другим. Сидящие в зале неистово ему захлопали. Он наклонил свою небольшую птичью голову, призакрыл глаза, давая зрителям возможность успокоиться, потом вскинул руки с очень длинными выхоленными пальцами и сказал тонким голосом, как всегда очень сильно грассируя:

— Памяти моей покойной сестры: «Кокаинеточка».

Это та самая песня, которую мы с мамой слышали когда-то в Париже, а потом еще на пластинке, так что я помню ее наизусть.

Что вы плачете здесь, одинокая глупая деточка,
Кокаином распятая в мокрых бульварах Москвы?
Вашу тонкую шейку едва прикрывает горжеточка,
Облысевшая, мокрая вся и смешная, как вы.

Вас уже отравила осенняя слякоть бульварная,
И я знаю, что, крикнув, вы можете спрыгнуть с ума,
И когда вы умрете на этой скамейке, кошмарная,
Ваш сиреневый трупик окутает саваном тьма.

Так не плачьте! Не плачьте, моя одинокая деточка,
Кокаином распятая в мокрых бульварах Москвы,
Лучше шейку свою затяните потуже горжеточкой
И ступайте туда, где никто вас не спросит, кто вы...

Ты не представляешь себе, что тут началось! Одна из дам, всхлипывая и вскрикивая, сорвала с себя кольца и бросила их на сцену. Потом выскочил какой-то господин и поставил у ног Вертинского перевитую цветами корзиночку, в которой спал крошечный мопс.

Некоторые аплодировали стоя. Много лет назад, когда на парижском концерте он пел эту свою «Кокаинеточку», кто-то из зала спросил его, правда ли, что его сестра умерла от кокаина. Он признался, что правда, и вдруг рассказал, каких трудов ему стоило самому освободиться от этой привычки. Я до сих пор помню даже те выразительные подробности, которые мелькали в его рассказе: о том, что кокаин разъедал слизистую оболочку носа и у многих кокаинистов обмякали носы, о галлюцинациях, главным действующим лицом которых был почему-то Пушкин, о диких страхах, продолжавшихся до тех пор, пока он не встретился со знаменитым психиатром Баженовым, молча вынувшим из его кармана коробочку с кокаином и выбросившим ее в корзину, после чего все сразу и кончилось. Помню, как мама наклонилась тогда к моему уху и сказала: «Не верь ему, Настя. Все врет».

Вертинский сильно постарел, и вчера в «Ренессансе» я увидела как будто совсем другого человека, на которого напялили смокинг Вертинского и научили так же вскидывать руки, закрывать глаза и грассировать, как он. Мы просидели почти до двенадцати. Завтра придется идти опять и, может быть, слушать опять «Кокаинеточку».

ДНЕВНИК
Елизаветы Александровны Ушаковой

Париж, 1960 г.

Сегодня, когда Вера привела ко мне Митю, я отозвала ее в кухню и молча показала ей Ленины тетради.

Она изменилась в лице, но ничего не сказала. Какая выдержка!

— Ведь вы же все знали! — сказала я ей.

Она посмотрела на меня какими-то ослепшими глазами:

— Вы тоже *всё* знали.

Анастасия Беккет —
Елизавете Александровне Ушаковой

Шанхай, 1939 г.

Я узнала Лисснера с первого взгляда. Он расположился за крайним от дверей столиком. С ним была очень хорошенькая, вся фарфоровая китаянка. Лиза, я поняла, что имел в виду Патрик, когда писал мне, что Лисснер похож на Уолтера. Это особые люди, особая порода. В них есть какая-то оледенелость. Помнишь, как в Тулузе вдруг выпал густой снег, и мы обрадовались, слепили с тобой снежную бабу во дворе, а мама залила ее водой, и она покрылась ледяной коркой. Мама тогда сказала, что так она дольше простоит, а потом добавила, что и люди бывают замороженными и тоже поэтому дольше живут.

Я смотрела на него, не отрываясь, он не мог не чувствовать на себе мой взгляд, но ни один мускул не дрогнул на этом неподвижном лице. Через несколько минут он поднялся, поцеловал фарфоровое плечико своей китаянки и очень уверенно направился к нашему столику. Он слегка выше ростом, чем Уолтер, не хромает, разумеется, но когда он подошел совсем близко, их сходство стало еще заметнее.

— Не говорите ничего лишнего! — успел шепнуть мне доктор Рабе.

— Моя интуиция, — сказал Лисснер по-русски, — подсказывает мне, что вы понимаете, на каком языке я к вам сейчас обращаюсь.

— Да, — ответила я по-немецки, — но мой спутник не знает этого языка.

— Прошу извинить меня, — засмеялся он и тоже перешел на немецкий. — С вашим спутником мы уже встречались.

Доктор Рабе кивнул ему и принялся смотреть в меню.

— Придется знакомиться самому, — сказал Лисснер, — раз ваш спутник не расположен меня представить.

— Вас ждут, — угрюмо сказал Рабе. — У вас еда там остывает.

Лисснер, не отвечая, уселся рядом со мной.

— Я знаю, кто вы такая.

У меня так колотилось сердце, что он, наверное, это слышал.

— Пойдемте потанцуем. — И протянул руку, прежде чем я успела даже кивнуть. — Я не очень силен в этих нынешних фокстротах, они слишком быстрые для меня, но вы будете моей учительницей.

Я неуверенно поднялась и тут же оказалась в его очень крепких и сильных объятьях.

— Давно вы в Шанхае? — спросил он.

— Недавно.

— Веселый город, куда веселее Парижа.

— Я не развлекаться приехала.

Он выдвинул вперед подбородок так резко, что почти дотронулся до моей щеки.

— Вы такая куколка. Жаль, если и вам достанется.

Я дернулась от неожиданности, но он держал меня очень цепко.

— Танцуем, танцуем! Вам хочется задать мне какой-то вопрос. Угадал?

— Да, — сказала я. — Да! Вы угадали.

Он ответил мне нежным и туманным взглядом, как будто между нами шла любовная игра.

— Моя девочка ревнует, — кивнул на свою маленькую китаянку, которая стала еще белее под своим гримом. — Она до сих пор не догадалась, что я нуждаюсь в ней гораздо больше, чем она во мне. Вам хочется знать почему?

— Мне хочется знать, кто убил моего мужа, — выдохнула я прямо ему в лицо.

— Я нуждаюсь в ней гораздо больше, чем она во мне, — продолжал он спокойно, словно и не слышал меня, — потому что в женском теле заключена великая сила. Вы приехали в Китай искать следы своего мужа, а ведь вы не представляете себе, что такое Китай.

Я опять остановилась.

— Да танцуйте же вы! — по-русски и так громко, что на нас оглянулись, сказал он. — Был такой философ Чжуан-цзы. И знаете, что он сказал? «Мудрый вверяет себя одухотворенному желанию». В Китае особый взгляд на женщину, и нам, европейцам, есть чему у них поучиться. Только с помощью женщины мужчина может достичь покоя. Он перестает бояться смерти и открывает себя космосу. Все остальные пути, вроде богатства, славы, победы над врагами, политики, — все это кривые пути к тому же самому. А наши европейские глупости относительно верности-неверности, отказа от плоти, единобрачия, целомудрия и так далее привели к тому, что европейский мир развалился и катится к смерти. Вместо этого нужен был только покой, телесные соки, энергия женщины. Больше ничего.

— Кто убил моего мужа? — повторила я.

— В Китае уважают предков, — сказал он мне на ухо, словно нас подслушивали, — и будь ваш Беккет китайцем, нашлись бы люди, готовые помочь вам найти его следы, потому что если ты свой, здешний, то после смерти ты становишься предком, и тебя нужно уважать. Но Беккет был чужим. Чужой человек, которого сюда никто не звал. Зачем? Никого, кроме вас и, может быть, вашей семьи, не интересует, где бродит теперь его дух, да и бродит ли он где-нибудь.

— Вы знаете, кто его убил! — Я вдруг почувствовала, что это правда: он знает, кто убил Патрика.

— Мне даже вас жалко, — нежно сказал он. — Мой вам совет: не возвращайтесь в Европу, там скоро наступит ад. Оставайтесь здесь и ждите.

— Чего мне здесь ждать?

Мне было гадко, отвратительно, что он так близко, и его руки обнимают меня, дурнота какая-то все время подступала к горлу.

— Выбор небольшой, — сказал он, дотронувшись губами до моих волос. — Вы оглянитесь вокруг: что вы видите? Глупые люди. Танцуют, смеются. Одна половина из них — преступники, вторая — идиоты. И те, и другие держатся на кокаине. Я вас уверяю: очень немногие останутся в живых. И в основном это будут женщины. Ждать недолго, все к этому катится.

— Откуда вы знаете?

— Да так, интуиция. — Он потер переносицу моей рукой, которую сжимал в своей ладони. — У вас есть шанс выжить, как у любой очень хорошенькой женщины. Прислонитесь к кому-нибудь и отдайте ему то, что у вас есть. Ваше тело, вашу женскую силу. Все остальное, поверьте мне, пустые фантазии. Мертвые не возвращаются, а ваш Беккет — мертв.

— Вы знаете, как он умер?

Он сморщился. Музыка оборвалась, пары начали расходиться. Мы стояли посреди залы, и он продолжал обнимать меня.

— Я не имею к этому никакого отношения, — твердо и даже грубо сказал он. — Вам, наверное, наговорили какой-нибудь чепухи? Не верьте. Не копайтесь в грязи. Кому был нужен ваш Беккет, чтобы вербовать его? А тем более убивать? Вы ведь об этом хотели меня спросить?

Заиграла опять музыка, и он начал тихо водить меня по залу. Рядом с нами появились танцующие.

— Незадолго до того, как его похитили, — я вдруг закашлялась и начала задыхаться, еле договорила: — Муж написал мне письмо, в котором рассказал, что именно вы вербовали его. Правда это? На кого вы работаете?

Он засмеялся.

— Вы много читали, да? Или ваши родители любили рассказывать вам страшные истории? Русские любят пугать друг друга и философствовать. К тому же они слишком восторженны. «Angle plein de bonheur, de joie et de lumières...»[1] Что вы на меня так смотрите?

— Пустите меня! — Я вырвалась и бросилась к нашему столику, где доктор Рабе тут же встал навстречу и схватил меня за руку.

---

[1] «О, ангел счастия, и радости, и света...» Из стихотворения Ш. Бодлера «Искупление» (франц.).

— Выпейте воды, — бормотал Рабе. — На вас лица нет. Что он вам сказал?

Я еле сдержала себя, чтобы не зарыдать в голос. Подошел официант с подносом. В чаше на подносе двигались живые креветки, рядом стояла бутылка с заспиртованной змеей. Официант плеснул немного спирта из бутылки прямо на креветок. Они разом всколыхнулись, будто попытались взлететь, и тут же затихли. Официант сказал, что теперь эти креветки готовы к употреблению. Как сквозь туман я видела, что Лисснер сидит за своим столиком и спокойно ест что-то, а маленькая китаянка обмахивает его розовым веером, потому что в ресторане стало душно.

Нью-Йорк, наши дни

Они выбрались из церкви, где многие женщины теперь уже откровенно плакали, не выдержав растрогавшей их торжественной красоты венчания, и, как это часто бывает, вспоминали себя, свою молодость, свое венчание и надежды, которые тогда переполняли их, а теперь стали казаться такими наивными, глупыми, детскими, и яркий блеск зимнего солнца, вдруг ярко позолотившего все витражи и быстро погасшего, успел подтвердить, что все так и бывает, и именно это есть жизнь.

Ушаков ценил ее умение молчать. Он вспомнил, как она молчала и тихо лежала на его руке в вермонтском доме после того, что произошло между ними, и не торопилась с вопросами. Сейчас любая женщина на ее месте начала бы восклицать и захлебываться. Любая, но не она. Рядом с нею он и сам становился спокойнее и сдержаннее. Даже его ревность, которая несколько месяцев назад, как спрут, присосалась к сердцу своими щупальцами, и не оставалось ничего другого, как просто перестать шевелиться, поскольку любое движение приводило к новой остроте боли, — даже и ревность его стала тише, слабее, словно наткнувшись на какую-то серьезную душевную преграду, смысла которой он еще не мог объяснить себе.

— Ты видел там Мэтью? — спросила она.

— Нет. А ты?

— Я видела. Он сидел в самом первом ряду.

— Без костылей?

— Не знаю, я не разглядела. Может быть, он после операции, — сказала она с неуверенной надеждой. — Врачи ведь говорили, что будут оперировать его через полгода.

— Но как Сесиль плакала! — улыбнулся Ушаков.

— А тут вот родится девочка, — пробормотала она и погладила себя по животу, — и что я буду ей рассказывать? Спросит: «Как ты, маменька, венчалась?» А мне и рассказать нечего.

Ушаков не был уверен, что она просто шутит.

— Не бойся, шучу, — усмехнулась она. — Я, пожалуй, останусь сегодня в Нью-Йорке. Устала и ногу натерла. Вернусь к своей Оленьке, лягу там спать.

— Так рано? — удивился Ушаков. — Пойдем пообедаем лучше.

Она осторожно провела по его щеке рукой в перчатке.

— Мы можем увидеться завтра. Ведь завтра суббота. Ты хочешь?

— Завтра день моего ангела, — сказал он.

ДНЕВНИК
Елизаветы Александровны Ушаковой

Январь 1960 г.

Завтра у нас праздник: день ангела нашего внука. С самого Рождества я не притрагивалась к своему дневнику. На Рождество мы ходили в церковь, потом тихо провели весь день дома, а наутро Георгий встал раньше меня, побрился, надел белую рубашку.

Потом говорит:

— Позавтракаем в «Boutelle d'Or»? Мы ведь с тобой нигде не бываем.

Это наш любимый ресторан с видом на Notre Dame, вкусный и недорогой. Последний раз мы в нем обедали с Леночкой за год до его смерти. Я немного удивилась, но спорить не стала. Пошли туда пешком, под руку. Красота заснеженных деревьев. Солнце слабое, по-зимнему неуверенное. Георгий выпил две рюмки красного вина и повеселел. А я сразу увидела столик, за которым мы сидели тогда с Леней, и ком подступил к горлу. Старалась не показать виду. Георгий сказал:

— «Простой душе невыносим дар тайнослышанья тяжелый...»

Оказалось, Ходасевич.

— Что ты сейчас «тайнослышишь»? — спросила я.

— Сегодня проснулся и вспомнил весеннюю ночь в Кальмаре, когда ты родила Леню, и мы с тобой сидели, смотрели на него и радовались. И было так тепло, что мы открыли все окна. Вот я и «услышал» эту ночь внутри своего сердца — вот здесь, — опять пережил ее. Потом очнулся, вспомнил, что ничего нет. Больно.

Я смотрела на него и думала, что главная наша беда, состоящая в том, что мы никогда не говорили друг другу полную правду, скоро закончится, потому что мы уже немолодые люди, и кто-то из нас очень скоро умрет. Мне, кстати, почему-то кажется, что это я уйду первой. Хорошая мысль. Она приносит мне облегчение.

Завтра мы пойдем в гости к Вере поздравить мальчика с днем ангела, отнесем ему подарки. Теперь только я догадалась, что все то время, которое прошло с Лениной смерти, Вера обвиняла меня так же, как я обвиняла ее. Конечно же, она читала эти тетради.

Настя звонила, поздравляла с Рождеством. Пишет, что часто скучает по Парижу, по его запахам. Ни разу не написала, что скучает по мне. Она не любит врать. Никогда не любила. Скорее смолчит, перетерпит, но не соврет даже из вежливости. Мой Леня был ближе к таким, как Настя. Помню, как двадцать лет назад перед самой войной от моей сестры вдруг пришло очень нехорошее, недоброе письмо, из которого стало понятно, насколько она потеряна, одинока и зла на свою жизнь. Я ей на это письмо не ответила и потом сказала, что ничего не получила. Она мне поверила, к счастью.

Анастасия Беккет — Елизавете Александровне Ушаковой

Шанхай, 1940 г.

Лиза, не нужно меня жалеть! И звать меня в Париж тоже не нужно. Никуда я отсюда не поеду. Я много работаю, мне хорошо. Чувствую, что становлюсь все больше и больше похожей на маму, и теперь понимаю, что она была права, когда говорила, что любой нормальный человек рождается дважды: один раз — физически, а второй — душевно. Я абсолютно одинока, хотя меня постоянно окружают люди и миссия наша переезжает с места на место. Сейчас пишу тебе из Шанхая, куда меня опять забросили дела. Идет война, и, как говорят все вокруг, она станет еще больше и страшнее. Сейчас это только прелюдия. Чувствуете ли вы там, в Европе, *что* начинается? Судя по вашим газетам, которые я, правда, не часто читаю, люди, как всегда, опасаются не того, чего следует, и думают не о том, о чем нужно подумать.

Полгода назад я написала тебе о встрече с Иваром Лисснером, и ты мне ответила спокойным письмом, в котором призывала меня образумиться, не рисковать и возвращаться домой. Наверное, мы с тобой совсем не понимаем, не слышим друг друга. Ты живешь с мужем, который тебя обожает, у тебя растет сын. Да ты и всегда была уравновешенной и благоразумной. Я слишком мало знаю Георгия, чтобы судить, насколько тебе хорошо с ним, но думаю, что ты не ошиблась в своем выборе. Надеюсь, ты не знаешь и никогда не узнаешь, что такое двойная жизнь, отсутствие любви и чувство непоправимой вины перед близким человеком.

Помню, как родители все пытались убедить нас в том, что добро всегда светло и необыкновенно притягательно, а зло всегда так отталкивающе некрасиво! Этими разговорами они стремились уберечь нас от соблазнов и искушений. Мне кажется, что с тобой им действительно удалось добиться всего, чего они хотели, но со мной они потерпели полное поражение. Бедные папа и мама! Я чувствую, что il faut que je suis moi même[1], вот и все. Меня трудно *научить*. А я, Лиза, недобрая, несговорчивая и нетерпеливая. Во мне нет любви. Или ее очень мало. Во всяком случае, никому и никогда я уже не скажу: *люблю*. Смерть Патрика отрезвила меня, и теперь у меня есть самое что ни на есть суровое доказательство, что вся эта ваша так называемая *любовь* — не более чем красивые слова. Ты возразишь, что раз у меня нет детей, то я не могу и судить о любви. Может быть, не знаю. Детей у меня нет и никогда не будет.

Теперь о моих связях, число которых тебя, ангела во плоти, наверное, ужаснет. Не стоит, Лиза. Мужчины меня очень мало интересуют. Физически я любила только Уолтера Дюранти, но он человек-дьявол, и слава богу, что он далеко. С ним у меня вырастали крылья. Наверное, если бы Патрик не погиб, мы бы и прожили вместе до старости, как ты живешь со своим Георгием, но разве это сравнить с тем, что было у нас с Уолтером, которому я, как говорила наша мама, могла «ноги мыть и воду пить».

После отъезда доктора Рабе в Европу я очень старалась забеременеть (все равно от кого) и родить. Толчком к этому, как ни странно, послужило одно незначительное впечатление: вхожу однажды в магазин вслед за женщиной, у которой на руках ребенок лет двух или трех, и вижу прямо перед собой руку этого ребенка, которой он вцепился в плечо своей матери. И вдруг меня поразило «выражение» этой руки, как иногда поражает выражение лица. Маленькая, крошечная рука эта была какой-то немыслимо *доверчивой*. Та-

---

[1] Должна быть сама собой (*франц.*).

кой бесхитростной и *доверчивой*, что я чуть не расплакалась, глядя на нее, и сразу же решила, что мне тоже нужен ребенок. Как можно скорее! И пусть тогда все вокруг сыпется. Принялась менять любовников. За один год поменяла троих. Не буду тебе рассказывать о них, это не так интересно. Но, Лиза, ни одной беременности, ни разу! Пустая я, полая. Здешние врачи говорят, что у меня «инфантильная матка», есть такой медицинский термин. Ходила к китайцу, старому, с лицом оранжевым, как апельсин. Сам похож на женщину. Усадил меня на пол и начал стучать молоточком по деревянной кукле. Сказал, что эти сеансы нужно делать три раза в неделю, тогда у меня все наладится. Больше я к нему не пойду.

Нью-Йорк, наши дни

Расставшись с Лизой у подъезда неизвестной ему Оленьки, Ушаков отправился домой пешком. Венчание Сесиль Смит с Бенджаменом Сойером не выходило из головы, и особенно сильно вспоминались почему-то эти голые тонкие косточки локтей невесты, запрыгавшие под прозрачной фатой, когда она заплакала. В его парижской квартире до сих пор висит большая, выцветшая уже свадебная фотография деда и бабушки. Какой же был год? Дед его на этой фотографии выглядит нахмуренным и напряженным, словно ему задали вопрос, на который он не знает ответа, а бабушка напоминает Сесиль: такая же юная, с длинной фатой и цветами.

Умерли они почти одновременно — это он запомнил хорошо, — но лица их, их голоса давно стерлись, потемнели и истончились в его памяти, как стерлись и истончились две маленькие серебряные ложечки, подаренные ему, младенцу Митеньке Ушакову, бабушкой и дедушкой к самой знаменательной дате — появлению первого молочного зуба. На одной ложечке выгравировано: *поправляйся*, а на другой: *будь здоров*.

«Они были наивными людьми, — рассказывала мать, — с ними часто происходили смешные истории. Бабушка, например, приехав первый раз в Париж из провинции, услышала на улице ругань русских таксистов. Прибежала домой: «Подумай, Георгий, почему нас с Настей так и не научили настоящему русскому языку? Возмутительно!» И тут же воспроизвела, как разговаривают таксисты. Дед только уши зажал. А сам, кстати, тоже однажды опозорился. Он плохо знал немецкий и никак не мог запомнить самых простых слов. Однажды, задолго до войны, он ездил в Германию, встречался там со своим кузеном, который остался в Берлине, женился на немке. И вот эта немка спросила твоего деда про его первую жену, ту, на которой он был женат еще мальчишкой в России. И дед твой ответил: «Ихь хабе ди гишизен», то есть: «Я ее застрелил» вместо «гишибен» — «развелся».

Ушаков хорошо запомнил всего лишь один веселый день, проведенный с бабушкой и дедом за неделю до дедовой смерти. И это был день его ангела.

Сейчас он шел по Центральному парку, и черные деревья с повисшими на них морозными слезами, и серые облака, грустные оттого, что никто и не смотрит на них, уходящих, никто и не хочет проститься хоть бегло (хотя бы кивнуть головой: мол, прощайте!), он шел по Центральному парку и чувствовал, что каждое воспоминание далекого детского прошлого похоже на то, как бьется сердце, когда его отделяют от тела.

В Париже было тепло, как часто бывает зимою,

шел дождь, мелкий, чистый, но небо печально и быстро темнело. Ушаков вспомнил, как они с матерью накрывали на стол, он вспомнил вкус скатерти, сладкий, чуть затхлый, и вкус чайных ложек, холодных и кислых, и вкус золотистого нежного света, который лила, вся в царапинах, лампа. Дед и бабушка привели с собой гостью. Она была высокой, гибкой, с маленькой, приподнятой кверху грудью. Ему особенно понравилась именно эта маленькая, вздернутая грудь и красивые ноги, обтянутые блестящею черною тканью.

И мать просияла, всплеснула руками:

— Ты, Дина?

Гостья, которую звали Диной, расцеловала его и посадила к себе на колени. Он уцепился за стол, потому что ткань на ее юбке была скользкой, как лед, и он испугался, что свалится. Потом Дина пела. И все хохотали, и он вместе с ними. Она достала гитару, подмигнула деду, и дед ей сказал:

— Сначала мадам Банжу.

Дина приподняла брови и глубоко вздохнула:

> Я вам, ребята, расскажу,
> Как я любил мадам Банжу,
> Когда я шел к мадам Банже,
> Меня встречали в неглиже...

Она пела серьезно, слегка обиженно, и даже грустная, молчаливая бабушка покатывалась со смеха.

> А я бросаюсь на Банжу,
> С нее срываю неглижу,
> Но появился тут Луи,
> Совсем разбил мечты мои.
> Она, связавшись с тем Луем,
> Совсем забыла о моем...

Пирог был большим, необъятным, как поле, и белым, как облако. Когда его разрезали, внутри он оказался темно-красным от запеченной (целыми ягодами!) вишни. Он весь был — как лето, последнее лето деда, которому жить оставалась неделя, холодная, зимняя, с ноющим ветром. И дед, словно зная об этом, ел много.

Тонкая гибкая Дина пела целый вечер, и много лет спустя, услышав на ее пластинке те же самые песни, Митя разыскал в справочнике телефон мадам Верни и позвонил. Она была очень стара, глубоко за восемьдесят, по-прежнему очень бодра и богата и, когда он представился, сразу же перешла на русский.

— Мадам Банжу помнишь? — хрипло спросила она и рассмеялась. — Она, связавшись с тем Луем, совсем забыла о моем...

Вечером, когда Митя, счастливый, сидел на полу, откручивая колеса у только что подаренного паровоза, кто-то позвонил в дверь, и мать побежала открывать. Послышался мягкий, очень мягкий мужской голос, от которого вдруг все заволновались.

— Нет, нет, Антуан, — по-французски говорила кому-то мать. — Я не могу принять от вас никакого подарка. И прошу вас, не нужно сюда приходить, и давайте забудем...

— Вера́! — с ударением на «а» тоже по-французски ответил ей голос. — Поверьте: не я был виною несчастья...

Мать не дала ему договорить:

— Здесь родители, — сказала она, — и сын, и наши гости. Сегодня день Митиного ангела, Антуан. Я прошу вас уйти.

Она захлопнула дверь и даже закрыла ее на цепочку. Потом вернулась в столовую с красными щеками.

— Медальников приходил? — спросил Митин дед, и бабушка ахнула так громко, что даже Митя удивился.

Мать только кивнула.

— Как ты догадался? — начала было бабушка. — Откуда ты знаешь, Георгий?..

Потом посмотрела на Дину и испуганно замолчала.

И тогда эта гибкая, с высокими, сильными ногами и вздернутой грудью Дина громко запела, аккомпанируя себе на гитаре:

Здравствуй, моя Нюрка,
Здравствуй, дорогая,
Здравствуй, моя Нюрка,
И проща-ай!

ДНЕВНИК
Елизаветы Александровны Ушаковой

Париж, январь 1960 г.

В день Митиного ангела оказалось, что Георгий все знал о Лене. Он знал даже больше, чем я. Медальников отдал мне неполную копию, а Георгию — сами тетради, включая записи последних шести недель, о которых я не подозревала. Там очень подробно описано, через что он проходил, как увеличивал и уменьшал дозы, какие принимал лекарства. Также очень подробно описаны все его галлюцинации и то состояние свободы и дикого восторга, в котором он чувствовал себя почти Богом. Короче, настоящий медицинский дневник.

Мой сын был в аду, в который он спустился сам, по своей воле, думая, что этим поможет таким же, как он. Он не знал, что из ада не возвращаются, или не хотел знать. Георгий сказал, что мне ни в коем случае нельзя читать его записи.

Медальников пришел к Вере с подарком для нашего Мити, но Вера его не впустила. Кроме нас, там была еще Дина Верни, вдова скульптора Майоля, которую мы давно знаем и любим. Медальников позвонил в дверь, как раз когда Дина пела эти свои развеселые песни, которые она чудом помнит до сих пор. По дороге домой я спросила у Георгия, знает ли он, почему приходил Медальников, и он мне все рассказал. Значит, все это время мы скрывали друг от друга самое страшное, и каждый из нас думал, что только он и знает правду. Теперь я должна спросить у своего мужа, *всё* ли он понял. Я очень боюсь его спрашивать. Кроме того, он очень ослабел со дня Митиного ангела.

Нью-Йорк, наши дни

Придя домой, Ушаков убедился, что совсем еще рано: девять часов. Ночная жизнь бессонного города только начинается в это время. Но раз она сказала, что устала и хочет спать, значит, единственное, что он может сделать, — это позвонить ей и пожелать спокойной ночи.

Она подошла к телефону, но не сразу, и голос ее звучал напряженно.

— Все в порядке? — спросил Ушаков.

— Надеюсь, что да.

— Устала?

— Устала, сейчас лягу спать.

— Bonne nuit![1] — вздохнул Ушаков.

Во сне он увидел Медальникова, который был молод и весел. Ничего не осталось в нем от того испуганного старика, которого Митя последний раз навестил в загородной клинике, где Медальников медленно угасал от рассеянного склероза. Много раз после этой встречи Ушаков спрашивал себя, было ли у него право отказать Медальникову в последней просьбе, и всякий раз этот вопрос жгучим стыдом пропарывал его насквозь. Каждая подробность того дня, давно отслоившись от плотной кожи времени, обрела в конце концов невыносимую ясность и так глубоко проросла в Ушакова, что иногда ему казалось, будто последняя встреча с Медальниковым осталась внутри навсегда, как остаются недолеченные болезни.

Дождавшись Медальникова в вестибюле клиники, где слабо пахло ментолом, а кресла для посетителей были такими удобными, что в них можно было заснуть, Ушаков поразился случившейся с ним перемене. Медальников по-прежнему напоминал церковного ангела, если бы только церковный ангел мог глубоко состариться, золотисто-зеленоватые волосы его сильно поредели, и так ярко просвечивала сквозь них очень белая, сухая кожа, что общее впечатление света, который и прежде излучало его лицо, стало еще сильнее. При этом Ушаков сразу же увидел, что Медальников не только скоро умрет, он увидел, что Медальников умирает сейчас, прямо на глазах, умирает давно, каждый день, каждую минуту, и сам это знает, и помнит об этом. Он улыбнулся, увидев Ушакова, и, опираясь на палку, захромал ему навстречу.

---

[1] Спокойной ночи *(франц.)*.

— Хочу вас попросить об одолжении! — Медальников сморщился. — Огромном, почти неприличном, которого я ничуть не заслуживаю. Но сперва помогите мне выйти в парк.

Уже наступала весна, и на газонах, принявших особый красноватый цвет, который принимает земля, перед тем как родить неведомую ей самой растительность, и ждет, и стыдится, краснея от этого, на этой земле распускались бутоны. Маленькие птицы черной стайкой налетели на лавочку, раскрыли свои очень красные клювы и быстро опять улетели.

— Давайте присядем, — попросил Медальников.

Ушаков поймал испуганный и умоляющий взгляд, которым Медальников проводил птиц, как будто это их он и собирался просить об одолжении.

— Со мною вчера вечером, — усмехаясь, сказал Медальников, — разговаривали два дерева. Да, именно так. Я гулял здесь и вдруг смотрю: эта ель. И вся она движется, вся дрожит мне навстречу. Вокруг полнейшая тишина, никакого ветра, а эта ель просто ходуном ходит. Иду дальше. И вижу: еще одна ель. И та же история. Деревья со мной говорят! Я был счастлив. Сейчас только понял, в чем дело.

— В чем?

— Да птицы там были внутри. Просто птицы.

Оба замолчали.

— Мне хотелось бы немного пожить в городе, — вдруг быстро, задыхаясь, сказал Медальников. — Мое состояние ухудшается, но надеюсь, что все *это* случится не так быстро.

Ушаков знал, что у Медальникова нет и никогда не было семьи.

— У меня никого нет, — продолжал Медальников. — Я хочу немного пожить с вами, Митя́. — Он произнес его имя так же, как произносил имя его матери: с ударением на последнем слоге. — Я, наверное, виноват перед вами, а может быть, и не виноват, но я не совсем посторонний вам человек. — Он испуганно и вопросительно поглядел на Ушакова, ожидая, что тот возразит, но Ушаков не перебивал его. — Ухаживать за мною не нужно. Я буду платить за прислугу, еду и квартиру. Мешать вам я тоже не буду. Мне страшно здесь. Страшно все время.

Ушаков ошарашенно молчал.

— Не беспокойтесь, — прошептал Медальников, — это я пошутил. Фантазии человека, замученного одиночеством.

Он сделал попытку приподняться, но рука соскользнула с палки, и он на бок, неловко, свалился обратно на скамейку. Ушаков торопливо усадил его.

— Проводите меня, Митя, — мягко и доброжелательно сказал Медальников, — становится сыро.

...сегодня ночью Ушаков увидел его, сильного, молодого, здорового, и свет солнца, запутавшись в листве, инкрустировал кусочки золотого огня на его легком теле, так что Медальников казался весь усеянным какими-то небывало яркими веснушками. Он выходил из воды, но вода одновременно была и лесом, потому что Ушаков слышал, как шум ее сливается с шумом деревьев, со звоном птенцов и со скрипом коры. На Медальникова отовсюду наплывали облака, и одно из них, зацепившись за его плечо, было похоже на цветок боярышника, запах которого Ушаков почувствовал во сне. Он сразу же вспомнил, что не выполнил последнюю просьбу Медальникова, но одновременно вспомнил, что Медальников виноват перед ним в том, что мог удержать его отца от гибели и не сделал этого.

«Обращаясь к феномену покаяния, — еле разборчиво забормотал кто-то прямо в его голове, — я должен заметить, что именно этот феномен особенно останавливает на себе уважительное внимание философии...»

«Откуда это? — торопливо подумал Ушаков. — Я уже говорил это сегодня!»

Медальников все выходил и выходил из воды, и Ушаков начал постепенно догадываться, что так будет всегда. Более того: он начал догадываться, что *там*, откуда Медальников сейчас шел к нему, все эти вопросы были давно решены. Откуда-то он уже понял, что *там* не было ни воды, ни зацепившегося за плечо облака, похожего на цветок боярышника и пахнущего так же, как пахнет цветок, не было и существа, имевшего облик молодого Медальникова, но все это было сейчас, во сне, сделано для него, Ушакова, чтобы перевести закрытую для его понимания тайну на понятный язык, как переводят на современный английский или немецкий древнейшие, в таинственных складках пещер и завалов отысканные рукописи. Оказывается, он давно уже простил Медальникова, и мать его тоже простила Медальникова, а сам Медальников, который так долго ждал от них прощения, знал теперь то, чего не знал Ушаков, но знала умершая мать, знали бабушка с дедом, и отец, который ни разу так и не появился из воды, чтобы свидеться с сыном, — он тоже все знал, был прощен и спокоен.

ДНЕВНИК
Елизаветы Александровны Ушаковой

Париж, 1960 г.

Сегодня я шла из булочной, вижу: на тротуаре лежит закутанный в большое грязное одеяло молодой человек, одна голова торчит, в очках, глаза закрыты. И рядом, под тем же одеялом — большая, лохматая, видимо, очень старая кошка. Смотрит умно, внимательно и словно бы настороженно: защищает молодого человека от мира. Конечно, наркотики. У нас в городе этого становится все больше и больше. Вдруг какая-то парочка, которая шла прямо передо мной, остановилась и начала щелкать фотоаппаратом, смеясь и переговариваясь при этом. Им, наверное, понравилась сама картинка: спящий парижский клошар и рядом, под тем же одеялом, животное. Я дождалась, пока они ушли, достала монетку и положила ее на блюдечко, из которого он кормит свою кошку, — оно было чисто вылизано, только по краям немного присохли остатки еды. Он приоткрыл глаза — совсем молодой! — и сказал мне:

— Merci, madame.

Господи, пожалей его.

Нью-Йорк, наши дни

Утром Ушаков позвонил Лизе. Мобильный был выключен. Даже если она внезапно уехала из Нью-Йорка ранним поездом, она все равно могла бы ответить на его звонок. В гостинице «Хилтон» продолжалась конференция, но Ушаков решил, что больше туда не пойдет. Через полтора часа он позвонил еще раз. По Лизиному телефону ответил незнакомый женский голос.

342

— Who is it?[1] — с сильным русским акцентом спросили его.

Ушаков назвался.

— Wait a minute! I'll ask her[2].

В трубке зашуршало, потом он услышал, как Лиза сказала:

— Да, я подойду, только ты подержи... Осторожнее!

И снова шуршание.

— Але, это ты? — спросила она.

— Ты где? — удивился Ушаков.

— Я в больнице, у меня дочка.

В душе его вдруг оборвалось что-то. Сначала, очень ненадолго, появилось облегчение, что все уже позади, но это облегчение не успело даже окончательно сформироваться, как его уже захлестнуло чем-то тревожным, неловким, болезненным, и Ушаков почувствовал себя так, словно он должен очень быстро принять решение, которое он не готов был принять да и не хотел этого.

— Ну, наконец-то! Слава богу! — сказал он вслух. — Когда же это произошло?

— Час назад. Вчера, в десять вечера, все началось. А утром, в одиннадцать, я уже родила.

Он не знал, что сказать. Она тоже молчала.

— Как ты себя чувствуешь? — спохватился он.

— Нормально, — ответила она и засмеялась: — С днем ангела тебя!

— Можно мне зайти? — спросил он.

— Сегодня? — уточнила она обрадованно.

По ее голосу Ушаков понял, что именно этого она и ждала.

---

[1] Кто это? *(англ.)*

[2] Подождите минуту, я у нее спрошу *(англ.)*.

— Конечно, сегодня.

— Только прошу тебя: не нужно никаких цветов. Ей может быть вредно...

Поездка заняла не больше десяти минут, больница Lenox Hill оказалась в самом центре Манхэттена. Таксистом оказался украинец с пшеничными усами. Выяснив, куда ехать, он продолжал свой прерванный телефонный разговор.

— Ну, шо? — сурово спрашивал таксист.

В трубке очень громко тараторила женщина.

— З тобою все гаразд? — перебил ее таксист.

Ушаков увидел, как у него побагровела большая широкая шея.

— Були б пирижки — будуть и дружки, ссрденько! — Шофер бросил трубку.

— Вы с Украины? — спросил Ушаков по-русски.

— Так да, — коротко ответил таксист, не удивившись.

Подъехали к главному корпусу Lenox Hill. Ушаков протянул деньги.

— Без витру и трава не шелестить! — пробормотал таксист, думая о своем и уже не глядя на Ушакова. — Розуму як у детини!

В центре вестибюля стояло большое каменное дерево, вокруг которого живое ползучее растение плотно обвивало свои листья. Сквозь стекло Ушаков увидел, что в машину, из которой он только что вылез, подбирая длинные белые одеяния, торчавшие из-под пальто, усаживаются двое индусов.

Он снял пальто, размотал шарф. Дождался лифта, поднялся на шестой этаж. Сердце колотилось.

А над Тереком ночь тревожная,
Свечки ставятся всем святым.

344

Эх, казак лихой! Отступать не положено,
Так помирать тебе молодым! —

вспомнил он слова песни, которую случайно услышал тогда, в Вермонте, когда поздно вечером возвращался от Лизы и все оглядывался на ее заросшее густой сиренью окно.

623. Это здесь. Дверь была приоткрыта, но Ушаков все-таки постучал.

* * *

Белизна всего, что он успел охватить взглядом, едва ступив на порог этой комнаты, подействовала на него так сильно, как будто все годы до этого он жил в темноте или в сумерках. Только здесь, в этой комнате, была белизна настолько откровенная и уверенная в себе, насколько откровенны и уверены в себе знаки и явления природы. Была белизна, вот и все. В центре ее спал ребенок, и рядом с ребенком была женщина.

Она посмотрела на вошедшего строго и даже требовательно, но Ушаков почему-то не удивился этому ее новому взгляду: она смотрела сейчас на всех одинаково, потому что не хотела выслушивать никаких пустых слов и требовала, чтобы все внимание входящего немедленно обращалось к ребенку.

Ребенок спал с таким выражением на своем маленьком лице, словно он только что в одиночестве переплыл целое море и теперь, добравшись до берега, отдыхает. На желтоватом личике с выпуклым лбом, над которым завивались несколько прилипших к нему волосков, было сосредоточенное внимание к окружающему, включая и неизвестного Ушакова. Готовность полюбить и принять все, до чего ему наконец посчастливилось доплыть, была настолько заметна на этом лице, так сильно была она разлита по немыслимо мягким и малым чертам, словно одна жизнь уже была когда-то прожита этим ребенком, и теперь, переполненный вспыхнувшей о ней памятью, он чувствует в себе надежный гул прошлого, его блаженную незавершенность и всеми силами души переживает долгожданный миг своего возвращения. Сейчас, во сне, от которого вздрагивали его загнутые редкие ресницы, ребенок был отделен ото всего, что окружало его, включая и женщину, смотрящую со слепым восхищением — началом неизбежного будущего страдания материнской любви, — и, отделенный ото всего, ни в чем до поры не нуждающийся, он торопливо воскрешал в себе загроможденную ожиданием, стремительно убывающую реальность, которая была его *прежней*, одному ему известной жизнью. По крошечному лицу с редкими загнутыми ресницами торопливо, словно боясь пропустить хотя бы секунду оставленного на *это* времени, шли волны мечтательного воодушевления, и взрывы веселья, и тень острой боли, особенно странной сейчас, в этой нагретой белизне, которая со всех сторон оберегала новорожденного не только от боли, но и от любого, самого незначительного неблагополучия.

Ушаков задержал дыхание, которое вдруг показалось ему слишком громким, грубым, нарушающим спрятавшуюся ото всех, затаившуюся тишину этой комнаты. Когда же он снова осторожно вдохнул в себя воздух, ноздри его защекотал знакомый, почти забытый запах. Это был нежный запах только-только начавшего закисать молока, из которого его энергичная, «деревенская», как говорили у них в семье, прабабушка делала летом простоквашу. Ушаков, не отрываясь, смотрел на ребенка и чувствовал, как этот еле заметный запах, которым были пропитаны и младенец, и его мать, и все окружающие их предметы, начал постепенно затягивать его самого: напрягшиеся мышцы тела расслабились и блаженно обмякли, как будто он только что несколько часов пролежал на пляже, где сонные волны слегка набегали на ноги, а солнце слегка припекало затылок, но ничего не было и не могло быть лучше, чем это безволие, это бессилие. Ему не хотелось даже говорить, но очень хотелось прикоснуться к ребенку и почувствовать его тепло. Он протянул руку, чтобы дотронуться до круглой головки, которая должна была быть, как ему казалось, совсем шелковой на ощупь, но Лиза вдруг тихо сказала:

— Можешь поцеловать, если хочешь.

Он наклонился к ребенку и робко, почти не коснувшись, поцеловал его куда-то в самый уголок глаза. Ребенок проснулся. Глаза были сине-серыми и еле заметно косили, как будто еще не решались смотреть на мир прямо и немного боялись того, что видят. Они обежали лицо Ушакова и остановились на том месте в самой середине окна, где была наклеена серебряная рождественская звездочка. Жалость так сильно захлестнула Ушакова, что он еле сдержался. Ему вдруг захотелось взять на руки, прижать к себе, заслонить от всего на свете это самое маленькое изо всех виденных им прежде человеческих существ, самую беззащитную девочку, которую он еще пять минут назад даже и не представлял себе. Дикое волнение, с которым он шел сюда, волнение, всякий раз на протяжении почти восьми месяцев охватывавшее его при мысли об этой девочке, оказалось не чем иным, как жадным предвестием чувства, ему неизвестного и непонятного. Он бегло взглянул на Лизу, теперь приподнявшуюся на постели и склонившуюся так, что несколько легких прядей ее длинных волос закрыли от взгляда Ушакова личико новорожденной, но он тут же сделал шаг в сторону, чтобы ни на секунду не отрывать от девочки своего взгляда.

— Она совсем есть не хочет, — со страхом сказала Лиза, и по щекам у нее поползли слезы. — Не знаю, что делать.

Ушаков хотел успокоить ее, произнести что-то бессмысленно-вежливое, вроде того, что так, наверное, бывает, и все наладится, но вдруг почувствовал: факт, что ребенок совсем не хочет есть, а это означает, может быть, какую-то болезнь или что-то еще, чего не должно быть с этим ребенком, вызывает и у него самого чувство непонятной тревоги.

— Поест, — сказал он испуганно.

Она подняла на него взгляд, задержала его и тут же, как ее дочка, перевела на середину окна, где была серебряная звезда. Ее глаза в точности повторили выражение сине-серых глаз новорожденной: они тоже слегка, еле заметно, косили и тоже боялись того, что увидят. Этот никому, кроме него, не понятный и никем, кроме него, не смеющий быть даже просто замеченным страх вдруг словно ударил Ушакова, как мяч, которым перебрасываются чужие, незнакомые парни, вдруг изо всех сил ударяет по лицу случайно оказавшегося рядом человека. Те сомнения, с которыми Ушаков шел сюда, те переживания, которые он пытался перебороть искусственно, то отвращение, которое он ворошил в себе, думая о ее беременности, — все оказалось ничтожным, неумным и стыдным по сравнению с тем робким выражением страха, с которым она и вот этот ребенок смотрели сейчас на окно.

А эта серебряная рождественская звезда, наклеенная на самую середину стекла, могла быть и просто проделкою ангела.

Литературно-художественное издание

ВЫСОКИЙ СТИЛЬ. ПРОЗА И. МУРАВЬЕВОЙ

Муравьева Ирина

ДЕНЬ АНГЕЛА

Ответственный редактор *О. Аминова*
Выпускающий редактор *А. Дадаева*
Художественный редактор *А. Стариков*
Технический редактор *Н. Носова*
Компьютерная верстка *Г. Павлова*
Корректор *З. Харитонова*

В оформлении обложки использован рисунок *В. Еклериса*

ООО «Издательство «Эксмо»
127299, Москва, ул. Клары Цеткин, д. 18/5. Тел. 411-68-86, 956-39-21.
Home page: **www.eksmo.ru**   E-mail: **info@eksmo.ru**

Өндіруші: «ЭКСМО» АҚБ Баспасы, 127299, Мәскеу, Клара Цеткин көшесі, 18/5 үй.
Тел. 8 (495) 411-68-86, 8 (495) 956-39-21.
Home page: www.eksmo.ru . E-mail: info@eksmo.ru.
Қазақстан Республикасындағы Өкілдігі: «РДЦ-Алматы» ЖШС, Алматы қаласы;
Домбровский көшесі, 3«а», Б литері, 1 кеңсе. Тел.: 8(727) 2 51 59 89,90,91,92,
факс: 8 (727) 251 58 12 ішкі 107; E-mail: RDC-Almaty@eksmo.kz
Қазақстан Республикасының аумағында өнімдер бойынша шағымды Қазақстан
Республикасындағы Өкілдігі қабылдайды: «РДЦ-Алматы» ЖШС,
Алматы қаласы, Домбровский көшесі, 3«а», Б литері, 1 кеңсе.
Өнімдердің жарамдылық мерзімі шектелмеген.

Подписано в печать 21.11.2012. Формат 70×108 $^1/_{32}$.
Гарнитура «Гарамонд». Печать офсетная. Усл. печ. л. 15,4.
Тираж 4100 экз. Заказ № 1468.

Отпечатано в ОАО «Можайский полиграфический комбинат»
143200, г. Можайск, ул. Мира, 93
www.oaompk.ru, www.оаомпк.рф тел.: (495) 745-84-28, (49638) 20-685

ISBN 978-5-699-61105-8

9 785699 611058>

Изысканно. Увлекательно. Необыкновенно!

Анна Берсенева
«Рената Флори»

Изменить свою жизнь… Выбраться из кокона однообразных дел и мыслей…
И найти целый мир!
Это история Ренаты Флори, удивительной женщины, которая поначалу, как
многие, считала себя обычной.

www.eksmo.ru
2011-145